E. Ennen, Die europäische Stadt des Mittelalters

EDITH ENNEN

Die europäische Stadt
des Mittelalters

VANDENHOECK & RUPRECHT
IN GÖTTINGEN

SAMMLUNG VANDENHOECK

Umschlag: Jan Buchholz und Reni Hinsch
© Vandenhoeck & Ruprecht in Göttingen 1972. Printed in Germany.
Ohne ausdrückliche Genehmigung des Verlages ist es nicht gestattet,
das Buch oder Teile daraus auf foto- oder akustomechanischem Wege
zu vervielfältigen. Satz und Druck: Albert Sighart, Fürstenfeldbruck.
ISBN 3-525-01308-6

Den Gefährtinnen
meiner Kindheit und Jugend
gewidmet:

Frau Irmgard Danner geb. Ennen
Frau Gertrud Brockhaus geb. Ennen
Frau Oberstudienrätin Hanna Haffner

VORWORT

In den 30er Jahren beherrschten einzelne scharf profilierte Forscherpersönlichkeiten das Bild der Stadtgeschichtsschreibung in Mitteleuropa: Henri Pirenne in Belgien, Fritz Rörig in Kiel und dann Berlin, Hans Planitz in Köln. Ihnen war gemeinsam, daß im Mittelpunkt ihres Interesses große Fernhandels- und Exportgewerbestädte standen: die flandrischen Städte, die Hansestädte, Köln. Gegen diese Einseitigkeit habe ich mich bei aller Bewunderung für die Leistungen dieser Gelehrten gewandt, als ich in Kriegs- und Nachkriegszeit meine „Frühgeschichte der europäischen Stadt" konzipierte, die 1953 erschien: „Wir dürfen aber jetzt nicht bei der Beschreibung und Erforschung dieses einen Typs der Fernhandelsstadt stehenbleiben." (S. 12) Ich forderte eine typologisierende Betrachtung und versuchte, dieser Forderung selbst nachzukommen in einer im Prinzip die europäische Stadt insgesamt erfassenden Darstellung. Das konnte damals nicht voll gelingen: die Städtelandschaften des Nordwestens — die Schelde-, Maas- und Rheinstädte — und Oberitaliens ließen sich allein plastisch herausarbeiten und voneinander abheben.

In der Folgezeit kam die Diskussion über stadtgeschichtliche Fragen allenthalben in Gang. Eine Fülle von Arbeitskreisen entstand, Ausgrabungen brachten immer wieder neue Überraschungen; neue Forschergenerationen wuchsen heran, erarbeiteten neue Materialien und Fragestellungen.

Der Augenblick, in dem es sich lohnt, Bilanz zu ziehen, dürfte gekommen sein. Ich wollte das nicht im Rahmen einer Neuauflage der „Frühgeschichte" tun, sondern dieses Buch so belassen, wie es in der wissenschaftlichen Diskussion steht. Daher bin ich dem Verlag Vandenhoeck & Ruprecht aufrichtig dankbar für die Möglichkeit, jetzt in einer Kurzfassung meine Vorstellung von der Entstehung und Leistung der europäischen Stadt und den großen Stadtwirtschaftslandschaften Europas mitzuteilen. Dankbar bin ich den treuen Helfern im Institut für geschichtliche Landeskunde in Bonn, vor allem Herrn Dr. Franz Irsigler, Fräulein Regina Keul und Herrn Manfred Huiskes, sowie ganz besonders den vielen Städtehistorikern, die mir durch ihre Arbeiten und oft auch im persönlichen Austausch geholfen haben, vielleicht — so hoffe ich — etwas weiter und freier zu sehen, etwas mehr und differenzierter zu begreifen auf diesem unermeßlichen Forschungsgebiet, dem ich mich verschrieben habe.

Edith Ennen

INHALT

gertum — Soziale Mobilität, „Stadtluft macht frei" — Der Schwurverband in Nordwesteuropa — Frühformen der Gemeinde im Mittelmeerbereich; Sonderfall Venedig, Genuas Privileg von 958 — Stadtsässigkeit des Adels — Wandlung des 11. Jahrhunderts: Konsulat und Schwurverband — Die Ratsverfassung diesseits der Alpen.

EINLEITUNG

Was ist eine Stadt?

Die Frage: Was ist eine Stadt? läßt sich für das Mittelalter scheinbar sehr leicht beantworten. Als kompakte Silhouette heben sich die mauerumgürteten, dichtgebauten, von Türmen der Kirchen und Burgen überragten Städte aus dem sie umgebenden Land heraus — ganz im Gegensatz zu den ausufernden Stadtsiedlungen unserer Zeit. Die Mauer macht die Stadt nicht nur zur Festung, sie markiert auch den Bereich eines besonderen Stadtrechtes — nämlich einer weitgehenden bürgerlichen Rechtsgleichheit im Gegensatz zur herrenständischen Ordnung, die außerhalb der Stadtmauern gilt —, einer Verfassung, in der freie Bürgerschaften ihren Stadtherren gegenüber Mitbestimmung oder sogar Autonomie behaupten — einer Ordnung also, die keimhaft die staatsbürgerliche Gleichheit unserer Zeit vorwegnimmt, so daß wir dieser Städtefreiheit allerdings nicht mehr bedürfen. Die mittelalterliche Stadtmauer umschließt eine Bewohnerschaft, deren besondere soziale Stellung nicht nur durch Freiheit, sondern auch durch Freizügigkeit und Mobilität, durch berufliche Spezialisierung und eine vielstufige Differenziertheit ausgezeichnet ist. In den Stadtmauern konzentriert sich die gewerbliche Wirtschaft der Zeit, die städtische Behörden kontrollieren und dirigieren; in den Städten sind die Kaufleute ansässig geworden, die ein Netz von Handelsbeziehungen über Europa geworfen und auch Vorderasien und Nordafrika damit verknüpft haben; sie bestimmen die Geschicke der Stadt im Rat und treiben Wirtschaftspolitik in einer Zeit, in der die Könige und Fürsten, vollbeschäftigt, sich gegenüber ihren Vasallen durchzusetzen und einen modernen institutionellen Staat aufzubauen, kaum eine bewußte und konsequente, ihren Herrschaftsbereich als Einheit erfassende Wirtschaftspolitik treiben können.

Mittelpunkt des gewerblichen Lebens der Städte ist der Markt, hier vollzieht sich der Austausch verschiedenartiger Produktionsgebiete; durch den Markt beherrscht die Stadt ein abgrenzbares Umland, wird sie „zentraler Ort" des Wirtschaftslebens.

Kultisch-kulturelle und politisch-administrative Raumfunktionen verdichten diese Zentralität, so daß alle übrigen zentralen Orte hinter den Städten mit der Vielzahl ihrer auch schon hierarchisch gegliederten zentralen Funktionen zurückbleiben. — In der Raumfunktion greifen wir eines der konstantesten Wesensmerkmale der Stadt.

Diese „qualitativen" Merkmale der mittelalterlichen Stadt führt K. Blaschke 1968 nicht viel anders auf als G. v. Below, einer der bedeutenden Städtehistoriker des 19. Jahrhunderts, und zweifellos sind sie alle gut und sicher historisch belegt. Aber — müssen wir als Historiker sogleich fragen — wieweit deckt dieses Bild, deckt dieser ein Bündel von Kriterien vereinigende Stadtbegriff die Wirklichkeit[1]?

Daß wir heute bewußt mit einem kombinierten, flexiblen und variablen Stadtbegriff arbeiten und, was Stadt ist, nicht mehr an Hand eines starren Kriteriums zu bestimmen uns vergebens mühen, sondern an Hand eines Kriterienbündels, dessen Zusammensetzung nach Zeit und Ort variiert, erlaubt immerhin zeitliche Schichten und regionale Unterschiede herauszuarbeiten und der unverwechselbaren Individualität, die jeder Stadt eignet, gerecht zu werden. Andererseits brauchen wir einen Stadtbegriff, wenn sich Stadtgeschichte nicht in eine Summe von Stadtgeschichten auflösen soll. Maßgebend ist für uns aber immer die Stadt des Mittelalters, wie sie sich nach äußerer Erscheinung, innerer Struktur und Funktionalität aus den Quellen rekonstruieren läßt und wie sie sich terminologisch selbst begreift.

Auch der kombinierteste und variabelste Stadtbegriff ist nur ein Gerüst, eine Hilfskonstruktion, wenn es nun gilt, der bunten Fülle der äußeren Erscheinungen darstellend Herr zu werden, die in trümmerhaften Überlieferungen nur schwer präzise greifbaren Strukturen herauszumeißeln, die Vielfalt der Funktionen zu erkennen und in ihrem Geltungsbereich zu umgrenzen, eine lebendige und exakte Vorstellung der großen Städte und der hervorragendsten Städtelandschaften des Mittelalters in ihrer gegenseitigen Verflechtung zu geben und die zeitlichen Entwicklungsschichten voneinander abzuheben.

Welche Stadtkultur geht der mittelalterlichen voraus?

Die Geschichte der Stadt beginnt nicht erst im Mittelalter. Was allerdings heißt Mittelalter? Wir verstehen darunter die Zeit von rd. 500—1500 und sind uns dabei der Fragwürdigkeit dieser wie jeder Periodisierung — auch sie immer nur ein Hilfsmittel, den ununterbrochenen Fluß der Zeit in der historischen Darstellung zu bewältigen — voll bewußt, der breiten Grenzsäume und Verzahnungen, die den Zeitraum von 500—900 als Übergangszeit von der Antike zum Mittelalter, die Periode von 1350—1500 als Übergangszeit zur Neuzeit erscheinen lassen, der Einschnitte, die jeweils die Jahrhundertmitte im 11. wie im 13. Jahrhundert darstellt, jenem 13. Jahrhundert, das man als den äußersten Ausschlag des mittelalterlichen Pendels bezeichnet hat.

Gibt es überhaupt eine Stadtkultur in diesem ganzen von uns als Mittelalter bezeichneten Zeitraum von 500—1500? Ist nicht das frühe und hohe Mittelalter, das auf uns so archaisch wirkt, nach seiner sozialen Struktur die Zeit einer Adelsgesellschaft mit königlicher Spitze und abgestufter Unfreiheit der unteren Volksschichten ohne städtisches Bürgertum, ist es nicht eine Zeit der überwiegenden Agrarwirtschaft, deren Verfassung grundherrlich ist?

Die eingehende Antwort auf die Frage nach der Kulturkonstanz von der Antike zum Mittelalter geben wir im ersten Kapitel. An dieser Stelle ist der Ort der mittelalterlichen Stadtkultur im universalgeschichtlichen Ablauf festzulegen.

Der Übergang zu städtischen Hochkulturen — einer der entscheidendsten weltgeschichtlichen Wendepunkte — vollzog sich wohl schon im 7. vorchristlichen Jahrtausend im Vorderen Orient[2]. Europa wurde von dem Urbanisierungsprozeß in tiefer zeitlicher Staffelung ergriffen; er begann für Europa im 2. vorchristlichen Jahrtausend im östlichen Mittelmeer und erreichte im ersten nachchristlichen Jahrhundert den Rhein. Die antike Stadt, wie sie vor allem die griechische polis und die römische civitas verkörpern, war *das* Organisationsprinzip des öffentlichen Lebens und der ständige Sitz der Priester und Magistrate. Stadt und zugehöriges Umland bildeten eine Einheit, in der das Land nur Zubehör ohne eigenes Gewicht, ohne eigene Führerschicht war. Diese urbane Grundstimmung des gesamten Lebens[3] eignet im Mittelalter nur mediterranen, vor allem italienischen Stadtlandschaften. Jenseits der Alpen besaß und behielt das Land politische und kulturelle Eigenbedeutung; sie manifestierte sich in einsamen Burgen des Adels, also ländlichen Herrensitzen, in der Landpfarrei und in stadtfernen Klöstern, also ländlichen kultischen und kulturellen Zentren. Die weltlichen Inhaber der Macht konnten ihre Herkunft aus dem rustikalen germanischen Herrentum nicht verleugnen; die Stadt war in Nordwesteuropa im Mittelalter nicht der bevorzugte Wohnsitz des Adels. Der strenge Gegensatz von Stadt und Land, das besondere Stadtrecht, die prinzipiell ausschließliche Konzentrierung von Handel und Gewerbe in der Stadt sind typisch mittelalterliche Züge. Auch die relative Kleinheit der mittelalterlichen Städte ist ein Anzeichen dafür, daß die Stadt hier nicht so viel bedeutet wie in der Antike.

Auf der Schwelle von der Antike zum Mittelalter standen in Europa Gebiete ohne Stadtkultur Regionen sehr alter städtischer Tradition gegenüber. Keine Städte besaßen die Teile Europas, die außerhalb des römischen Weltreichs geblieben waren. Die Ausdehnung des römischen Imperiums geschah in der Form der Urbanisierung, deren Intensitätsgrad in dem Riesenreich allerdings sehr unterschiedlich war. Die civitas wurde zur normalen Gliederungsform; von wenigen Ausnahmen abgesehen, war sie die unterste politische Einheit. Diese Urbanisierung vereinheitlichte die Welt vom Antoninswall in Britannien bis zum Euphrat in noch nie erreichter Weise. Innerhalb des römischen Reiches können wir eine Anzahl regionaler Wirtschaftsgebiete unterscheiden: 1. Italien mit Sizilien, Sardinien, Korsika und den südlichen Alpengebieten. 2. Spanien, Gallien, Westgermanien als stark romanisierter und aktiver Großraum, der das römische Britannien als Außengebiet einschloß und Irland und Schottland beeinflußte. 3. Die Zentral- und Ostalpengebiete, die nördlichen und zentralen Balkanregionen bis zur Donaumündung am Schwarzen Meer, wozu seit Trajan das transdanubische Dazien kam. 4. Das römische Nordafrika von Marokko bis Tripolis. Zu diesen vier lateinisch bestimmten Regionen kamen drei, die im wesentlichen griechisch blieben: 1. Das griechische Mutterland im südlichen Balkan bildete mit dem fast völlig hellenisierten und viel volkreicheren Kleinasien eine vielgestaltige Einheit, die Kreta und die Kyrenaika, die Krim, Südrußland bis etwa Kiew und die Schwarzmeergebiete, Armenien und den Kaukasus als Außengebiete an sich anschloß. 2. Syrien, Palästina, Nordwestarabien und Nordmesopotamien bildeten eine weitere hellenisierte Großregion. 3. Ägypten war vielleicht die reichste und jedenfalls finanziell am stärksten ausgebaute Eigenlandschaft, zu der Nubien und auch die Kyrenaika in engen Beziehungen standen[4].

Zur Erkenntnis der Ausgangslage am Beginn des Mittelalters müssen wir uns vor allem mit den beiden erstgenannten Regionen, dazu mit Randgebieten der dritten befassen. Italien allerdings ging in der Kaiserzeit zurück und die Provinzen stiegen auf. Die führenden Familien Italiens waren zusammengeschmolzen. Zu Unrecht hat man die antiken Städte Konsumentenstädte gescholten[5]. Aber Rom in der Kaiserzeit kam diesen Vorstellungen doch bedenklich nahe. 400 000 Tonnen Getreide wurden jährlich an das römische Volk verteilt; dazu wurden ihm Feste und Spiele geboten. Auch die Provinzstädte waren kostspielige Mittelpunkte der Zivilisation. Die reichen Bürger lassen Triumphbogen, Theater, Arenen, Tempel, Bäder, Wasserleitungen erbauen. Die Wirtschaft ist ausgerichtet auf Konsum und Luxus; auch die technischen Erfindungen zielen in diese Richtung. Die Sklavenmassen verringern sich und die Rechtslage der Sklaven bessert sich. Allerdings — die Masse der freien Staatsbürger entwickelt sich zu den humiliores des römischen Rechts. In den bereits im 2. Jahrhundert n. Chr. sich verkleinernden Stadtsiedlungen des Reichs und insbesondere in Italien und im altgriechischen Siedlungsgebiet erhielten sich bei ihnen noch lange die antiken Lebensformen. Doch mußte schon Kaiser Hadrian einige städtische Wirtschaftsgruppen dauernd an ihre Berufe binden. Das Verkehrswesen wurde auf Gedeih und Verderb von der Staatsbürokratie abhängig. Im Bankwesen verschwanden die Spitzenleistungen; die tesserae nummulariae, die Garantieschilder italischer Privatbankiers für auf ihren Geldinhalt geprüfte Behälter, hören bereits im Laufe des 1. nachchristlichen Jahrhunderts auf. Das Leitbild der römischen Gesellschaft war der stadtsässige Großgrundbesitzer, der seinen Lebenszweck vor allem in einer Ämterkarriere im Staatsdienst und in einem Leben der mit Politik, Literatur, Sport ausgefüllten Muße sah. Die kaiserzeitliche civitas war, wie gesagt, eine mit einem ländlichen Territorium in organischer Einheit verbundene Stadt. „Territorium est universitas agrorum intra fines cuiusque civitatis", heißt es in den Digesten. Bürger dieser civitates war, wer von einem Bürger abstammte, adoptiert oder freigelassen war oder das Bürgerrecht durch Privileg erhalten hatte, gleichgültig ob er im städtischen Mittelpunkt oder im zugehörigen ländlichen Territorium wohnte. Als Organe dieser Gemeinwesen waren die Volksversammlung mit abnehmendem Einfluß in der Kaiserzeit, die Kurie und die Magistrate tätig. In der Kurie saßen die reichen Grundbesitzer, die in der Stadt wohnten und große Güter auf dem Land besaßen. Nur in ganz wenigen Städten, z. B. in Ostia, dem Hafen Roms, oder in Alexandrien und Palmyra, gehörten Kaufleute zur Oberschicht. Kaufleute und Handwerker waren in den collegia zusammengefaßt. Viele dieser Vereinigungen besaßen eigene Tempel und Versammlungsräume[6].

Die Westprovinzen bringen eigene Nuancen in dieses Bild[7]. Wer mit Max Weber von der antiken Küstenkultur spricht, meint nicht nur das Vorhandensein von Küsten, sondern auch ihre besondere Gestaltung, ihre überall gegebene Reziprozität, ihre Aufreihung um das Mittelmeer. Im Mittelmeer konnte der Verkehr von jedem Punkt nach allen Richtungen ausstrahlen; im Atlantik ist er linear beschränkt. Mit Gallien und Hispanien rückte das römische Reich nicht nur an den Atlantik, es gewann mit diesen ausgedehnten Binnenräumen auch die großen schiffbaren Flüsse, die — vom Nil abgesehen — bis dahin fehlten: den Baetis (Guadalquivir), die Donau, den Rhein, die Rhone. Zumal Gallien war durch seine aus dem Innern des Landes nach allen Seiten abfließenden Ströme erschlossen. Auf der Linie Narbonne-Bordeaux kam man — mit einer kurzen Landstrecke — über die Wasserscheide vom Tyrrhenischen Meer zum Ozean. Die große Einfallslinie des Handels nach Gallien war das Rhonetal mit der Saône. Daher gewinnt Lyon eine zentrale Bedeutung in handelsgeschichtlicher, administrativer und schließlich missionarischer Hinsicht — auch für die westgermanischen Provinzen. Von der Saône strahlten mehrere Straßen in der Endrichtung auf Britannien aus. Den kürzesten Landtransport verlangte der Übergang in das Loiretal; unmittelbar wies auf Britannien die Seine hin, hier waren die reichen nautae Parisiaci schon in früher Kaiserzeit tätig. Die obere Rhone, zu Tale befahrbar, der Wassertransport auf der Aare entgegenkam, der Doubs, die Mosel, auf der ab Toul Schiffe verkehrten, stellten die Verbindung von Rhone und Rhein her. Zu den großen Strömen kamen die kleineren Flüsse, die das Binnenland weiter aufschlossen. Mit Kanal-, Hafen- und Brückenbauten haben die Römer diese Möglichkeiten verbessert. Für den Landtransport kam ihnen die gute Pferdezucht bei Galliern und Germanen zustatten, konnten sie das entwickelte gallische Fuhrwesen nutzen.

In seinen oppida, z. B. dem auf vier hohen Hügeln gelegenen Bibrakte, besaß Süd- und Mittelgallien schon vor der römischen

Eroberung Städte, die Handwerkerviertel enthielten, von denen der Handel ausging, auf die Landstraßen zuliefen. Das gallische Kunsthandwerk, vor allem in der Metallbearbeitung, war ausgezeichnet; die Tradition geht von der keltischen zur römischen Zeit bruchlos durch. Auch der Südosten besaß keltische oppida. Sicher nachgewiesen und durch die Nachkriegsgrabungen weithin erschlossen ist das oppidum Manching bei Ingolstadt. Seine Mauer umschloß eine Fläche von 380 ha; es war in der Spätlatènezeit ein wichtiges politisches, wirtschaftliches und kulturelles Zentrum[8]. Auch Stradonitz in Böhmen wäre hier zu nennen. In Nordostgallien und in Westgermanien existierten solche stadtartigen oppida nicht; und gerade an den Rhein warfen die Römer große Truppenmassen, zur Offensive zunächst, zur Verteidigung der Rheingrenze nach der Schlappe im Teutoburger Wald. Hier bedeutet ihr Auftreten eine Epoche; in kurzer Zeit erlebte das linksufrige Rheinland einen gewaltigen Aufschwung, allerdings nicht aus eigener Kraft; die jetzt entstehende städtische Zivilisation wird getragen von den Möglichkeiten eines Weltreiches, das hier im großen investiert.

Diese Gegebenheiten ließen eine Verkehrswirtschaft im römischen Westen entstehen, die Britannien einbezog, über die Küste der Nordsee und die in sie mündenden Ströme, die Ems, die Weser, die Elbe hinauf den Weg ins freie Germanien fand und bis nach Skandinavien reichte. Die von den Römern praktizierte Umlandfahrt an der atlantischen Küste entlang in das Nordmeer haben dann erst die Genuesen Ende des 13. Jahrhunderts wieder aufgenommen; die Umlandfahrt floß in der Rheinmündung mit dem aus Innergallien und den Rheinlandschaften kommenden Verkehr zusammen, er kettete Britannien mit Germanien ähnlich zusammen wie dieses mit Nordfrankreich. Ein Verkehrsraum zeichnet sich in Nordwesteuropa ab, der beinahe Verhältnisse der Hansezeit vorwegnimmt.

Zu Handel und Verkehr kam ein einheimisches Gewerbe, nachdem die anfängliche Verwaltungswirtschaft des Heeres von Privatbetrieben abgelöst bzw. ergänzt wurde; das geschah nach der Niederwerfung des Bataveraufstandes (69/70 n. Chr.), die Befriedung des Landes und das endgültige Ende des Kolonialstatus in wirtschaftlicher Hinsicht brachte. Sehr genau kann man das Vorrücken der Terra-Sigillata-Erzeugung nach Osten beobachten. In den 20er Jahren verlagert sich die Produktion nach Südgallien, in den 90er Jahren entstehen die ostgallischen

Manufakturen im heutigen Lothringen und im Saarland, im 2. Jahrhundert gelangt sie nach Trier und an den Rhein, nach Rheinzabern, Sinzig, Remagen, um endlich hinter den Limes zu ziehen. Mitte des 1. Jahrhunderts setzt in Köln, dem Hauptort Niedergermaniens, die Kunsttöpferei, Ende des Jahrhunderts die Herstellung von Terrakotten ein. Schon seit 80 n. Chr. hat sich aller Wahrscheinlichkeit nach in der Aachen-Lütticher Gegend die aus Capua eingewanderte Messingbronzeindustrie niedergelassen, die bei Gressenich Rohstoffe gewann. Die Kölner Glasindustrie geht bis ins 1. Jahrhundert zurück. Ende des 2. Jahrhunderts wurden hier schon Parfumflaschen erzeugt, in denen sich eingetrocknete Reste erhalten haben, seit 150 n. Chr. bestand in Köln eine Schlangenfadenwerkstatt, die Höchstleistungen antiker Glasmacherkunst hervorbrachte, so eine große Henkelflasche mit reichen Schlangenfadenauflagen von Rosetten und Girlanden in weißen, roten, blauen und vergoldeten Fäden. Aus dem 3. und 4. Jahrhundert stammen Schliffgläser, darunter die berühmte Zirkusschale, das größte und besterhaltene Beispiel figürlich geschliffener Gläser aus dem Altertum, zwischen 320 und 340 in Köln entstanden. Das schönste erhaltene Kölner Netz-Diatretglas wurde in einem Grab des frühen 4. Jahrhunderts gefunden. Kölner Glaserzeugnisse sind bis nach Schottland gekommen. Aus dem gallischen Hausfleiß entstand in der nördlichen Landschaft vom Meere her bis an die Mosel, namentlich in den Gauen der Nervier und Atrebaten wie bei den Treverern, eine ausgedehnte ländliche Tucherzeugung, die verlegerisch zusammengefaßt war. Solche Tuchverleger waren die Sekundinier in Igel bei Trier, berühmt geworden durch ihr hochragendes heute noch in Igel stehendes Grabdenkmal. Ein Standardartikel der Rheinlande war der Wein, dessen Anbau die Römer zwar vielleicht schon vorfanden, aber auf jeden Fall stark förderten. Der Warenbezug aus dem römischen Reich hörte aber nicht auf, er schränkte sich nur ein: gewisse Weinsorten und Trauben, Öl und Oliven, Papyrus, Erzeugnisse des Luxus- und Kunstgewerbes, Gewürze, Salben, Edel- und Halbedelsteine, Perlen werden importiert, orientalische Händler wandern ein. Auf die Höhe stieg der vornehmlich dem Luxus dienende Importbedarf, als sich seit dem Ausgang des 3. Jahrhunderts in Trier der Prunk des Hofes sammelte und bald darauf die christliche Kirche ihren Kult voll entfaltete. Dieser Import wird immer noch zu einem Teil mit den Steuern des ganzen Reiches bezahlt, die hier für Kaiser und Hof, Heer und Beamtenschaft aufgewandt werden. Die dem rheinischen Grenzland zufließenden Steuersummen stellen auch weiterhin einen gewichtigen Posten in seiner Zahlungsbilanz dar, wenn wir dieselbe innerhalb des eigenen Wirtschaftsgebietes, welches das Römerreich darstellt, isoliert denken. Indessen sind daneben Teile des Grenzlands in der Lage, der Einfuhr eine sehr bedeutende Ausfuhr gegenüberzustellen. Die Handelsbilanz beginnt sich auszugleichen. Eine Hauptrolle spielt dabei das Tuch, vielleicht gründet sich seine Exportfähigkeit auf größere Billigkeit der Produktion in der Provinz. Das rechtsrheinische Dekumaten- und das Donauland erscheinen im Vergleich zu Gallien und Westgermanien noch als Kolonialländer, die zum Teil von den ostgallischen, später vor allen von den rheinischen Zentren aus versorgt werden.

Die Intensität, mit der sich die römische Zivilisation durchsetzte, war allerdings sehr verschieden stark. Sie kulminierte in den großen civitates, im, wie schon ausgeführt, gewerbereichen und u. a. nach Britannien Handel treibenden Köln, in Paris, wo die Seine-Insel, auf der das vorrömische oppidum Lutetia lag, bald zu klein wurde und vornehme Viertel im römischen Geschmack jenseits des Flusses an den Ufern und bis auf die Höhe des Berges Ste. Geneviève, dem heutigen Pantheon, entstanden. Hier auf dem linken Ufer endete die Straße von Rom über Autun, der Römerstadt am Fuß des keltischen Bibrakte, und Orlèans nach Paris. Das linke Seineufer bot den festen Untergrund, den die römischen Baumeister für die Anlage der Heizungen brauchten. Das Relief des Berges Ste. Geneviève erlaubte den Bau eines Amphitheaters. Auf dem linken Ufer fand man genügend Wasser; der Aquädukt endete bei dem Bauwerk, dessen heute noch sichtbare Ruinen mindestens seit dem 12. Jahrhundert Palais des Thermes heißen. Paris gehörte noch zur Gallia Lugdunensis. Hauptstadt der Belgica secunda war Durocortorum, Reims. Nemetacum, das spätere Atrebatum, Arras, war ein Sitz der nordgallischen Tuchindustrie. Quellen der diokletianischen Zeit nennen die birri (Mäntel) und saga (Ärmelgewänder) von Arras als bekannte Erzeugnisse, ebenbürtig ägyptischen und asiatischen Textilien. Im Maximaltarif Dioletians erscheinen auch die birri aus Cambrai (Camaraco) und die Textilien von Amiens, dem alten Samarobriva, einer auch baulich gut ausgestatteten Provinzstadt. — Stützpunkt der kaiserlichen Politik der Offensive gegen das rechtsrheinische Germanien, der Urbanisierung

Galliens und großes Handelszentrum war Trier, die Hauptstadt der Belgica prima. In der Trierer Moselweite liefen die Straßen vom Süden rhone- und saôneaufwärts über Lyon und Metz, vom Inneren Galliens über Reims und vom Rhein her zusammen; der uralte Flußübergang bei Trier wurde schon 70 n. Chr. mit einer festen Brücke versehen. Eine Reihe öffentlicher Bauten, darunter ein für 30 000 Zuschauer berechnetes Amphitheater und prächtig ausgestattete private Stadthäuser bezeugen die bürgerliche Blütezeit Triers im 2. Jahrhundert. Treverer sind uns inschriftlich in Carnuntum, Regensburg, Bordeaux und Lyon als Kaufleute bezeugt, unter letzteren ein Kaufmann, der über die Alpen handelt, Mitglied des berühmten corpus cisalpinorum und transalpinorum, ein Weinhändler und Saôneschiffer, ein Kaufmann in Wein und Töpferwaren. Auf der Igeler Säule werden Tuchballen auf Saumtieren über ein Gebirge — die Alpen? — geschafft; die Tucherei des Trierer Raumes war ein verlegerisch zusammengefaßtes Großgewerbe. In Trier wirkende grammatici latini und graeci vermittelten die antike Bildung. Großartige Anlagen sicherten die Versorgung dieser Großsiedlungen, u. a. mit Trinkwasser. Die Mainzer Wasserleitung bei Zahlbach, Reste der Köln und Bonn aus der Eifel versorgenden Leitung, der das Moseltal überquerende Aquädukt der Metzer Wasserleitung bei Jouy-aux-Arches sind heute noch zu sehen. Auch Metz war eine blühende Stadt, besaß ein Amphitheater, Kaufleute und in Kollegien zusammengefaßte Gewerbetreibende, darunter die holitores und die nautae mosallici mit ihrem tabularius, ihrem Sekretär; gut bezeugt sind die Metzer Ärzte. Am Schnittpunkt der Straßen Reims-Metz und Trier-Lyon und am Endpunkt der Moselschiffahrt lag das minder bedeutsame Toul.

Eine Besonderheit der Grenzprovinzen sind die großen Militärlager, die auch ein städtisches Gepräge bekommen; am Rhein sind es: Mainz, Bonn, Neuß und Xanten. Sie bestanden aus der Garnisonfestung, dann den canabae legionis, in denen die gewerblichen Betriebe untergebracht waren, die Heereswerkstätten, in denen aber auch Händler wohnten, die mit dem freien Germanien Handel trieben, und schließlich dem zivilen vicus.

Neben den großen Metropolen und Garnisonen gab es viele Kleinstädte bzw. Stadtdörfer, die vici. Sie liegen aufgereiht an den Straßen, in ihnen stehen aufwendige Bauten, Kulttheater, Tempel, Mithraeen, sie besitzen eine wohlhabende Bevölkerung von Fuhrleuten, Gewerbetreibenden und einigen Kaufleuten.

Der unüberbaute vicus von Schwarzenacker im Saarland wird jetzt durch eine großzügige Grabung erschlossen. Mit seiner geschlossenen Bebauung, der reichen Ausstattung der Häuser und der hohen Qualität der Produkte des antiken Kunstgewerbes, die dort gefunden wurden, ist er ein interessantes Beispiel dieser vici. Der Wohlstand des Ortes beruht sicher auf seiner Funktion als Etappenstation zur Belieferung der Garnisonen am Rhein. Eine Tuchmacherei, eine fullonica, wurde dort gefunden; Terra-Sigillata-Manufakturen lagen in der Nähe, deren Export nach Britannien und in den Donauraum ging.

Augsburg, Regensburg, Passau, Juvavum-Salzburg und Carnuntum sind die größten Städte und Lager des Donaubereichs. In Pannonien ging wie im südlichen Gallien das Einsickern italischer Händler der römischen Eroberung voraus. Carnuntum war Zentrum und Umschlagplatz des Bernsteinhandels. Handelsbeziehungen verbanden es seit dem Ende des 1. Jahrhunderts n. Chr. mit dem Süden, Norden und Westen. Es spielte eine bedeutende Vermittlerrolle beim Export gallischer und rheinischer Produkte. Ein Trierer Bürger etablierte sich in den Carnuntiner Canabae; Kölner Kaufleute hatten sich seit Beginn des 2. Jahrhunderts im benachbarten Aquincum zu einer Landsmannschaft zusammengeschlossen. Hadrian machte Carnuntum zum römischen municipium. Aber nur in wenigen Abschnitten ihrer Geschichte kannte diese Stadt an der äußersten Grenze des Reiches Geborgenheit und Prosperität[9].

Mit der hochgezüchteten städtischen Zivilisation brachte Rom auch seine Sprache, sein geistiges Leben, seinen ganzen Götterhimmel in die neuen Provinzen. In der Provinz Belgica blieb als Heim- und Umgangssprache wohl das Keltische noch lange im Gebrauch[10]. Die lateinische Sprache wird aber schon zu Zeiten Cäsars im Trevererland nicht unbekannt gewesen sein, das brachten der erwähnte Verkehr mit dem Mittelmeergebiet und der Handel der Treverer dorthin mit sich. Vor allem trug die Tatsache, daß die Kommandosprache des Militärs Latein war, zu seiner Verbreitung bei. Im 2. und 3. Jahrhundert war die Kenntnis des Lesens und Schreibens in der lateinischen Sprache im Trevererland sehr verbreitet, wie die Inschriften bezeugen, und zwar sind es Einheimische, die sich auf den Grabdenkmälern, den Bau- und Weihinschriften nennen. Gelegentlich hat der Vater noch den keltischen Namen, der Sohn einen lateinischen. Weisgerber hat den Nachweis erbracht, daß eine überraschend große Anzahl der Personennamen der Treverer weder aus dem Lateinischen noch aus dem Keltischen zu erklären sind, sondern unbestimmbaren, aber alteinheimischen Schichten angehören. Er hat weiterhin dargetan, daß im Namengut der von den Römern den Germanen zugerechneten rheinischen Völkerschaften neben Keltischem auch Bestandteile vorgermanischer Provenienz stecken[11]. Die Ansicht, die Aubin noch vertrat, daß zur Zeit Cäsars bereits das ganze rechte Rheinufer vom Rheinknie bei Basel bis zum Rhein-Maas-Delta germanisch besiedelt und die linke Rheinseite bis tief in die Niederlande hinein germanisch übersiedelt worden sei — mit einziger Ausnahme der mittelrheinischen Gebirgszone beiderseits der Mosel — diese Ansicht ist erschüttert.

Wir müssen also im linken Rheinland mit verschiedenen einheimischen Bestandteilen der Bevölkerung rechnen, mit einer keltischen Bevölkerung im Süden und Westen, mit einer vielleicht weder keltischen noch germanischen oder nur im weiten Sinn des Wortes germanischen Bevölkerung[12] und wohl auch zunehmend mit eingewanderten Germanen (Elbgermanen). Dazu kamen nun die Römer, die ihrer ethnischen Herkunft nach auch nicht einheitlich waren. Diese zusammengewürfelte Bevölkerung ist unter einer mehr oder minder oberflächlichen Romanisierung miteinander verschmolzen. Das zeigen sehr eindrucksvoll die religiösen Vorstellungen.

Die Pax Romana, in der europäischen Geschichte nicht wieder erreicht, ging in der Krise des 3. Jahrhunderts unter[13]. Es war eine militärisch-politische und eine wirtschaftlich-monetäre Krise. Persien wurde seit 224 unter den Sassaniden eine kraftvolle, ehrgeizige Großmacht, die Rom ständig bedrohte. Die Goten brachen 252 in Kleinasien ein. 256 eroberten die Germanen alle Kastelle des germanischen Limes. Die Alemannen stießen vorübergehend bis in die Auvergne, die Franken bis Spanien vor. Die Colonia Julia Faventia Paterna Barcino — Barcelona — wurde 260 zerstört. Bevölkerungs- und Produktionsrückgang, Preiskrisen, inflationistische und deflationistische Tendenzen erschütterten die Wirtschaft; die landbesitzende Oberschicht gab die Stadthäuser auf und lebte nun in den Gutshäusern auf ihren riesigen Patrozinien. Die Patrozinien des 3. Jahrhunderts sind kleine Herrschaften im Staat, mit eigenen Söldnern, eigenen Gewerbebetrieben, zahlreichem Agrarpersonal und abhängigen Bauern. Sie genießen weitreichende Steuerprivilegien. Sie streben nach Selbstversorgung, sind nicht mehr vordringlich marktorientiert. Auf dem Gut des Ausonius, des Verfassers der Mosella, in Bordeaux arbeiteten nicht nur Sklaven und Kolonen, sondern auch Zimmerleute, Maurer und Schmiede.

Das alles bedeutet eine starke Rückbildung der Urbanisierung. Die Barbareneinfälle hatten zur Dauerzerstörung vieler bedeutender Plätze und zum Zusammenschrumpfen der Stadtsiedlungen geführt. Die kleiner gewordenen städtischen Mittelpunkte der civitates und die offenen vici wurden eilig ummauert und Göttersteine und Skulpturen aus den vergangenen friedlichen glücklichen Zeiten wurden, weil man behauenes Steinmaterial brauchte, in die neuen Mauern eingebaut. Die engen ummauerten Städte waren kein komfortabler Aufenthalt mehr. Kaiser Julian, der sich längere Zeit in Paris aufhielt, machte das Beste daraus, als er seinen Freunden schrieb, es gefalle ihm in der kleinen Stadt Lutetia, eingeschlossen auf seiner Insel, die zwei Holzbrücken mit dem Ufer verbinden. Man muß dort das Wasser im Fluß schöpfen, denn die Insel hat keine Quelle, aber der Fluß hat einen gleichmäßigen Wasserstand und sein Glanz erfreut das Auge[14]. — Im allgemeinen hatten die nordgallischen civitates jetzt eine Ausdehnung von 10 bis 30 ha. Die Städte der Provence zeigen diese Reduzierung des Flächeninhalts nicht, und auch Toulouse bleibt eine Stadt von 80/90 ha[15]. Die hervorragendste Ausnahme bildet Trier. Der Mauerring umschloß in konstantinischer Zeit 285 ha; die Bevölkerung betrug im 4. Jahrhundert rd. 60 000 Einwohner. Viele Großbauten, in Trier wie in Köln, gehören der Spätzeit an; in Trier die Basilika, die Kaiserthermen, die Riesengetreidespeicher am Moselufer, in Köln das imposante am Rhein aufragende Praetorium und die Rheinbrücke. Aber auch in den civitates, die noch einmal einen solchen Aufschwung zu nehmen vermochten, spüren wir die eingetretene Wandlung: die zweite Blütezeit Triers unterscheidet sich durch den großen Anteil des Staates an den Wirtschaftsbetrieben grundsätzlich von der ersten. Hier wie in Arles, Lyon, Reims, Tournai, Autun (letztere nach Metz verlegt) konstatieren wir staatliche Manufakturen vor allem des Textilgewerbes[16]. Allgemein war der staatliche Dirigismus der Preis, der für das Weiterbestehen des römischen Weltreiches gezahlt wurde. Es kam zur erblichen Bindung an die Berufe in der Stadt wie an die Scholle auf dem Land. Nachdem die reichen Kurialen aufs Land gezogen waren, blieben in den Städten nur die weniger wohl

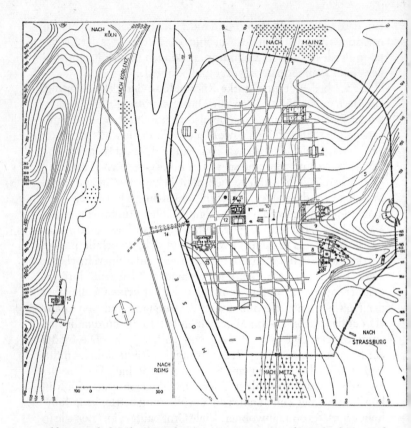

Abb. 1. Stadtplan des römischenTrier mit Eintragung der Höhenlinien und der wichtigsten Bauten. 1. Porta Nigra. 2. Horrea. 3. Dom. 4. Basilika. 5. Circus (?). 6. Amphitheater. 7. Tempel am Herrenbrünnchen. 8. Tempelbezirk im Altbachtal. 9. Kaiserthermen. 10. Forum. 11. Palast des Victorinus. 12. Palastanlage. 13. Barbarathermen. 14. Römerbrücke. 15. Tempelbezirk des Lenus Mars.

habenden zurück. Auf sie drückte nun die Last der Verwaltung, zumal der Steuereintreibung, der sich viele durch die Flucht aus der Stadt zu entziehen suchten. Die städtische Kurie verlor immer mehr an Bedeutung, staatliche Kommissare traten neben sie, der defensor civitatis, der curator rei publicae, schließlich der comes civitatis. Anfang des 5. Jahrhunderts verfügen viele Städte über keinen städtischen Senat mehr. Diese geschrumpften, zu einem ummauerten militärischen Zentrum gewordenen Städte sind nun von ihrem Territorium nicht de iure, aber de facto geschieden: durch die Mauer, durch die Übersiedlung der obersten Schicht aufs Land. Die klassische Einheit von Stadt und Land in der civitas, der Charakter der Stadt als Wohnsitz der Großgrundbesitzer ging verloren; die Stadt hat viel von ihrer Bedeutung eingebüßt.

Die Welt wurde nicht mehr von Rom aus regiert. 381 wird Konstantinopel als neues Rom bezeichnet. Der Palast des Kaisers, dessen Gewalt sich nicht mehr auf rechtliche, sondern auf religiöse Autorität gründet, ist das lebenspendende Zentrum von Byzanz. Der mit Diokletian beginnende Übergang von der Umlagesteuer zur veranlagten Steuer schuf die Voraussetzung für einen Staatshaushalt. Die in konstantinischer Zeit geschaffene Goldmünze, der Solidus, blieb in Byzanz in Geltung, als man im nordalpinen Bereich zur Silberwährung überging. Erst 1070 n. Chr. wurde in Byzanz der Goldsolidus, der Besant, leicht verschlechtert, ein Beweis für die hier wieder erreichte Stabilität der Verhältnisse.

Ein Gegengewicht gegen die Rustikalisierung bildete die christliche Kirche. Sie schloß sich in ihrer Organisation an die des Staates an, die städtischen Mittelpunkte der civitates wurden Ansatzpunkte der christlichen Mission und Bischofsitze. Die Unterstellung des Territoriums einer Stadt unter den Stadtbischof wirkte der Lockerung der Bindung von Stadt und Land entgegen. Die Überlassung und Übertragung staatlicher Aufgaben, ja sogar zivil- und schiedsrichterlichen Befugnisse, der Erwerb bedeutenden Reichtums und Grundbesitzes, für den sie Immunität erlangten, stärkten die Machtstellung der Bischöfe in der spätantiken Stadt. Der Zusammenbruch der Zentralgewalt in den Wirren des 5. Jahrhunderts und das Versagen der staatlichen Verwaltung haben zwangsläufig den Bischof mit der Entwertung des defensor-Amtes zum tatsächlichen Herrn der civitas gemacht und die Entwicklung vorbereitet, die zur bischöflichen Stadtherrschaft des Mittelalters führen sollte. Schon im 2. Jahrhundert drang das Christentum bis in die germanischen Provinzen des Römerreiches vor. In der Spätantike entstand auch hier eine bischöfliche Organisation, blühten viele christliche Gemeinden in den civitates und Kastellen. Die Ausgrabungen bringen noch ständig weitere Aufschlüsse über das große Ausmaß der Christianisierung. Die Inschriften und Grabbeigaben beweisen das Eindringen christlichen Gedankengutes auch in das tägliche Leben. Allein aus Trier sind über 800 christliche Grabinschriften der Antike[17] erhalten. 326 wurde in Trier der Prunksaal des Palastes niedergelegt, auf dessen Boden die große Doppelkirchenanlage erwuchs, die heute in Dom und Liebfrauenkirche fortbesteht. Hieronymus, Athanasius, Laktanz weilten in der altchristlichen Bischofstadt Trier und zogen ihre bedeutende Bibliothek zu Rate. Vor den rheinischen civitates und castra, vor der Ulpia Trajana am Niederrhein, Köln, Bonn und Mainz erbauten die Christen Friedhofskapellen und Kirchen zum Gedächtnis der Märtyrer und frommer Bischöfe, darunter ein solches „Prunkstück von kaiserlichem Rang" (Doppelfeld) wie St. Gereon in Köln. Gemeindekirchen entstanden in den Kastellen wie die kürzlich unter der heutigen Bopparder Pfarrkirche in einem ehemaligen römischen Militärbad ausgegrabene Taufkirche[18].

Dieser Tatsachen der Reduzierung der antiken Stadtkultur, der Ausbildung der Gutsbetriebe auf dem Lande als neuer Zentren der wirtschaftlichen, aber auch der gesellschaftlich-politischen Macht, der fortschreitenden Christianisierung und auch der zunehmenden Macht und des Reichtums der christlichen Kirche müssen wir eingedenk bleiben, wenn wir uns jetzt bemühen, dem Zusammenhang zwischen antiker und mittelalterlicher Stadtkultur nachzugehen.

1. DAS ERBE ROMS

Die wissenschaftliche Kontroverse über das Problem der Kulturkonstanz von der Antike zum Mittelalter kann ich hier nur ganz
skizzenhaft berühren. Im 19. Jahrhundert hatte man sich bemüht, ein Epochenjahr für die Abgrenzung beider Zeitalter zu
finden. Von unserer verfassungs-, wirtschafts- und sozialgeschichtlichen Sicht her ist die Suche nach einem Grenzjahr ganz
illusorisch. Es ist kein Zufall, daß erst die von der Kulturraumforschung und von der Wirtschaftsgeschichte herkommenden
Historiker, Dopsch, Aubin, Pirenne, das Problem in seiner ganzen Breite aufrollten und diskutierten. Dopsch ging in seiner
Negierung jeglicher Zäsur in der „europäischen Kulturentwicklung von Cäsar bis auf Karl d. Großen" sicher zu weit. Aubin
kam in seinem vom rheinischen Boden aus vorgetragenen Widerspruch, der Maß und Bedeutung beobachteter Zusammenhänge sorgsam abwog, zu der differenzierteren Betrachtung, die
der historischen Wirklichkeit, soweit man sie damals vor den
großen Ausgrabungen kannte, näher kam. Pirennes Araber-
these, derzufolge nicht die germanische Völkerwanderung, sondern erst der den inneren Zusammenhang des Mittelmeer-
beckens zerreißende Islam den Untergang der Antike besiegelte,
ließ sich widerlegen, erst recht die Meinung Lombards, das arabische Gold habe zum Wiederaufschwung städtischen Lebens im
Frühmittelalter beigetragen. Aber in allem Hin und Her der
nuancenreichen Stellungnahmen wurde eine Fülle von Material
bereitgestellt, wurden neue Gesichtspunkte gewonnen und
schließlich Übereinstimmungen sichtbar, die es heute ermög-
lichen, einen Gesamtüberblick zu wagen, den die Archäologen
immer noch ergänzen werden[19].
Wirklich zu fassen ist die Kulturkonstanz nur in ihrer zeitlichen
und räumlichen Differenzierung. Das eigentliche Problem stellt
sich noch nicht mit dem Eindringen der Germanen in Italien. Die
Ostgermanenreiche, deren Aufstieg in der Mitte des 5. Jahrhunderts beginnt, die um die Mitte des 6. verfallen, sind eine Episode der Geschichte des ausgehenden Altertums, sie leiten nicht
die neue Geschichtsepoche ein. Im einzelnen sind sie differen-

ziert, es überwiegen die gemeinsamen Züge: sie sind entstanden inmitten der spätrömischen Welt, ihre germanischen Träger sind unter sich näher verwandt und bilden nur eine kleine Minderheit in diesen Reichen, deren Bevölkerung überwiegend romanisch blieb, sie sind charakterisiert durch einen dualistischen Staatsaufbau, der nur in der königlichen Spitze überwunden wird: strenge Scheidung zwischen arianischen Germanen und katholischen Römern. Stroheker hat mit Recht darauf hingewiesen, daß sich „mit den germanischen Staatengründungen des 5. Jahrhunderts gleichzeitig der Durchbruch einer politischen Provinzialisierung des römischen Westens vollzieht. Die neuen Staatsgebilde decken sich geographisch weithin mit Räumen, in denen sich schon vorher eine eigenständige Entwicklung angebahnt hatte, und es gibt bezeichnende Beispiele für ein unmittelbares Zusammenwirken örtlicher Kräfte mit den um sich greifenden Germanen, wie etwa nach der Mitte des 5. Jahrhunderts den Anschluß von Teilen der gallischen Aristokratie an die Westgoten und Burgunder. Damit hat sich eine weit in die spätrömische Zeit zurückreichende, aber bis zum Einbruch der fremden Völker immer wieder unterdrückte zentrifugale Bewegung politisch durchgesetzt."[20] Allerdings wird man, wie Stroheker richtig betont, den germanischen Stämmen ihren durchschlagenden Anteil an dieser Entwicklung belassen müssen. Und nicht die westgermanischen Alemannen und Franken, die ostgermanischen Stammesverbände standen hinter dieser politischen Aufgliederung des römischen Westens. Wie aus spätrömischer Wurzel stammende Entwicklungen im Bereich der ostgermanischen Staaten ihren Abschluß fanden, zeigt vor allem die Rechtsgeschichte. Die grundlegenden Untersuchungen Ernst Levys haben die Bedeutung des Vulgarrechts erschlossen[21]. Dieses Recht der provinziellen Praxis weicht ab vom klassischen Juristenrecht, dessen Gedankengut es vereinfacht und popularisiert. In Ostrom siegt der Klassizismus im Corpus iuris des Justinian, das im Westen nicht zur Geltung kam. 30 Jahre früher entstand die Lex Romana der Westgoten, das Breviarium Alaricianum, das überwiegend aus dem Vulgarrecht schöpfte. Diese vulgarrechtlich beeinflußte Lex Romana Alarichs II. wurde später vom Frankenreich übernommen und blieb für den Westen bis in das Hochmittelalter die maßgebliche Aufzeichnung des römischen Rechts. Zugleich bestimmte das Vulgarrecht aber auch die starken römischen Elemente in den ältesten germanischen Leges mit dem um 475 entstandenen Westgotenrecht des Codex Euricianus an der Spitze.

Diese Germanenstaaten bedeuten allerdings den ersten Einbruch in die Einheit des Mittelmeerraums, schon vor dem Islam. Nur Kaufleute und Gesandte konnten noch ohne weiteres von einem zum andern dieser Reiche ziehen, es gab keine Domänen mehr, die über den ganzen Mittelmeerraum verteilt waren. Die Getreideversorgung Roms funktionierte zwar unter den Ostgoten noch, aber vorzüglich wurde Getreide aus Apulien herangeführt, die Verbindung mit Afrika riß ab. Die Zerstörung Roms in den Gotenkriegen vernichtete jede Hoffnung auf eine Wiederkehr der früheren Zustände, die auch Justinian nach seinem Sieg nicht wiederherstellte. Eine Folge dieser Zersplitterung war das „vergessene Italien" der Inseln Sardinien und Korsika, die ein Eigenleben am Rande des Geschehens führten. Auch Dalmatien wurde ein Opfer dieser Entwicklung, seit 600 blokkierten die Slawen Salona, das 614 von den Avaren zerstört wurde.

Goten, Vandalen und Burgunder hielten am Römischen fest, vor allem auch im wirtschaftlichen Bereich: an Geldwirtschaft, Fernhandel, Großgrundbesitz mit Ausbeutung durch Sklaven oder Kolonen. Die Römer behielten ihre eigene Oberschicht, den Senatorenadel, sie lebten weiter in den Städten. Die Mehrzahl der Germanen zog es zwar vor, auf dem Land zu leben, aber ihre Könige hatten städtische Residenzen: Theoderich baute Ravenna auf und machte es zu seiner Hauptstadt; sein Palast kopierte die kaiserlichen Bauten. Die Westgoten residierten in Bordeaux und Toulouse, Barcelona und Toledo, die Burgunder in Genf. Die Staaten von Eurich, von Geiserich, Theoderich, Gundobaud liegen noch jenseits der Grenze zwischen Antike und Mittelalter, die Reiche des Merowingers Chlodwig, des Westgoten Rekkared, des Langobarden Rothari diesseits.

Bevor wir nun das Problem der Kulturkonstanz des Städtewesens anpacken, ein Moment der methodischen Besinnung. Weshalb diese jahrzehntelange erbitterte Diskussion, die kostspieligen Grabungen, die Jagd nach jedem Beweisstück für oder gegen die Kulturkonstanz? — Es geht hier um sehr viel. Das Problem der Kontinuität ist ein Grundproblem der Geschichte überhaupt. „Die unendliche Folgenreihe fortschreitenden Werdens" (Droysen)[22] hat nur im Abstand von Jahrhunderten brüchige Stellen; in unserem Europa um 1800 — die Große Französische Revolution —, davor um 500 — die Völkerwanderungs-zeit. An dieser Naht- oder Bruchstelle, die sich als breiter Grenz-saum zwischen den Zeiten herausstellen wird, der vom 5. bis 9. Jahrhundert währt, gipfelt das Problem der Kontinuität in der Frage nach dem Fortbestand der städtischen Lebensform. Seit Jahrhunderten waren die Menschen der mediterranen Welt ge-wohnt, in Städten zu siedeln, zu wohnen, den Göttern zu opfern und Politik zu treiben. Teils durch bloße Kulturdrift — Kulturen können sich auch ohne Wanderungsbewegung der Kulturträger ausbreiten —, teils durch politisch-militärische Expansion war die städtische Lebensform vom vorderen Orient bis in die Rhein- und Donaulande vorgedrungen. Wie wird es nun weitergehen? Werden Franken, Alemannen und Langobarden ihre ange-stammte rustikale Lebensform durchsetzen und auf den Trüm-mern der Antike ihre neue Welt erbauen? Wird es nur eine „Kontinuität der Ruinen" geben? Dann wäre das mittelalter-liche Städtewesen Mitteleuropas als Neubeginn zugleich eine Be-stätigung dafür, daß jedes Volk, wenn nicht zwangsläufig so doch regelmäßig, eines Tages, wenn es die entsprechende Reife erreicht hat, zur Stadtkultur kommt. „Die Stadt" — gemeint ist die mittelalterliche Stadt — „mit ihrem Markt war eine ‚Erfin-dung', welche das Problem der Koordination der frühen arbeits-teiligen Wirtschaft lösen half und den Produzenten des sekun-dären und tertiären Sektors die weitgehende Spezialisierung er-möglichte"; so der moderne Nationalökonom[23], der eine ziel-strebige wirtschaftliche Entwicklung schildert, die sich auf die heutige Industriegesellschaft hin bewegt, ein Vorwärtsschreiten, bei dem die Stadt als Erfindung hilft, einen toten Punkt zu überwinden. So erwägenswert dieser Gedanke ist, er kann nicht — und will auch nicht — der Komplexität des Phänomens Stadt gerecht werden. Es geht uns aber nicht nur um die wirtschaft-liche Entwicklung. Hat vielleicht doch die römerzeitliche Urbani-sierung nördlich der Alpen mehr bedeutet als eine Episode und stellt sie eine echte ins Mittelalter hineinwirkende Kraft dar? Gibt es außer solcher unmittelbaren nicht auch eine mittelbare Kontinuität, Einwirkungen aus den südeuropäischen Erhal-tungsgebieten mediterraner Stadtkultur noch im Mittelalter? Wirkt nicht alles zusammen, das römische Erbe als solches, im christlichen Gewand, als südfranzösische, spanische, italienische Einwirkung einerseits, die neuen mitteleuropäischen Ansätze und Erfindungen andererseits? Ist es nicht so, daß Kulturanleihe erst wirksam wird, wenn eine hinreichende Aufnahmebereitschaft und Aufnahmefähigkeit der Erben erreicht ist? Nicht Scheu vor einer entschiedenen Stellungnahme, sondern erworbene Einsicht in die Komplexität so entscheidender historischer Prozesse, wie den der mittelalterlichen Stadtwerdung, veranlaßt mich, die Gesamtheit der erwähnten Möglichkeiten bei dem nun folgenden Bericht im Auge zu behalten.

Es dürfte klargeworden sein, daß sich das Problem der Kulturkonstanz am schärfsten in jener Mittelzone stellt, in der das antike Erbe starken Erschütterungen ausgesetzt war, aber nicht ganz ausgelöscht wurde, im fränkischen Reichsgebiet zwischen Seine und Rhein. In der „Germania germanicissima" östlich des Rheins kann allenfalls von einer indirekten, mittelbaren Kontinuität die Rede sein. Überall da, wo Romanen den überwiegenden Anteil der Bevölkerung stellten, in Spanien, Süd- und Südwestfrankreich, und trotz langobardischer Invasion und fränkischer Zuwanderung[24] gerade auch in Oberitalien, verharrten breite Bevölkerungsschichten in ihrer gewohnten Art, städtisch zu hausen.

Sicher — ohne Erschütterung war es bei diesem Erdbeben der Völkerwanderung nirgends zugegangen. Unter dem Druck der Barbaren an allen Grenzen Roms war es seit dem 3. Jahrhundert zu den erwähnten Umstrukturierungen gekommen, die eine Reduzierung der Stadtkultur bedeuteten. Der dann einsetzende Dirigismus des zentralistischen spätantiken Zwangsstaates machte den Handel und das Verkehrswesen abhängig von der Staatsmaschinerie, die in der Völkerwanderungszeit im gesamten weströmischen Reich zerbrach. Die Initiative der Bürgerschaften war vielfach erstorben, ein Teil der Führerschicht auf das Land gezogen. Wie schwer die Erschütterung auch in Italien war, zeigt sich darin, daß auch hier viele antike Städte untergegangen sind, vor allem im Süden, den Sestan einen wahren Friedhof von Städten nennt[25]. Andere Städte sind verlegt worden, sei es ins Innere, sei es an die Küste; das war oft kriegs- oder malariabedingt. Auf jeden Fall sind bemerkenswerte Umgruppierungen in der Verteilung der städtischen Zentren erfolgt. Die Reduzierungen des Flächeninhalts der italienischen Städte waren nicht so stark, wie sie in Frankreich von F. Lot nachgewiesen wurden[26]. Bologna zwar ist von 70 ha auf 25 ha Fläche heruntergekommen, hat aber im 11. Jahrhundert schon wieder 100 ha. Die spezielle topographische Kontinuität ist in den einzelnen

Städten sehr verschieden: in Verona genaue Entsprechung des Straßennetzes, in Padua, das 603 zerstört wurde, ein verwinkelter Neuaufbau. Die munizipale Organisation[27] ging schließlich auch in Italien unter; König Rothari schützte aber die civitas im Kapitel 39 seines Ediktes, das ich nach wie vor in dieser Weise auslegen möchte, mit einem besonderen Frieden. Dieser Friedensschutz beweist zwar den rechtlichen Vorrang der Stadt, offenbart aber im Vergleich zur immensa Romanae pacis majestas in der Einschränkung als Sonderfriede den Mangel eines Reichsbürgerrechts und germanisches Denken. Die Stadt blieb also m. E. eine rechtlich herausgehobene und abgegrenzte Siedlung. Fest steht, daß die italienischen Städte immer Sitz der politischen, juristischen, administrativen Gewalt geblieben sind, auch in langobardischer und fränkischer Zeit. Duces und gastaldi residieren in Städten. Zu diesen Städten gehört auch ein von ihnen aus verwaltetes Gebiet. Langobardische Kastellbezirke, wie der von Bognetti[28] untersuchte Bezirk von Seprio, der aus den alten städtischen Territorien von Mailand und Como herausgeschnitten war, unterbrechen vereinzelt das römische System der civitas und ihres Territoriums. Auch im langobardischen Denken war die Stadt vor allem Burg. Aber die städtische Durchformung des Landes war hier so eingewurzelt und stark, daß die stadtfremden Eroberer sie nicht grundsätzlich wandeln konnten. Die Forschungen Violantes[29] haben gezeigt, wie in der Poebene die Entwicklung auf dem wirtschaftlich-sozialen Sektor bruchlos weiterging. Berufshändler, Münzer, freie Handwerker bestehen weiter und sind in der Stadt ansässig. Bewahrt blieb in Italien in einem weiteren wichtigen Bezug die für die Antike typische Stadt-Land-Situation. Die römischen civitates wurden nun Bistümer; die italienischen Diözesen in Nord- und Mittelitalien blieben bis ins 13. Jahrhundert in ihrem räumlichen Umfang unverändert. Sie waren relativ klein — die Kleinheit der italienischen Diözesen fällt heute noch jedem Italienreisenden auf—, so daß sie von einem städtischen Mittelpunkt aus leicht beherrscht werden und andererseits die Diözesanen die Bischofstadt als den natürlichen Mittelpunkt empfinden konnten. Daher resultiert die Bedeutung der italienischen Bischöfe für die stadtstaatliche Entwicklung in Oberitalien, für eine Entwicklung also, die eine Wiederholung antiker Verhältnisse darstellt. Nördlich der Alpen sind die Diözesen viel zu groß, als daß sie Grundlage einer stadtstaatlichen Entwicklung hätten sein können. Hier wurde das Land auch in der kirchlichen Organisation selbständig. Das Erbe des römischen Geistes der Rechtssicherheit im mittelalterlichen italienischen Städtewesen aufzuspüren, hat sich H. F. Schmid bemüht[30]. Er sah es vorzüglich in der Trennung von Verwaltung und Justiz, wie sie frühzeitig im Nebeneinanderwirken der consules de communi und de placitis im Mittelalter zum Ausdruck kommt, im Stadtbuchwesen ferner, das aus der Notariatsurkunde, einer gradlinigen Fortsetzung der spätrömischen Tabellionatsurkunde erwächst, in der Eintragung von Privatrechtsgeschäften in öffentlichen Glauben genießenden Registern. Unmittelbares Fortleben steht dabei neben Neuschöpfung aus römischen Denkweisen. Die stärkere Erhaltung einer Laienschriftlichkeit in Italien — nördlich der Alpen wurde literarische Bildung zum Monopol des Klerus — ist auch ein Zeichen bewahrter Urbanität.

Für Spanien hat Dietrich Claude[31] gegen Sanchez-Albornoz ein Weiterbestehen des ius civitatis noch im 6. und 7. Jahrhundert zu erweisen versucht. Er hat dabei auch auf eine westgotische Neugründung, die an eine ältere Siedlung anknüpft, Reccopolis — 578 von Leowigild gegründet und nach seinem Sohn Rekkared genannt — hingewiesen, der vielleicht das schon bedeutungslos gewordene römische ius civitatis verliehen wurde.

Die römische Vergangenheit Barcelonas ist durch die begehbaren großen Ausgrabungen, in die man vom städtischen Museum hinabsteigt, gut erschlossen. Nach dem Frankensturm von 260 hatte die Colonia Barcino cognomine Faventia unter Verwendung alter Götter- und Grabsteine und sonstiger Architekturteile — wie wir das immer wieder beobachten — eine starke Befestigung erhalten, die bis ins 13. Jahrhundert ausreichen sollte. Dieser Befestigung und dem fruchtbaren Umland verdankt die Stadt wohl auch, daß sie im 5. Jahrhundert unter Athaulf und Galla Placidia zum erstenmal in ihrer Geschichte Residenz wurde. Eine gewisse Entvölkerung scheint allerdings damals stattgefunden zu haben, darauf deutet die Existenz einer westgotischen Nekropole im Bereich der römischen Stadt. Aus der Mitte des 4. Jahrhunderts stammen die ersten Nachrichten über die bischöfliche Organisation. Wie immer wieder ist auch hier der Bischof ein wesentliches Kontinuitätselement. Unter den Bischöfen Quirico (656—683) und Idalio (683—689), von denen der erstere Beziehungen zu Ildefons von Toledo und Tajon von Saragossa, der zweite zu Braulio von Saragossa und Julian von

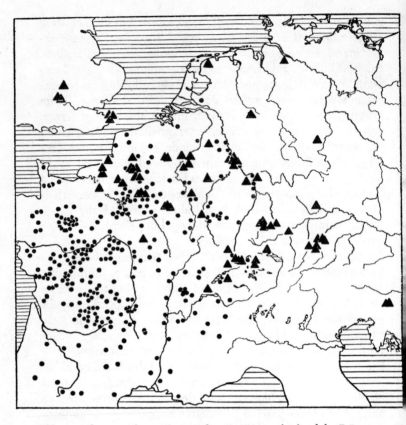

Abb. 2. Verbreitung der merowingischen Feinwaagen (▲) und der Prägeorte
merowingischer Monetarmünzen (●).

Toledo unterhielt, nahm Barcelona Teil am Aufschwung der
iberischen Halbinsel im 7. Jahrhundert. Die Tätigkeit seiner
Münzstätte beweist die Fortdauer, ja sogar Zunahme der wirtschaftlichen Bedeutung. Das 8. Jahrhundert bringt den Unterbruch durch die islamische Eroberung. Der Untergang des West-
gotenreiches setzte in Spanien die Zäsur. Islam und Reconquista
prägen in der Folgezeit das spanische Städtewesen.

Wie waren die Verhältnisse in Gallien, einer der städte-
reichsten Provinzen des römischen Imperiums?[32] Durch Gallien
geht jene schon genannte Grenze, die das gallo-römisch be-
wohnte Gebiet von dem stärker fränkisch durchsetzten trennt.

Daraus folgt eine regionale Verschiedenheit der Kontinuität, die sich z. B. nach Joachim Werner[33] aus der Verbreitung der Münzprägungsorte und der Funde an Goldwaagen im Merowingerreich ablesen läßt. Dem Geldwesen des Merowingerreichs fehlte auf seinem gesamten Territorium der breite Unterbau der Kleinmünzen für den Marktverkehr. Nach dem Zusammenbruch der römischen Rheingrenze in den Jahren 406 bis 407 stellten die gallischen Münzstätten die Ausprägung von Kupfermünzen ein. — In Italien verschwinden die Kleinmünzen erst im 7. Jahrhundert. — „Was erhalten blieb und ins frühe Mittelalter weitergeführt wurde, war der schmale Oberbau des Geldwesens: die Ausprägung von Münzen in Edelmetall, in Gold und Silber. Eine reine Edelmetallwährung von der Art der merowingischen, westgotischen oder langobardischen kann nur als reduzierte Geldwirtschaft bezeichnet werden. Denn das Geld ist zwar Wertmesser, wird aber nur für große Transaktionen im Fernhandel gebraucht oder gar gehortet, dient aber nicht dem alltäglichen Austausch und Markt als Zahlungsmittel. Grundsätzlich wurde der Edelmetallwert allein in Rechnung gestellt. Solange nun im Merowingerreich südlich der Seine bei ausreichendem Goldvorrat vom König approbierte Münzmeister Goldtrienten von einheitlichem Gewicht und einheitlicher Größe und annähernd gleichem Feingehalt ausprägten, die man zählen und gegeneinander auswechseln konnte, herrschte noch ein antikes Geldwesen. Ganz anders war die Situation in den austrasischen Reichsteilen, wo nur spärlich geprägt wurde, dafür aber Edelmetallmünzen verschiedenster Zeitstellung und Herkunft umliefen. Hier kam es nicht auf das Nominale, sondern auf den Stoffwert der Münze an, den nun jeder selbst prüfen mußte". Dazu brauchte er eine Feinwaage, Gewichte und Probiersteine. Diese finden sich in sehr aufschlußreicher räumlicher Verbreitung als Grabbeigaben: nämlich in den fränkischen Gebieten Nordgalliens nördlich der Seine, Walloniens und des Rheinlandes. Die Fundgebiete der Feinwaagen und die Gebiete mit vielen Prägeorten von Monetarmünzen schließen sich im Kartenbild nahezu aus. So können wir einen südgallischen noch geldwirtschaftlich strukturierten Wirtschaftsraum abheben von einem nordwesteuropäischen, der sich nach England und Skandinavien hin fortsetzt. — Quellenzeugnisse des 7. und 8. Jahrhunderts beweisen die Existenz sicher schon länger bestehender königlich merowingischer Zollbüros, die mit Magazinen verbunden sind, in Marseille und in Fos[34]. Hierher brachten Schiffe aus Italien, Byzanz und dem nahen Orient Waren, Gewürze, Luxusgegenstände, Papyrus, den die königliche Kanzlei im 7. Jahrhundert noch verwendete, und Öl, das damals vor allem von den Kirchen in großem Ausmaß zur Beleuchtung gebraucht wurde. Deshalb konnten die Leute von Dijon im 6. Jahrhundert auch noch Wein von Askalon trinken, wenn sie ihren burgundischen nicht vorzogen, wie es in der Tat berichtet wird.

In Südwestfrankreich, besonders in der Auvergne, trägt die Sozialstruktur noch spätantike Züge. Es lassen sich hier im 6. Jahrhundert genealogische Zusammenhänge zwischen damals hier lebenden, in der Kirche wie in der Reichsverwaltung tätigen gallischen Senatoren unter fränkischer Herrschaft mit ehemaligem spätrömischen senatorischen Reichsadel nachweisen[35]. Das gilt z. B. für den großen Geschichtsschreiber des 6. Jahrhunderts, Gregor von Tours. Es war insgesamt eine schmale Oberschicht, wenn sie auch den Grundbesitz des Landes weithin in ihrer Hand zu vereinigen wußte. Ihr Zusammenhang mit antiker Kultur und Gesittung war allerdings schon recht dünn geworden.

Viele Episoden aus Gregors von Tours Geschichten und aus der hagiographischen Literatur der Zeit geben Hinweise auf städtisches Leben. Ganz im Gegensatz zu der oft klischeehaften Darstellung des biographierten Heiligen selbst sind diese Milieuschilderungen echt und glaubwürdig. Besonders die belgischen Forscher haben sich ihrer bedient[36]. Aus eigener Anschauung hat uns Gregor von Tours die Stadt Dijon geschildert[37], mit sehr starken Mauern, vier Toren und 33 Türmen. Diese Römermauern genügten bis ins 12. Jahrhundert zum Schutz der Stadt. Das gilt ebenso für die Mauern von Bourges und Poitiers, Städten mit keltisch-römischer wie römisch-merowingischer Kontinuität[38]. Ferner bezeugen hier reiche Grundbesitzer, denen Stadthäuser und städtische Speicher gehören, ein antikes Gepräge der Sozialstruktur. Ein Haus mit drei Stockwerken wird für Angers, Grundstücksknappheit, also dichte Bebauung, für Paris erwähnt. Diese Städte waren Sitz des wirtschaftlichen Lebens. Gregor erzählt, daß 583 der Graf von Tours Leudast, als er sich in Paris aufhielt, die Häuser der Kaufleute abging, die Waren durchstöberte, verschiedene Schmucksachen besah und sprach: Dies und das will ich kaufen, denn ich habe noch viel Gold und Silber übrig. Er berichtete von einem Kaufmann Christophorus, der nach Orléans reiste, weil er gehört hatte, daß dorthin eine große Menge Wein geschafft worden sei. Als er für sich Wein eingekauft und zu Kahn gebracht hatte, zog er mit einer großen Summe Geldes heim, die er von seinem Schwiegervater empfangen hatte, und machte sich zu Pferd mit zwei sächsischen Knechten auf den Weg. Auf der Loire verkehren nach der um 620 geschriebenen Vita eines Bischof von Angers ständig Kaufmannsschiffe. Hier wird außerdem von dem auch sonst literarisch gut bezeugten Sklavenhandel gesprochen. Der Handel mit Luxuswaren, Gewürzen vor allem, lag öfters in der Hand von Syrern und Juden. Königliche Herrschaft, gräfliche und bischöfliche Verwaltung bedienten sich der Stadt. Wenn Bischof Desiderius von Cahors im 7. Jahrhundert seine Bischofstadt befestigt, Kirchen darin erbaut, Gebäude aus wohlbehauenen Steinen aufführen läßt und eine Wasserleitung anlegt, wenn König Chilperich die Arenen in Paris und Soissons wiederherstellen läßt, dann handeln sie nicht anders als früher die Imperatoren und großen Kurialen. Unverkennbar ist das Anwachsen der bischöflichen Machtstellung seit dem 6. und besonders 7. Jahrhundert.

Der Einschnitt zwischen Antike und Mittelalter liegt in Süd- und Südwestfrankreich — wenn er überhaupt zu konstatieren ist, bzw. soweit klare Forschungsergebnisse vorliegen — spät: in Bordeaux z. B. im 8. Jahrhundert[39].

Fernhandel und Gewerbe treffen wir auch an, wenn wir die Seinelinie überschreiten. Verdun wird für die Zeit Gregors als eine Stadt mit reichen Kaufleuten geschildert. In den rheinischen Bischofstädten Mainz und Köln sind Berufskaufleute wenigstens seit dem 8. Jahrhundert nachweisbar. Auch die Alpenstraßen der Römerzeit dienten noch dem Handel. Koptisches Bronzegeschirr gelangte über Italien durch langobardische Vermittlung nach Süddeutschland und auf dem Rheinweg nach England, wie die Fundverbreitung beweist[40]. Die aus Bronzeblech getriebenen Perlrandbecken aus merowingischen Gräbern des späten 5. und 6. Jahrhunderts scheinen einheimische Arbeit von Wanderhandwerkern zu sein. Wanderhandwerker sind auch durch schriftliche Zeugnisse belegt. So wenn Bischof Nicetius von Trier, der letzte Romane auf dem Trierer Bischofsstuhl, artifices, Steinmetzen, für Erneuerungsarbeiten am Trierer Dom über die Schweiz aus Italien kommen läßt, wenn im 7. Jahrhundert ein englischer Abt aus dem Frankenreich Glasarbeiter holt, die ihm die Scheiben für sein Kloster anfertigen sollen. Das sind allerdings Belege für ein nicht mehr stadtgebundenes Gewerbe und für die Rarität gewerblicher Qualitätsarbeit. Zum bloßen Hausfleiß allerdings war das Gewerbe nicht herabgesunken. Die Glasindustrie Nordfrankreichs und Belgiens, die Töpfereien in den Argonnen wie am rheinischen Vorgebirge und in der Eifel, die Basaltindustrie der Vordereifel, die ihre Mühlsteine rheinabwärts verhandelte, sind besonders prägnante Beispiele für standortgebundene Industrien der Merowingerzeit. Der städtische Standort der Gewerbe ging verloren. Der Handel bevorzugte bald die Flüsse vor den zuwachsenden und unsicheren Landstraßen der Römer. Betrachten wir nun die Städte selbst[41]. Dabei stützen wir uns sehr stark auf Grabungsergebnisse. Je weiter wir nach Osten gehen, um so spärlicher und jünger sind die schriftlichen Quellen. Wir sind auf die Mitarbeit der Archäologen angewiesen, wenn wir überhaupt zu Resultaten kommen wollen. Die wissenschaftliche Verantwortung für Datierung und Interpretation des Befundes trägt zunächst der Archäologe. Es ist immer zu bedenken, daß die archäologischen Funde ebenso lückenhaft sind wie die schriftliche Überlieferung.

Innerhalb der Maas-Rhein-Mosel-Zone stellen wir eine weitere regionale Differenzierung der Kulturkonstanz fest. Das Rheinmündungsgebiet kennt keine Kontinuität einer städtischen Zivilisation. Hier wie im rechtsrheinischen Dekumatenland bricht sie in der Krise des 3. Jahrhunderts ab. Am Niederrhein war die alte Colonia Trajana, die zweitgrößte Stadt der römischen Provinz Niedergermanien, um die Mitte des 5. Jahrhunderts vollkommen verlassen. Friedhof und Totenmemorie über dem Grab zweier gewaltsam getöteter Männer — christliche Märtyrer — stellen die Verbindung zum karolingischen Stift her, bei dem im Hochmittelalter eine Stadt erwuchs. Von Xanten rheinaufwärts wie von Maastricht maasaufwärts nimmt die Kontinuität zu.

In Köln steht der heutige Dom an der gleichen Stelle wie die spätantike Bischofskirche[42]. Im großartigen römischen Statthalterpalast an der Rheinfront — unter dem Neubau des Rathauses — residierten die Merowinger. Von erstaunlicher Konstanz war hier die römische Raumgliederung. Der Bezirk der römischen civitas Agrippinensium lebte als pagus bzw. terra Ribuariorum weiter, die im wesentlichen mit dem Kölner Bistum identisch ist. Das Reich des Merowingers Sigibert reichte nach Süden über die einstige Kölner civitas hinaus. Nicht dieses fränkische Kölner Reich, sondern die römische Bezirkseinteilung war die Grundlage des Landes Ribuarien im Gesamtreich der Merowinger.

Ein auffälliges Phänomen ist die oft und überall im Frankenreich zu beobachtende Schwerpunktverlagerung der Siedlung. Aubin hat als erster darauf hingewiesen und sie als Argument der Erschütterung gewertet; sein klassischer Fall war Bonn, wo die Grabkirche an der Stelle des heutigen Münsters der Anknüpfungspunkt für die Stadt wurde und der Platz des alten Legionslagers außerhalb der mittelalterlichen Mauern blieb. Diese Verlagerung vollzog sich allerdings sehr allmählich; sie läßt sich an den Urkunden ablesen, insofern die Kirche St. Cassius 691 als sub oppido castro Bonna, d. h. in der Vorstadt Bonns, i. e. des castrums, das noch den Namen Bonn trug und als Siedlungskern empfunden wurde, oder im 9. Jahrhundert als foras muros castro Bonnense gelegen bezeichnet wird, während es in Urkunden des frühen 11. Jahrhunderts umgekehrt heißt, die Dietkirche, die alte Urpfarrkirche in der Südwestecke des ehemaligen Lagers, befinde sich in suburbio Bonnae. Der Begriff suburbium wird also regelrecht vertauscht. Wir wissen nun heute, daß südlich vor dem Bonner Legionslager der römische zivile vicus lag, daß sich bei der Märtyrerkirche ein Friedhof christlicher, gallorömischer Bevölkerung aus frühfränkischer Zeit befand. Mit anderen Worten: die verbliebene gallorömische Bevölkerung ist anscheinend umgezogen in die Nähe des christlichen Heiligtums. Ähnlich liegt es wohl bei Neuß. Das ehemalige Legionslager liegt weitab von der mittelalterlichen Altstadt, die im Gebiet des römischen zivilen vicus entstand, bei St. Quirin, für dessen römischen Ursprung die neuesten Grabungen Anhaltspunkte ergaben. Die überragende Bedeutung und große Anziehungskraft der vor den römischen Mauern gelegenen Grabkirchen zeigen sich allenthalben, in Köln kennen wir St. Severin, St. Gereon, die Jungfrauenmemorie — St. Ursula — als spätantike Kultbauten. Bei Maastricht überrundet die Grabkirche St. Servatius die in der Ecke des alten Römerkastells gelegene Liebfrauenkirche.

Auffällig ist die Kontinuität der Siedlung bei den Kastellorten der mittleren Maas wie des Mittelrheins. Die Schrumpfung und Ummauerung der civitates hatte den Unterschied zwischen ihnen und den römischen castra verwischt; so konnten auch castra als Keimzelle mittelalterlicher Städte dienen. Die Größe einer antiken civitas war ihrem Fortbestand in der fränkischen Zeit sogar im Wege. Mit einer riesigen steinernen Trümmerwüste wußten die fränkischen Krieger nichts anzufangen; sie konnten sie nicht instandsetzen und verteidigen. Dagegen waren sie in der Lage, eine kleine befestigte Siedlung, eine Burg, zu unterhalten und zu verteidigen. Das Übergewicht, das die Wasserwege im Fernverkehr der fränkischen Zeit über die in der Folge zugewachsenen Fernstraßen der Römer erhielten, kam außerdem diesen Kastellorten zugute, während die Plätze an der alten Römerstraße Köln — Bavai — Boulogne zurückgingen.

Volle Bewahrung der antiken Gestalt zeigt an der Maas Namur. Am Mittelrhein konstatieren wir weitgehende Siedlungskontinuität bei Andernach, Koblenz und Boppard. Wir erwähnten schon, daß in Boppard im Militärbad des Römerkastells nach dem Abzug der Truppe, aber noch in römischer Zeit, eine Gemeindekirche eingerichtet wurde. Boppard lebt ferner als königlicher Fiskus fort. Die römische Befestigung bestand weiter; erst zwischen 1200 und 1250 wurde eine Restaurierung der Mauer und eine Erweiterung des Stadtkerns notwendig. Altchristliche und frühfränkische Grabsteine erweisen die durchgehende Besiedlung.

Verlagerungen des Siedlungsschwerpunktes sind wiederum bei Mainz und in Speyer festzustellen. Die erste germanische Besiedlung ergreift vor allem die Außenbezirke, der innerstädtische Raum war eine Zeitlang relativ siedlungsleer. Die Bevölkerung kehrt aber wieder darin zurück. In Mainz[43] faßt der große spätrömische Mauerring von 105 ha die Stadtbevölkerung des ganzen Mittelalters; nur an der Rheinfront sollte sich noch eine räumlich kleine aber bedeutungsvolle Verschiebung ergeben. Speyer[44] erfährt allerdings im 11. Jahrhundert eine bedeutende Erweiterung. Die vorübergehende Schwerpunktverlagerung spiegelt sich in der Bedeutung der suburbanen Kirchen. Die von Bischof Sidonius von Mainz gegen ein Rheinhochwasser getroffenen Schutzmaßnahmen können als Anzeichen bischöflicher Stadtherrschaft im 6. Jahrhundert gewertet werden. Worms scheint im 5. Jahrhundert weniger großen Erschütterungen ausgesetzt gewesen zu sein als Mainz und lief in der fränkischen Verwaltung des 7./8. Jahrhunderts dem ehemaligen Hauptort der Provinz Obergermanien den Rang ab[45]. Friedhöfe und Kultstätten sind in allen drei Orten die sichersten Bürgen der römermerowingerzeitlichen Zusammenhänge.

Die Besonderheit des Moselraumes liegt in der exzeptionellen Stellung Triers und der im Trierer Land mehrfach archäologisch bezeugten ununterbrochenen Fortdauer auch ländlicher Siedlungen. In Trier, Metz und Toul und dem lothringischen Saarburg blieb christliche gallorömische Bevölkerung erhalten. Weiterbestehen einer typisch städtischen Unterschicht bezeugt die Trierer Armenmatrikel für das 7. und 8. Jahrhundert. Die Trierer Bischöfe sind bis 560 Romanen, einen Angehörigen der römischen Aristokratie treffen wir noch im 7. Jahrhundert in Trier an. Die lückenlose Trierer Bischofsliste bezeugte die ununterbrochene Fortdauer der christlichen Gemeinde und der bischöflichen Organisation. Der Bischof übernahm öffentliche Geschäfte der alten curia: Sorge für die Bauten und für die Armen, so bezeugt es Venantius Fortunatus für Nicetius. In der bischöflichen Stadtherrschaft des Nicetius greifen wir das wesentliche administrative Kontinuitätselement zwischen der spätrömischen und frühmittelalterlichen Stadt. — Triers Bevölkerungszahl war allerdings erheblich gesunken. Der riesige Mauerring, der nur noch einzelne Siedlungskammern barg, konnte von der zusammengeschrumpften Bevölkerung nicht mehr verteidigt werden. Das zeigte sich in verhängnisvoller Weise beim Normannenüberfall im Jahr 882. In der Folgezeit umgab man die Kernsiedlung um den Dom mit einer Palisadenbefestigung, die allerdings sehr eigenwillig das schachbrettförmige Straßennetz der Römerstadt durchschnitt; erst jetzt wandte man in Trier endgültig der Römerzeit den Rücken.

Als Bischofssitz und kultischer Mittelpunkt — reich an Kirchen — tritt uns Metz in fränkischer Zeit entgegen. Als Hauptstadt Austrasiens besitzt es jetzt größere politische Bedeutung als Trier. Toul tritt wieder an Bedeutung zurück; ein Fortleben gallorömischer Bevölkerung ist sicher, Touler Bischöfe und der in Toul geborene Lupus von Troyes gehören Senatorenfamilien an.

Im alemannischen Raum werden die Zusammenhänge unverhältnismäßig dünner, desgleichen im bayerischen Siedlungsgebiet[46]. Eine gewisse topographische Kontinuität ist zwar bei Straßburg, Augsburg und Regensburg gegeben. Die bischöfliche Organisation war viel stärkeren Wandlungen ausgesetzt als in den Rhein- und Mosellanden. In Augsburg ist der Bischof anscheinend in der Völkerwanderungszeit bis nach Säben-Brixen ausgewichen und das Bistum ohne direkte Anknüpfung an die spätantike Tradition von Dagobert neu errichtet worden. Das

Augsburger Afra-Grab als Kultstätte hat sich anscheinend halten können. In Regensburg ist der St. Emmeramer Friedhof kontinuierlich belegt. Seit dem Ende des 7. Jahrhunderts spätestens ist Regensburg Vorort des bayerischen Herzogtums und ein kirchliches und wirtschaftliches Zentrum. Chur mit archäologisch gesicherter Bischofskirche im spätrömischen Kastell zeigt die gleiche Bewahrung römischen Wesens, die im sprachlichen Befund der Gegend zum Ausdruck kommt.

Donauabwärts von Regensburg werden sich wohl nie mehr als topographische Anknüpfungspunkte ergeben. Die Geschichte der Donauländer war in der Übergangszeit sehr viel stürmischer und drangvoller als die der Rhein- und Mosellande, die zudem die römische Zivilisation intensiver und dichter ergriffen und durchformt hatte.

Daß die christliche Kirche die tragfähigste Brücke zwischen den Zeitaltern schlug, geht aus dem Gesagten hervor und wird allgemein anerkannt. Die Vielzahl der Kirchen bestimmt auch das äußere Bild der stadtartigen Siedlungen der fränkischen Zeit. Französische Forscher sprechen von der „ville sainte mérovingienne" und haben das Kathedralkirchengefüge vieler Bischofsitze herausgearbeitet. Für Metz sind rund 40, für Paris 26, für Reims 22, für Trier 20, für Lyon 18, für Bordeaux 9—11 christliche Kultstätten festzustellen, auch für Köln, Mainz, Besançon usw. ist die Zahl noch beträchtlich[47].

Im Schatten der Kirche retten sich städtische Lebensgewohnheiten ins Mittelalter. Nur in einer Stadt soll nach kanonischer Vorschrift ein Bischof residieren. Umgekehrt wird eine Bischofsresidenz zur Stadt. Ein Beispiel dafür ist Lüttich; es ist gleichzeitig ein Zeugnis für die Stärke der Märtyrer- und Heiligenverehrung in der fränkischen Zeit, die den Bischofsitz von der ehemaligen römischen civitas Tongern abzog, zuerst zur Grabeskirche des hl. Servatius in Maastricht, dann des hl. Lambert in der unbedeutenden Villa Lüttich. — Befestigte Sitze von Bischöfen oder großen Stiftern werden uns auch im rechtsrheinischen Deutschland als Keimzellen mittelalterlicher Städte begegnen — eine Ausstrahlung antiker Urbanität auch dies.

„In contrast to the situation in Gaul", sagt Loyn in seinem Überblick über die Verhältnisse in England, „the break in the continuity of town-life and villa-life was sharp and dramatic... This is not to deny the possibility of continuity in habitation sites at places such als London or York or Cambridge... Canterbury, although it changed its name from Durovernum, is one attested site for continuity ..." Man wird das auch von Exeter und Winchester behaupten können, u. a. nach den Plänen, die Biddle für Winchester veröffentlicht hat. Eine den Problemen der Stadt, vor allem ihrer Kontinuität, und dem Frühmittelalter zugewandte archäologische Forschung besteht in England erst seit dem letzten Weltkrieg. Vielleicht wird auch hier der Boden noch überraschende Zeugnisse preisgeben[48].

Ein nuancenreiches Bild von Erhaltung und Zäsur bietet unsere Übergangs- und Mischzone. Die im breiten Umfang gegebenen topographischen Anknüpfungen — genau betrachtet, liegt da jeder Fall anders — bedeuten viel in der Geschichte dieser Städte, besagen für die Kulturkonstanz in einem allgemeinen Sinn noch wenig. Und diese? Kontinuität der Ruinen, Kontinuität der Friedhöfe, Fortleben der römischen regia als merowingische Pfalz, oft Weiterexistenz altchristlicher Bischofsitze und Kultstätten, d. h. aber auch Weiterexistenz stadtsässiger gallo-römischer Bevölkerung unter den neuen Herren, Fortdauer des Fernhandels, einiger — nicht mehr städtischer — Exportgewerbe, ein reduziertes Marktwesen in den alten civitates unter bischöflicher Aufsicht, Verschiebungen in der politischen Bedeutung ehemaliger Römerstädte — Trier/Metz, Mainz/Worms — die indirekt doch auch andeuten, daß eine solche civitas für die neuen Herren ihre Bedeutung hat bzw. gewinnt. Denn — diese Erkenntnis verdanken wir der mühevollen Suche nach Kontinuitätselementen und Durchleuchtung der Frühgeschichte unserer Städte — der letzte Ausklang der Antike und das erste Zeichen des Neubeginns rücken oft dicht aneinander, überschneiden sich sogar, so daß wir von einer Nahtstelle statt einer Bruchstelle sprechen können. Am wichtigsten sind alle Anhaltspunkte für die Weiterexistenz stadtsässiger gallo-römischer Bevölkerungsreste, denn diese tragen die städtische Lebensform in der Zeit der Wirren und des Übergangs. Entscheidend für die künftige Gesamtstruktur des Lebens wird das Verhalten der neuen Herrenschicht sein, die seit dem 6. Jahrhundert auch die führenden kirchlichen Positionen besetzt. Wird sie stadtsässig, bedient sie sich der Stadt?

Richten wir jetzt den Blick auf die karolingische Epoche, und zwar auf die gesamte Lebenswirklichkeit, dann müssen wir sagen, daß die ehemaligen Römerorte Inseln in einer rustikalen Umwelt geworden sind. Das wird auch noch lange das Schicksal der Städte Mitteleuropas sein. Die Stadt als Lebensform hat in einigen Spitzenpositionen in den Rhein-, Maas- und Mosellanden die Völkerwanderungszeit überstanden, aber eine städtische Lebensform als die Lebensform schlechthin hat sich nicht erhalten; wir dürfen nicht verkennen, daß die Reduzierung des Städtewesens allerdings schon in der Spätantike eingesetzt hatte. Was damals Ausdruck einer permanenten Krise war, ist jetzt der normale Zuschnitt des Lebens.

Das Land besitzt seine Eigenbedeutung. Nur anfangs noch in den Suburbien der alten civitates, dann in einsamer Gegend erwachsen die Klöster als Stätten höherer Bildung und Gesittung, Sitz großer Grundherrschaften, wie sie auch der Adel besaß, den wir für das Frankenreich auch des 6. Jahrhunderts als existent annehmen sollten[49]. Am Sitz dieser Grundherrschaften gab es gewerbliche Betriebe. Die Klöster unternehmen nicht nur große Warentransporte innerhalb ihrer riesigen, weite Räume überspannenden Besitzungen, sie treiben auch Handel. St. Denis verfügte schon im 7. Jahrhundert über Zollbefreiungen für seine Öl- und sonstigen Wareneinkäufe in Marseille. Chlothar III. schenkte der Abtei Corbie eine auf das Zollbüro in Fos angewiesene Rente, die das Kloster in Form von Waren erhielt, die aus dem cellarium fisci in Fos stammten. Nach einer Aufzählung in einer Urkunde Chilperichs bezog Corbie in Fos 10 000 Pfund Öl, die verschiedensten Gewürze in Quantitäten von 1 bis 150 Pfund, viele Südfrüchte — Oliven, Mandeln, Feigen, Datteln, Pistazien — ebenfalls in beträchtlichen Mengen, 50 Buch Papyrus. St. Germain-des-Prés, dessen Weinproduktion das Sechsfache des eigenen Bedarfs betrug[50], erhielt 779 ein königliches Privileg, daß den Händlern der Abtei (negotiantes ipsius sancti loci) erlaubte, überall da Handel zu treiben, wo sie wollten, diesseits und jenseits der Loire, um Öl für Beleuchtungszwecke zu erwerben usw. Der Grundherr konnte einen Markt einrichten. Noch gab es kein königliches Marktregal; das entstand erst in der 2. Hälfte des 9. Jahrhunderts, während Münze und Zoll seit jeher Regal waren. Viele dieser grundherrlichen Märkte sind wieder eingegangen. Aber nicht immer handelt es sich um unbedeutende Sammelmärkte. Bei St. Denis erwuchs der weitberühmte Jahrmarkt, auf dem Angelsachsen und Friesen, die im 8. Jahrhundert als Händler neben Syrern und Juden an Bedeutung gewannen, Wein einkauften. Es war aber anscheinend schwierig, soviel Wein, wie man brauchte, auf dem Markt zu kaufen.

Die Klöster Nordfrankreichs und Belgiens, Westfalens und Niedersachsens sorgen dafür, daß ihnen an Rhein und Mosel, wo die Rebe gedeiht, ein paar Weinberge gehören[51]. Die großen Grundherrschaften streben nach Selbstversorgung; sie sind nicht ausgesprochen marktorientiert.

Wir sahen, daß die civitas Agrippinensium als Land Ribuarien im fränkischen Reich weiterbesteht; dieser Fortbestand römischer Bezirke im Frankenreich ist nicht vereinzelt. Dennoch ist der Bedeutungsschwund der Stadt in der fränkischen Verwaltungspraxis nicht zu verkennen. Wenn Chilperich den duces und comites, die in Aquitanien Eroberungen gemacht haben, befiehlt, sich beim Herannahen des Heeres Guntrams in die Städte zurückzuziehen, so setzt das voraus, daß sich selbst in Aquitanien duces und comites meist auf dem Lande aufhielten, obwohl hier die Städte dicht beieinanderlagen und sich gut behauptet hatten. Die Stadt war nicht einmal hier alleiniges Funktionszentrum des Komitats[52].

Die Pfalzforschung zeigt nicht nur für Köln, sondern an vielen Orten eine unmittelbare römisch-merowingische Kontinuität[53]. Daß die Merowinger von den Römern erstellte Palastbauten weiter benutzten, mag auch die finanzielle oder sonstige Unfähigkeit, neue Bauten zu errichten, bedeuten. Aber sie streben doch nach festen Residenzen. In der Karolingerzeit beginnt das Umherziehen der Herrscher von Pfalz zu Pfalz und der Neubau von Pfalzen. Aachen und Worms unter Karl dem Großen, Frankfurt und Regensburg unter Ludwig dem Deutschen sind bevorzugte Aufenthaltsorte, keine eigentlichen Residenzen, aber sedes principales eines regnum.

Die eigentlich stadtsässigen Großen sind die Bischöfe.

Trotz aller Einschränkungen sehe ich im römischen und römisch-christlichen Erbe der Lande zwischen Seine und Rhein eine in das Mittelalter hineinwirkende geistige Kraft und gewisse materielle Voraussetzungen, die für das Wiedererblühen eines Städtewesens von Bedeutung waren.

2. DIE NEUEN ANSÄTZE

Das römische Erbe ist nur *eine* Ursprungskraft des mittelalterlichen Städtewesens. Nichtagrarische neue Siedlungen der fränkischen Zeit, Handelsemporien, vor allem an der Küste, Burgen und Märkte stellen eigenständige Organisationsformen dar, die ebenfalls den Keim städtischen Lebens in sich trugen.

Die Neuorientierung, deren Anzeichen das Auftreten der Angelsachsen und Friesen im 8. Jahrhundert auf den Messen von St. Denis war, ist begründet im Zusammentreffen der Aktivität des Nordens mit dem Aufstieg Austrasiens im Frankenreich. Es handelt sich hier um Vorgänge, die man nicht nur vom wirtschaftlichen Gesichtspunkt her — Verlagerung von Handelswegen — und vom machtpolitischen Aufstieg Austrasiens allein sehen darf. Die Einbrüche der Steppennomaden, der Hunnen Ende des 4. und der Avaren im 6. Jahrhundert haben die östlichen Verbindungswege vom Schwarzen Meer zur unteren Weichsel und von Italien über Aquileja, Carnuntum, die Mährische Pforte zur Oder und Weichsel gestört, während der Handelsweg, der von den römischen Stützpunkten am unteren Niederrhein zu den Küstengebieten der Nordsee vordrang und über die jütische Halbinsel in das westliche Ostseebecken zog, nie ganz abriß. Nach einem Absinken seit etwa 500 intensivierten sich diese West-Ostbeziehungen im 7. Jahrhundert wieder, obwohl die antiken Antriebe nunmehr eher nachließen. Die mächtige Kraft, die den Aufstieg im 7. Jahrhundert trägt, ist die Lebenskraft der jungen germanischen Völker, die sich jetzt nach Beendigung des Zeitalters der weitausgreifenden Wanderung und Eroberung, im Moment politischer Stabilisierung durch das Frankenreich stärker auf die friedliche Arbeit der Rodung, des Landesausbaus und die wenigstens halbfriedliche des Handels — der in seinen Frühformen gerne mit dem Raub einhergeht — hingelenkt sieht. Die Beziehungen Nordwesteuropas nach Süd- und Mittelgallien werden dünner und die Beziehungen nach dem Norden, nach England und Skandinavien, treten in den Vordergrund. Als neue Organisationsform des Handels entwickeln sich im Küstengebiet von der Somme bis zur Ostsee Emporien, die in den Quellen als portus oder vicus erscheinen; die wichtigsten sind: Quentowik am Fluß Canche, der nur archäologisch erschlossene vicus bei Domburg auf Walcheren, Dorestad in der Verzweigung von Rhein und Lek und die jüngeren Haithabu am Südufer der Schlei und Birka im Mälarsee in Schweden[54].

Die ersten sicheren Erwähnungen Quentowiks datieren aus der Zeit um 670. Nach 864 verschwindet es aus den Quellen. Es ist uns ausdrücklich bezeugt als der normale Festlandhafen für die angelsächsischen Romreisenden, es ist ebenso der Hafen für den englisch-französischen Handel und gehört im 8. Jahrhundert neben Rouen, Amiens, Maastricht und Dorestad zu den wichtigsten karolingischen Zoll- und Münzstätten. Die in Quentowik ansässigen Händler besuchen u. a. die Messen von St. Denis, sie bringen Wein, Öl und Krapp dorthin. Dorestad wurde Ende des 7. Jahrhunderts von Pippin erobert, ist im 8. Jahrhundert reich und berühmt und hat in der 2. Hälfte des 9. Jahrhunderts geschädigt durch Plünderungen der Normannen und schweres Hochwasser des Rheins alle Bedeutung verloren. Bei dem Fernhandelsplatz lag ein castrum und eine Martinskirche, die gelegentlich den Bischöfen von Utrecht als Residenz diente. Dorestad war der Ausgangspunkt für die rheinischen Beziehungen nach dem Norden. Es war nach dem Zeugnis der Münzfunde auch eng mit den friesischen Küstenstrichen verknüpft. Nach Dorestad kamen die friesischen Bauernkaufleute, die im Winter auf ihren Wurten saßen — künstliche Erhöhungen, die in der Zeit vor den Eindeichungen die Siedlungen gegen die großen Fluten schützten — und in der Umgebung ihres Wohnsitzes Handelsgut aufkauften.

Ausstrahlungen dieser nordostfränkischen Zentren über die Nordsee bis zur Westküste Jütlands erreichten den Handelsweg, der Jütland überquerte und in die Ostsee hinein und über Gotland zum Mälarsee führte. Der Mälarsee ist die kulturträchtigste Landschaft Schwedens, wohl bis auf den heutigen Tag. Der Handelsplatz Helgö[55] auf einer kleinen Insel im Mälarsee, dessen Fundmaterial vor allem dem 5. und 6. Jahrhundert entstammt, bezeugt eine hochentwickelte schwedische Metallproduktion, hinter der Traditionen des weströmischen Kunsthandwerks stehen. Helgö ist noch ein Bindeglied zwischen Antike und Mittelalter, der Siedlungsstruktur nach war es keine Stadt, sondern eine Ansammlung von Höfen. Es wird von Birka beerbt, dem zentralen Markt der Landschaft, dessen Hafen regelmäßiger

Treffpunkt aller Schiffe der Dänen, Normannen, Slawen, Samländer und der Völkerschaften aus der nördlichen Ostsee war; es ging 970 unter. Seine Rolle übernahm Sigtuna, bis sich schließlich Stockholm als der zentrale Ort dieser Landschaft entwickelte.

Mächtige schwedische Königsgeschlechter wie das der Ynglinge und große Häuptlingsgeschlechter konnten sich kostbare Importgüter leisten und Kunstschmiede beschäftigen. Sie nahmen teil an dem lebhafter werdenden Handel mit Westeuropa. Im 8. Jahrhundert beginnt das Wikingerzeitalter, die Angriffe auf England und Gallien, wohl durchweg norwegische Expeditionen, die dänischen Angriffe auf das Frankenreich; Norweger und Dänen suchen vor allem Land, bei den schwedischen Warägern überwiegen die Handelsinteressen; 839 erschienen die Schweden vor Byzanz. Bis 930 dauert die erste Wikingerflut.

Birka und Haithabu sind Handelsplätze der Wikingerzeit. Haithabu ist im 9. Jahrhundert der Umschlagplatz des rheinisch-skandinavischen Verkehrs. Seine Blütezeit beginnt um 900, sein Abstieg um 1000, um die Mitte des 11. Jahrhunderts ging es im Wirbel kriegerischer Ereignisse unter. Die Nachfolgesiedlung Schleswig entstand am Nordufer der Schlei. Haithabu nahm im 9. Jahrhundert eine Fläche von knapp 10 ha, im 10. eine von 24 ha ein, während Birka knapp halb so groß blieb. Birka und Haithabu waren in ihrer Spätzeit durch einen Halbkreiswall geschützt.

Reine Rastorte und Umschlagplätze des Fernhandels, wie man früher anzunehmen geneigt war, waren diese Wike nicht. Sie sind wohl aus den Bedürfnissen des Fernhandels hervorgegangen, aber sie haben eine fest ansässige, wenn auch wohl stark auf Zuzug, auch aus der Ferne, beruhende Bevölkerung — das haben die Friedhofsuntersuchungen für Haithabu klar ergeben —, eine sozial gegliederte und beruflich spezialisierte Bewohnerschaft; neben den Händlern sitzen hier auch Handwerker, es gibt neben den reichen Händlern auch arme Leute. Die Wike üben auch gewisse zentrale Funktionen aus, des Marktes und auch als kirchliches Zentrum. Wenden wir uns dem Handel zu, der sie trug und reich machte. Es ist ein Fernhandel mit Luxuswaren; Wein, rheinische Keramik, Glas wird importiert. Haithabu ist der östliche Endpunkt des Handels mit Eifelbasalt, es liefert die übrigen Importgüter auch nach Schweden weiter. Der in dieser Periode so verbreitete Sklavenhandel spielt auch hier eine Rolle: Haithabu verhandelt christliche Sklaven nach Skandinavien. Der Norden liefert Pelze. Feine Wollstoffe aus Grabfunden in Birka, Kaupang in Skiringssaal — dieser Ort verdankt seine Bedeutung dem weichen Speckstein, aus dem sich leicht Haushaltsgeräte herstellen ließen, Specksteinschalen sind nordische Ausfuhrware — und Haithabu legen die Annahme nahe, daß friesische Tuche importiert wurden. Aus dem Osten kam nach Haithabu Bernstein, der dort verarbeitet wurde, und Eisen. Aus Haithabu stammende Eisenschlacken lassen schwedisches See-Erz als Grundlage der Eisengewinnung erkennen. In Haithabu wurde ein Glasofen gefunden; auch Töpfer und Kammacher sind bezeugt. Schmuckgegenstände kamen aus dem fränkischen und insularen Kulturkreis nach Norden, in der Wikingerzeit hat der Waffenhandel große Bedeutung. Die Fernhändler, die führende Schicht in diesen Wiken, betrieben ihre kaufmännischen Unternehmen nicht vom Wik aus, sie begleiteten ihre Waren, man hat daher von „Wanderhändlern" gesprochen, womit natürlich nicht gesagt sein soll, daß sie ewig umherirrten, weder Haus noch Hof, Weib noch Kind hatten, alles dies besaßen sie, sei es im Wik, sei es im Land. Denn alle lebten sie nicht im Wik; manche Händler suchten die Wike nur auf, um dort Handelsgeschäfte zu tätigen und teilten ihre Zeit zwischen dem Handel und einer großbäuerlichen Tätigkeit. Einen Saisonhandel der Bauern hat es in Norwegen bis tief ins Mittelalter hinein gegeben. Einen norwegischen landsässigen Kaufmann kennen wir recht genau: es ist Ottar von Halogaland, der dem gelehrten englischen König Alfred dem Großen, an dessen Hof er verkehrte, eine Beschreibung der nördlichen Länder für dessen Orosiusübersetzung geliefert hat[56]. Ottars Wohlstand beruhte nicht so sehr auf dem relativ kleinen Hof mit seinen 20 Kühen, 20 Schafen und 20 Schweinen, dem wenigen Pflugland, das er selbst mit Pferden bestellte, sondern auf seinen großen Rentierherden — er hatte 600 zahme Tiere, dazu sechs kostbare Locktiere — und den Finnentributen, die sich aus Tierfellen, Vogelfedern, Walknochen, Schiffstauen aus Wal- oder Seehundshaut zusammensetzen. Diese Finnentribute konnte er nicht alle selbst verbrauchen, er brachte sie auf den Markt. Er segelte an der Westküste Norwegens entlang bis Skiringssaal und von da weiter bis Haithabu; sein zweiter Hauptmarkt war England. Er machte auch regelrechte Entdeckungsreisen, er kam bis ins Weiße Meer; wie er sagte, um herauszufinden, wie weit nach Norden zu bewohntes Land sei, vielleicht aber auch, um Möglichkeiten, Pelze zu beschaffen, auszukundschaften. Er war auch Walfänger. Dieser Ottar also ist noch nicht wiksässig. — Es muß ein recht buntes Bild gewesen sein, das Haithabu in der Zeit der Kaufmannszusammenkünfte bot, wenn die großen Karawanen eintrafen. Neben norwegischen und angelsächsischen ist ein arabischer Kaufmann aus Spanien dort namentlich bezeugt. Sicher hatten viele der regelmäßigen Besucher einen Lagerraum im Wik, auch wenn sie nicht dort zu Hause waren. Abenteuerlustige, wagemutige Männer waren diese Fernkaufleute, sie verstanden das Schwert zu führen, ein Schiff zu steuern, waren sprachgewandt und kannten Land und Leute. Der fränkische Fernkaufmann Samo war ein politischer Unternehmer, der ein slawisches Reich begründete.

Diese Händler sind freie Leute: nordische Großbauern und Häuptlinge. Die fränkischen Kaufleute in Dorestad sind den königlichen Beamten weder Gastung noch Sterbfallabgabe schuldig. Das bestimmt eine Urkunde Ludwigs des Frommen von 815 für die nach Dorestad zuziehenden Kaufleute. Neben ihnen stehen die homines ecclesie der Utrechter Martinskirche, die ebenfalls — aber das ist eine Folgeerscheinung der Immunität der Utrechter Kirche — den königlichen Beamten nicht abgabepflichtig sind. Offensichtlich haben die Könige im Wik Grundbesitz und gewisse Rechte. Sie entsenden in den Wik einen Kommissar, den Wikgrafen oder Wikpräfekten, wie er uns für Birka, Haithabu, Quentowik bezeugt ist. Der Wikgraf war ein hoher Amtsträger. Hergeir, der prefectus vici in Birka, war ein vertrauter Ratgeber des Königs. In Quentowik amtierte der illuster vir Gripo, dem Karl der Kahle auch eine diplomatische Mission an die angelsächsischen Könige anvertraute. Quentowik und Dorestad waren als Reichszollstätten für den König wichtig. In der Karolingerzeit gab es bereits Ansätze eines besonderen Kaufleuterechts. Die Könige sicherten in gegenseitigen Verträgen die Rechtsstellung ihrer Kaufleute im fremden Land[57]. Aber diese königliche Herrschaft über den Wik, die er zudem nicht selbst ausübte, sondern an den Wikgrafen delegierte, beeinträchtigte nicht die Freizügigkeit und Unabhängigkeit der Händler. Sie trieben ihre Geschäfte auf eigene Gefahr und für den eigenen Gewinn. Im Norden zumal waren der Königsgewalt überhaupt Grenzen gesetzt: „Ihrem Brauche zufolge liegt nämlich bei ihnen die Entscheidung über jede öffentliche Angelegenheit mehr im einmütigen Volkswillen als in der Macht des Königs (quodcumque negotium publicum magis in populi unanimi voluntate quam in regia constet potestate)", kommentiert der Biograph Ansgars Rimbert eine entsprechende Episode auf einer Schwedenreise Ansgars[58]. Außerdem waren die Kaufleute organisiert. Sie reisten in Karawanen und waren im Wik in Gilden zusammengeschlossen[59]. Der genossenschaftliche Zusammenschluß mehrerer Kaufleute für eine Handelsfahrt ist für Haithabu durch einen Runenstein bezeugt. Eine Gilde friesischer Kaufleute in Sigtuna geht sicher bis ins 10. Jahrhundert zurück. Verbote der Gilden im Capitulare Haristallense von 779, im Capitulare von Diedenhofen von 805, im Capitulare Lothars für Italien von 822, im Verbot Karlmanns von 884 und in den Statuten Hinkmars von Reims von 852 bezeugen ihr Bestehen im fränkischen Raum. Es gibt in Skandinavien und Niederdeutschland auch Bauerngilden[60]; die Trennung der Berufe war, wie schon gesagt, im Norden nicht so streng. Die germanische Gilde ersetzt dem Fahrmann die Sippe, in deren Schutz der Ortsgebundene, der seine Heimat nie verließ, war, oder auch den Schutz eines Herrn. Sie ist ein rein bruderschaftliches Verhältnis, das unterscheidet sie von der Gefolgschaft, die einem Herrn dient. Sie ist mehr als eine erweiterte Blutsbrüderschaft, so sehr Elemente der Blutsbrüderschaft in sie eingingen. Denn sie ist auch eine Opfer- und Speisegemeinschaft, das manifestiert sich im Gildegelage, das ein wesentlicher Bestandteil der Gilde ist; verchristlicht wird es uns in den Quellen des 11. Jahrhunderts begegnen. Kernbestandteil des Gildegelages ist die Totenehrung, die sowohl in der dem blutsbrüderschaftlichen Verhältnis entspringenden Pflicht als im kultischen Brauchtum des Männerbundes wurzelt. Als geschworene Brüder waren die Gildegenossen einander zur Totenehrung und zur weitestgehenden Hilfeleistung verpflichtet. Die Gilde war zwar durch Eidschwur fest zusammengehalten, dabei aber sehr locker organisiert. Sie hatte als Organe Vorsteher, Aldermänner, und die Gildeversammlung. Sie war ein exklusiver Personalverband; die Aufnahme eines Mitglieds war von der Billigung aller Gildegenossen abhängig. Das hauptsächliche Straf- und Zwangsmittel der Gilde war die Ausstoßung. Die für den Wik Birka bezeugte Thingversammlung hat offensichtlich nichts mit der Gilde zu tun. Wir müssen im Wik daher mit drei Instanzen rechnen: dem königlichen Kommissar, dem Ding (placitum), der Gilde. Wie die Verfassung der Wike im einzelnen funktionierte, wie sich die Befugnisse des königlichen Wikgrafen und der Gilde abgrenzten, wie Ding und Einwohnerschaft des Wik aufeinander bezogen waren, das wissen wir nicht. Die schriftlichen Quellen sind dürftig und die Archäologen können uns in diesen Fragen nicht weiterhelfen.

Wichtig scheint mir, daß die Gruppe dieser Fernkaufleute, seien es nun selbst handeltreibende Großbauern und Häuptlinge, seien es wiksässige Händler, die der Aufsicht des Wikgrafen unterstanden und vom König geschützt wurden, sich klar abheben läßt von den Unfreien, die große Grundbesitzer, vor allem auch geistliche Grundherren, auf Handelsfahrt aussenden. — Die Wiksässigkeit bedeutet den ersten Schritt der Händler zum Berufskaufmannstum.

Und wie sollen wir die Wike in die Entstehungsgeschichte der mittelalterlichen Stadt einordnen? Das Problem, das sie uns stellen, ist ihr Verschwinden. Aufstieg, Blüte und Niedergang der Wike sind durchweg in zwei Jahrhunderte gepreßt. Sie haben zwar ihre Erben — Quentowik Montreuil, Dorestad vor allem Tiel, in gewisser Weise auch Utrecht und Deventer, Haithabu Schleswig und Birka Sigtuna —, aber die Ruptur ist zu groß, als daß man — abgesehen vielleicht von Haithabu — von einer bloßen Stadtverlegung sprechen könnte. Während Quentowik und Dorestad untergehen, bleiben die neben ihnen genannten Zollstätten Rouen, Amiens und Maastricht erhalten, und im 9. Jahrhundert kommt eine Reihe neuer Plätze hoch: Deventer, Tiel, Brügge, Gent, Antwerpen, Valenciennes[61]; um 800 entsteht die nach dem letzten Weltkrieg ausgegrabene Stadtwurt Emden[62], eine Einstraßensiedlung von Handwerker- und Händlerhäusern, ähnlich wie die auf Walcheren ausgegrabenen, die für einen bäuerlichen Betrieb zu klein waren. Die Niederlassung besaß auch eine Holzkirche. Wurt und Siedlung wurden im 10. Jahrhundert erweitert. Hier besaß das Handelsvolk der Friesen eine eigene nichtagrarische Siedlung; die Friesen gingen mit eigener Produktion in den Handel: Die Zeugnisse der schriftlichen Quellen, daß die Klöster Fulda und Werden Textilien aus Friesland bezogen, sind durch archäologischen Befund dahin interpretiert worden, daß es tatsächlich friesische — und nicht etwa flandrische, von Friesen gehandelte — Produktion war. Auch die Ausgrabungen von Feddersen Wierde legen die Annahme nahe, daß sehr früh handwerkliche und händlerische Betätigung dieser Wurtenbewohner ihr bäuerliches Tagewerk ergänzt[63]. Auf solche Ergänzung waren die Bewohner des kargen Nordens ebenfalls angewiesen. Die Kontinuität in Emden — die heutige Pelzerstraße entspricht der Straßenzeile der Stadtwurt — soll uns davor warnen, aus dem Untergang der anderen Wike übertriebene Schlußfolgerungen zu ziehen. Andererseits verlangt er gerade deshalb eine Erklärung; sie kann ja nicht in den allgemeinen Verhältnissen liegen. Naturkatastrophen und Kriegszerstörung spielen bei Dorestad und Haithabu eine Rolle, sind aber viel seltener Anlaß des endgültigen Untergangs einer Siedlung, als eine oberflächliche Betrachtung annehmen möchte. Der Untergang so vieler Wike scheint mir zu bedeuten, daß diese städtische Frühform des Handelsemporiums einen ersten tastenden Versuch darstellt, neue Städte ins Leben zu rufen, der nicht immer gelang. Es fehlt den untergegangenen Wiken die Stabilität, die ein großer aufwendiger Siedlungskörper verleiht, der einer Stadt hilft, Perioden der Depression zu überwinden. Große Gemeinschaftsbauten besaßen die Wike noch nicht. Sie boten ihren Bewohnern auch nur wenig Schutz, lockten andererseits durch deren Reichtum Eroberer an. Der vertriebene Schwedenkönig Anund versuchte mit dänischer Hilfe seine Herrschaft wiederzugewinnen und versprach den Dänen reichen Gewinn zur Belohnung: er wolle sie nach Birka führen, dort seien viele reiche Händler, eine Überfülle von Waren und viele Schätze. Der Wikpräfekt Hergeir hat nur die ansässigen Händler und Einwohner zur Verfügung, die voller Entsetzen in die benachbarte Burg fliehen und sogleich die Loskaufsumme von 100 Pfund Silber für ihren Wik entrichten. So wird noch im 11. Jahrhundert von den Tieler Kaufleuten erzählt, daß sie ihren Wik bei einem ähnlichen Überfall im Stich ließen, quia mercatores erant; dabei mag die schlechte Meinung des geistlichen Chronisten von den Kaufleuten noch mitsprechen. Die ein unstetes Wanderleben führenden Händler sind mit ihrem Wik noch nicht so fest verbunden wie spätere Stadtbewohner oder wie die Reste überdauernder gallo-römischer Bevölkerung in den trümmerhaften, aber noch als Ruinen grandiosen Römerstädten. Es fehlt den Wiken an Tradition, an solider Verwurzelung in der Umwelt. So erklärt Dhondt das Verschwinden Quentowiks nicht nur durch Veränderung der Küste, Verlagerung der Handelswege, Plünderung durch die Wikinger, sondern noch tiefer und m. E. zutreffender: „Il y a d'abord ce qu'on pourrait appeler le manque de racines profondes de ces villes champignons mérovingiennes. Elles paraissent n'être pas ancrées solidement dans le terroir … les emporia constituaient plutôt des enclaves que des éléments organiques du monde carolingien." Als Handelsplätze gegründet, waren diese Wike vom Schicksal der Handelswege abhängig, auf deren Verlagerung sie stark reagierten — wie im Falle Quentowik die Wiederherstellung der transkontinentalen Verbindung Ostsee — Byzanz seine Bedeutung mindert. Die Handelsemporien stehen der nichtagrarischen Einzwecksiedlung — trotz Anfängen gewerblicher Produktion und zentraler Funktionen — noch zu nahe; solche Einzwecksiedlungen sind alle — man denke an Bergstädte — höchst anfällig. — Wir verstehen nunmehr noch besser die Bedeutung der rein topographischen Kontinuität römerzeitlicher Stadtsiedlung.

Eine viel größere Gewähr des Überlebens war da gegeben, wo Handelsemporien in Anlehnung an alte Römerorte entstehen, so die merowingischen vici Namur, Huy, Dinant, Maastricht an der mittleren Maas, die in der karolingischen Zeit als portus erscheinen, die portus von Tournai und Metz, die merowingischen Vicus-Münzorte: Marsal, Vic s. Seille, Moyenvic und Dieuze im Mosel-Seille-Gebiet, die späteren Niederlassungen friesischer Kaufleute bei Köln, Mainz und Worms u. a., die in diesen Bischofstädten bereits eine einheimische Händlerschaft antrafen. Die Maasorte profitieren von der politischen Schlüsselstellung des Maas-Moselraumes unter den Karolingern[64], von der zunehmenden Bedeutung der Flußstraßen, von ihrer Lage an der Kreuzung von Fluß- und Querstraßen. Dazu kommen, wie Despy[65] kürzlich auseinandersetzte, Stadt-Umland-Beziehungen, ihre Funktion als zentrale Marktorte, die sie schon in spätkarolingischer Zeit besaßen. Aus dem Prümer Urbar von 893 läßt sich für ihr Hinterland ein starkes Bevölkerungswachstum erkennen, das — da die Abgaben gleich blieben — einen gewissen bäuerlichen Wohlstand mit sich bringt. Die Bauern konnten Eigenproduktion — Wolle, Leinengarn, Roheisen — auf den Markt bringen. Neben den portus an der Maas, die sich alle zu gewerbereichen mittelalterlichen Städten entwickeln sollten, stehen Marktorte, die nicht Stadt wurden, wie der Markt am Wallfahrtsort St. Hubert in den Ardennen. Wir werden sehen, daß unter den frühen Märkten eine ähnliche Selektion stattfand wie unter den Handelsemporien.

Wir wenden uns jetzt dem rechtsrheinischen Binnenraum zu. Hier stehen wir vor der Frage nach dem Verhältnis von Burg und Stadt[66]. Dazu zuerst einige allgemeinere Erläuterungen. Wir dürfen nicht in den Fehler verfallen, das Burgenwesen nur in Beziehung zur Stadt zu sehen. Die Burg hat seit dem frühen Mittelalter auch eine große Bedeutung für das ländliche Siedlungswesen. Die unsicheren Verhältnisse im 9. und der ersten Hälfte des 10. Jahrhunderts — Normannen-, Sarazenen-, Ungarneinfälle — bewirken eine sprunghafte Zunahme umwehrter Anlagen in wachsender Mannigfaltigkeit. Überall werden die alten Römermauern wiederhergestellt: In Nordostfrankreich, am Rhein, im Donauraum, in Oberitalien sind uns solche Instandsetzungsarbeiten bezeugt; Klöster und Pfalzen werden befestigt. Fluchtburgen neu erstellt; die Heinrichsburgen gehören in diesen Zusammenhang[67]. Das Burgenwesen Mitteleuropas ist aber viel älter. Ich möchte nicht näher eingehen auf die frühen germanischen oppida, die Beziehungen zu den keltischen aufweisen, bei denen die Frage nach dem städtischen Charakter aber negativ zu beantworten ist. Ein solches germanisches oppidum war das berühmte caput gentis Mattium im Hessenland; es blieb aber nach der Zerstörung durch Germanicus wüst. Die germanischen oppida beweisen uns, daß den Germanen das Burgenwesen eher vertraut war als das Städtewesen; die Römerstädte erschienen Franken und Alemannen als Burgen; sie sprachen von Kolnaburg, Straßburg, Augsburg usw. Dannenbauers Vorstellung von einem burgsässigen germanischen Adel ist freilich bisher nirgends archäologisch belegt worden[68]. Sehr aufschlußreich erscheint mir in dieser Hinsicht eine Stelle bei Gregor von Tours[69], wo er von dem Feldzug König Childeberts gegen die fränkischen Großen Ursio und Bertefred berichtet. Der König befahl seinem Heer, nach dem Ort aufzubrechen, wo Ursio und Bertefred eingeschlossen saßen. „Es lag nämlich im Woëvregau ein Gehöft (villa in pago Vabrense) über dem ein steiler Berg emporragte. Auf dessen Gipfel war eine Kirche zu Ehren des hl. Martin erbaut. Hier soll vor alters eine Burg gewesen sein (ibi castrum antiquitus fuisse); jetzt aber war die Stelle nicht durch menschliche Kunst, sondern nur durch ihre Lage geschützt. In dieser Kirche nun hatten sich die Genannten mit Habe, Frauen und Dienern eingeschlossen." Das spricht nicht für Adelsburgen.

Ob und welche Verbindungsstränge von den germanischen oppida zu dem differenzierten karolingischen Burgenwesen führen, ist noch nicht zu übersehen. Ein weitverbreiteter Typ ist die Doppelburg, die aus castrum und suburbium besteht. Anlagen des Doppelburgentyps sind im Sachsenlande die Befestigungen, die in den Kriegen gegen die Franken eine Rolle spielten; es sind die durch Schuchhardt im Gelände nachgewiesenen Iburg bei Driburg, Eresburg (Obermarsberg), Hohensyburg, Braunsburg bei Höxter und die Herlingburg (Skidroburg) bei Schieder. Es handelt sich um Höhenbefestigungen durch große Ringwälle. Widukind schildert diese sächsischen Befestigungen, die aus der eigentlichen Burg, der urbs, und einem suburbium bestehen, das Widukind oppidum nennt. Ob diese suburbia mehr als eine Vorburg darstellten, ob etwa Handwerker oder Händler darin wohnten, ein Markt darin stattfand, wissen wir nicht genau. Die Sachsenfeste Eresburg lebt in der mittelalterlichen Stadt Obermarsberg weiter; an ihrem Fuß befindet sich um 900 der Marktort Horhausen, das heutige Niedermarsberg. Ludwig das Kind verlieh dem Kloster Korvey das Markt-, Zoll- und Münzrecht in „Horohuson". Der frühmittelalterliche Klostermarkt im Schutz der alten Sachsenfeste ist eine Wurzel der hochmittelalterlichen Stadt Horhausen, deren Entwicklung aber nicht hielt, was sie anfänglich versprach. — Den Franken standen zur Abwehr sächsischer Angriffe ehemalige römische Städte bzw. Kastelle zur Verfügung, wie etwa Deutz, das die Sachsen schon 557 bedrohten, oder Utrecht, das seit dem 6. Jahrhundert als castellum erwähnt wird. In der Germania libera entstand die Büraburg bei Fritzlar als große fränkische Festung mit Mörtelmauer, Türmen, Kasematten. Auf seiner Hessenmission 723 fällt Bonifatius die Donareiche in Geismar und erbaute aus ihrem Holz die Peterskirche in Fritzlar; er machte das von ihm „oppidum" genannte Büraberg zum Bischofsitz. Auf der höchsten Stelle Bürabergs liegt heute noch die Kapelle mit einem noch benutzten Friedhof. Büraberg ist eine stadtartige Siedlung; die Grabungen, die dort im Gange sind, werden den Eindruck wahrscheinlich noch verstärken[70]; sie wurde aber verlegt. Das Bistum Büraberg lebte im Archidiakonatsbezirk des Fritzlarer Petersstiftes weiter. Fritzlar erbte die kirchliche Stellung Bürabergs, und hier, wo sich ein Königshof befand, entstand die mittelalterliche Stadt. Als befestigter Bischofsitz gleicht Büraberg in einem Bezug den weiterlebenden linksrheinischen civitates.

Einen anderen Typ stellen die fränkischen curtes dar, geschützte Anlagen mittlerer Größe, die vor allem in Hessen und Westfalen verbreitet sind. Stengel und Görich[71] sehen in ihnen eine Wurzel der mittelalterlichen Städte östlich des Rheins. Mehr als siedlungsmäßige Ansatzpunkte sind sie aber wohl nicht gewesen.

Bedeutende „städtische Frühformen zwischen Rhein und Elbe", so Schlesinger[72], waren hingegen Erfurt und Würzburg. Erfurt ist sowohl der zentrale Ort der Landschaft Thüringen wie ein hervorragender Kreuzungspunkt alter Fernverkehrsstraßen. Die Entwicklung ging von einer vorfränkischen Burg auf dem Petersberg aus, in der sich ein Königshof mit dem Königskloster St. Peter bildete. Auch Erfurt war vorübergehend Bistum und blieb ein bedeutender kirchlicher Mittelpunkt. Im Diedenhofener Capitulare von 805 ist Erfurt als Grenzhandelsplatz mit den Slawen bezeugt; die älteste Kaufmannssiedlung lag am Fuß und im Schutz des Petersberges, eine zweite Kaufleutekolonie lag rechts der Gera. Auch in Würzburg ging die Entwicklung von einer Burg aus, von der alten Herzogsburg mit der Marienkirche auf dem linken Mainufer. Die Marienkirche war zunächst Bischofskirche. Im 8. Jahrhundert wurde der Bischofsitz auf die rechte Mainseite verlegt und hier entstand auch eine Handelsniederlassung. Das erwähnte Diedenhofener Capitulare nennt auch Bardowiek bei der späteren Stadt Lüneburg und Magdeburg. Bei Magdeburg, einer vorkarolingischen Burganlage im Gebiet der großen Domburg, ließ Karl der Große eine Befestigung errichten, deren Lage unbekannt ist. Burg und Kaufleutesiedlung sind der karolingische Ausgangspunkt der großartigen Entwicklung, die Magdeburg in ottonischer Zeit erlebt.

Gemeinsam ist diesen Plätzen, die nun in weiter Streuung über den Raum zwischen Rhein und Elbe verteilt sind, die Verbindung von Burg und Kaufmannssiedlung als autochthonen Gebilden; dazu kommt als fremdes, aus dem Mittelmeerkulturkreis stammendes Element ein hervorragendes geistliches Institut: Bischofsitz oder Stift.

Wie sehr sich diese Dinge überschneiden, läßt sich wiederum an einem Küstenplatz, an Hamburg[73] darstellen. Zum Schutz der Tauf- und Missionskirche Erzbischof Ansgars wurde hier die Hammaburg errichtet. Sie wurde 845 von den Wikingern zerstört: „Die überraschende Plötzlichkeit dieses Ereignisses ließ keine Zeit, Männer aus dem Gau zusammenzuziehen (pagenses congregandi), zumal auch der damalige Graf und Befehlshaber des Ortes, der erlauchte Herr Bernhar, nicht zugegen war; als der Herr Bischof dort von ihrem Erscheinen hörte, wollte er zunächst mit den Bewohnern der Burg und des offenen Wiks (in suburbio) den Platz halten, bis stärkere Hilfe käme. Aber die Heiden griffen an, schon war die Burg umringt; da erkannte er sich zur Verteidigung außerstande, und nun sann er nur noch auf Rettung der ihm anvertrauten heiligen Reliquien; ... Auch die Bevölkerung, die aus der Burg entrinnen konnte, irrte flüchtend umher, die meisten entkamen, einige wurden gefangen, sehr viele erschlagen. Nach der Einnahme plünderten die Feinde die Burg (civitas) und den benachbarten Wik (vicus proximus) gründlich aus; am Abend waren sie erschienen, die Nacht, den folgenden Tag und noch eine Nacht blieben sie. Nach gründlicher Plünderung und Brandschatzung verschwanden sie wieder. Da wurde die unter Leitung des Herrn Bischofs errichtete kunstreiche Kirche und der prächtige Klosterbau von den Flammen verzehrt. Da ging mit zahlreichen anderen Büchern die unserem Vater vom erlauchtesten Kaiser geschenkte Prachtbibel im Feuer zugrunde. Alles, was Ansgar dort an Kirchengerät und anderen Vermögenswerten besessen hatte, wurde bei dem feindlichen Überfall durch Raub und Brand ebenfalls vernichtet."[74] Die Burg blieb wüst, der Bischofsitz wurde nach Bremen verlegt. Aber die einzeilige Wiksiedlung bestand weiter und dehnte sich in der 2. Hälfte des 9. und im 10. Jahrhundert aus. Ihre wirtschaftliche Existenz war offenbar von der Burg nicht allzu abhängig.

So verheerend die Wikinger auftraten — wir spüren in Rimberts Bericht den furchtbaren Schock, den ihr Erscheinen verursacht —, auf die Dauer gesehen haben sie stimulierend gewirkt. Sie haben nicht nur den Sinn für den Festungscharakter der Stadt neu geweckt; ihre weitgespannten Züge haben entfernte Räume in einen wirtschaftlichen Kontakt gebracht. Einen prägnanten Beweis dafür liefert die Numismatik; silberne Dirhems, die in Iran oder Turkestan geprägt worden waren, überschwemmten Skandinavien. Im Boden Schwedens hat man ungefähr 80 000 gefunden, die Hälfte davon allein in Gotland, in Dänemark 4000 und in Norwegen 400. Was davon auf Beute, Tribute, Lösegelder, was auf kommerziellen Austausch zurückging, ist schwer auszumachen.

Der Fernhandel geht auch in südöstliche Richtung. Im Diedenhofener Capitulare werden u. a. Regensburg und Lorch erwähnt.

Eingehenden Aufschluß über die Verhältnisse an der bayerisch-slawischen Grenze gibt das Zollweistum (903/05) von Raffelstetten — ein abgegangener Ort —, das Ganshof[75] meisterhaft interpretierte. Ich schließe mich dieser Interpretation an. Auf Grund mannigfacher Beschwerden über ungerechte Zölle wurde auf Befehl Ludwigs des Kindes in Raffelstetten unter dem Vorsitz des Markgrafen ein placitum abgehalten, auf dem die Großen des Landes die Zölle so, wie sie früher galten, wiesen. Die ersten drei Kapitel handeln von den Bayern, die zwischen dem Wald von Passau und dem Böhmerwald donauabwärts fahren. Sie treiben vor allem Salzhandel. Vom Salz, das sie zu ihrem eigenen Haus transportieren, brauchen sie nichts zu bezahlen, wenn der Schiffsführer diesen Sachverhalt eidlich bekräftigt. Wer an einem mercatum legitimum vorbeifährt, ohne etwas zu zahlen oder zu deklarieren, dessen Schiff und Ladung wird konfisziert. Wenn ein Unfreier kommt, wird er festgehalten, bis sein Herr kommt und bezahlt. Hier treffen wir wieder auf den durch Unfreie geführten Grundherrenhandel. Das Salz ist Reichenhaller Salz, die Grundherren besaßen Salinen oder Bergwerksanteile. Es werden auch Sklaven, wohl überwiegend slawische Kriegsgefangene, als Handelsobjekt dieser Leute genannt. Kauf und Verkauf treiben, mercatum habere, können die Bayern, wo sie wollen. Zwei Plätze werden bevorzugt genannt, Rosdorf — ein abgegangener Ort im Aschacher Becken — und Linz. Wer den Zoll in Linz in natura mit Salz bezahlt hat, gewinnt damit das Recht der freien Weiterfahrt. Der zweite Teil des Dokuments bezieht sich auf die Leute, die sich auf dem Landweg in den Traungau und darüber hinaus begeben. Zunächst wird von Bayern und „Sclavi istius patriae" gesprochen, das sind Slowenen aus dem Süden und Südosten Bayerns. Sie führen Sklaven, Pferde, Ochsen und Hausrat mit, sie können überall kaufen, was sie brauchen, ohne Zoll zu zahlen. Sie können auch einen Markt, ohne angehalten zu werden, passieren, wenn sie auf der Mitte der Straße bleiben. Wenn sie es vorziehen, auf dem Markt zu kaufen, können sie so preisgünstig wie möglich einkaufen, müssen aber dann Zoll bezahlen. Vielleicht war es trotz des Zolls vorteilhaft auf dem Markt zu kaufen, weil dort das Angebot reichhaltiger und regelmäßiger war. Dieser Zoll ist Marktzoll. Die Bestimmung über den günstigsten Preis ist ein Schutz gegen die Zollerheber; je höher der Preis, um so höher der Zoll. Insofern ist das Recht, den Preis auszuhandeln, wichtig. Salzkarren, die auf der strata legitima zur Enns und darüber hinausfahren, müssen einen Passierzoll in Salz bezahlen. Schiffe vom Traungau konnten Salz vom Salzkammergut auf der Traun führen und Salz von Steyr auf der Enns; sie waren, wenn sie aus dem Traungau stammten, vom Durchgangszoll befreit. Der dritte Teil des Dokuments handelt — mit Ausnahme des letzten Satzes — von den Slawen, die nicht in Bayern ansässig, also Ausländer sind, sie kommen aus Böhmen und Altrußland (?) auf dem Weg Kiew, Krakau, Prag, um Handel zu treiben. Sie bezahlen Marktzoll von den verkauften importierten Waren: Wachs, Sklaven, Pferden. Der Zolltarif wird angegeben. Die Bayern und die bayerischen Slawen — setzt der letzte Satz fest — zahlen nichts; sie können die Importgüter frei kaufen und ihre Güter, ihr Salz vor allem, frei an die Fremden verkaufen. Der vierte Teil des Dokuments geht wieder die Bayern an, die ihre Waren, vor allem ihr Salz auf der Donau verschiffen und dabei über den Böhmerwald hinausstreben, also weiter abwärts fahren als die, von denen in den ersten Abschnitten die Rede war. Die Lenker dieser Salz-Schiffe dürfen, nachdem sie den Böhmerwald passiert haben, nirgends auch nur anlegen, geschweige denn Handel treiben, bevor sie Eperasburg (= Ybbs?) erreicht haben; dort bezahlen sie drei Scheffel Salz von jeder navis legitima, von jedem Schiff der gewohnheitsrechtlich vorgeschriebenen Größe, das von drei Leuten bemannt war; dann können sie weiterfahren bis Mautern — gegenüber Krems — oder zu einem anderen Salzmarkt. Dort müssen sie wieder drei Scheffel bezahlen und haben dann das Recht, zum bestmöglichen Preis, den sie erzielen können, zu kaufen und zu verkaufen, ohne irgendeine Einmischung, sei es eines Grafen oder eines anderen fürchten zu müssen. Der Salzhandel unterliegt demnach in dieser Region viel strengeren Regelungen; der Handel kann nur an den offiziell zugelassenen Salzmärkten betrieben werden, zur Verhinderung der Zollhinterziehung. Der fünfte Abschnitt betrifft die Bayern, die im Großmährischen Reich Handel treiben. Hier wird eine Art Ausfuhrzoll festgesetzt. Eine andere Frage war natürlich, welche Abgaben die mährischen Machthaber verlangten. Der 6. und letzte Abschnitt schließlich befaßt sich mit den eigentlichen Berufskaufleuten — mercatores —, Juden und anderen, die aus Bayern und anderen Gebieten kommen; sie bezahlen den gerechten Zoll — iustum teloneum — wie vorher. Die handeltreibenden Bayern, von denen vorher die Rede war, sind keine Berufskaufleute, sie werden auch nie Kaufleute genannt, sondern große und kleine Grundherren, die an der Ausbeute der Salzbergwerke und Salinen beteiligt waren, und vor allem Salz verkauften, bei Gelegenheit auch Sklaven und andere Waren. Sie genießen weitgehende Zollprivilegien, und deshalb mußte so genau festgestellt werden, was sie schulden. Bei den Kaufleuten ist das einfacher: sie zahlen Zoll nach dem gesetzmäßigen Tarif. So macht das Dokument eine klare Scheidung zwischen Berufskaufleuten und Grundherrnhändlern, eine Scheidung, die wir im Norden des Frankenreichs schon antrafen. Es zeigt uns ferner die straffe königliche Ordnung des Marktwesens und die Bedeutung der Märkte.

Diesen wenden wir uns jetzt zu[76]. Während Handelswike und Burgen sich mit dem Begriff einer Siedlung verbinden, kann der Markt fluktuierend an einer Straße abgehalten werden. Wir unterscheiden den Jahrmarkt und die Messe, feria, einen Jahrmarkt von besonderer Bedeutung, vom Wochen- und täglichen Markt. Der Wochen- und tägliche Markt ist siedlungsgebunden, stadtbildend und stadterhaltend. Natürlich gab es einen Marktverkehr in den Wiken und — wenn auch reduziert — in den alten civitates. Wir hören allerdings nicht viel davon. Die Reformsynode von 744 macht es den Bischöfen zur Pflicht, für gutes Maß und Gewicht und rechte Ordnung des Marktes zu sorgen (legitimos foros et mensuras). Die aus der Spätantike stammende Bezeichnung „forum" wird im Frankenreich im 8. Jahrhundert im allgemeinen aufgegeben und durch mercatus/mercatum ersetzt; im 10. Jahrhundert taucht an der Maas forum wieder auf. In der Karolingerzeit entstehen viele neue Märkte. Schließlich muß der König sich der Ordnung des Marktwesens und der Sicherheit der Marktbesucher annehmen, und im Ostfrankenreich, wo der Bedarf nach neuen Märkten groß ist, entsteht in der 2. Hälfte des 9. Jahrhunderts das königliche Marktregal. Noch 833, als das Kloster Korvey ein Privileg vom König erbat, weil die Gegend des Marktes entbehre, erhielt es ein Münzprivileg. Korvey und Würzburg sind die ersten rechtsrheinischen Münzstätten. — Aber 861 wurde Prüm, weil es von Markt und Münze zu weit entfernt sei, ein Markt und das Recht Münze zu schlagen für seinen Hof Rommersheim verliehen und der Marktzoll dem Kloster zugewiesen. Hier findet sich schon der Hinweis auf einen bestimmten Marktbrauch — mercatum more humano —, der in Urkunden späterer Zeit präzisiert wird. Als

Ludwig der Deutsche 866 der Abtei St. Denis den bestehenden Markt bei dessen Zelle in Eßlingen an der Neckarfurt in verkehrsgünstiger Lage bestätigt, gewährt er zugleich dem Markt seinen Schutz; die Beziehung Markt und Immunität wird geknüpft, wichtig, weil ein Moment der Territorialität damit in das Marktprivileg kommt. 898 verleiht König Zwentibold dem Kloster Münstereifel Markt, königliche Münze und ²/₃ Anteil am Marktzoll. Die nun schon klassische Dreiheit von Markt, Zoll und Münze und der Begriff des öffentlichen Marktes begegnen 900 im Privileg Ludwigs des Kindes für das Kloster Korvey für dessen villa Horhausen am Fuß der Eresburg. Den Marktzoll kann der Klostervogt mit Banngewalt von denen einfordern, die um Kaufmannschaft zu treiben in die Ortsgemarkung kommen. 908 wird dem Bischof von Eichstätt auf seine Bitte gestattet, einen Markt und eine Münze einzurichten, den Zoll, so wie es an Marktplätzen üblich sei, zu erheben und eine Befestigung gegen die Einfälle der Ungarn zu bauen (urbem construere). 911 gibt Karl der Einfältige dem Bischof Stephan von Cambrai für dessen Erbgut Lisdorf — heute Stadtteil von Saarlouis — das Recht, den Platz zu befestigen (munimen castelli), einen Markt einzurichten und Münzen zu schlagen —, ohne daß sich an das Privileg eine tatsächliche Entwicklung angeschlossen hätte. Karl der Einfältige verleiht 919 der Abtei Prüm das Recht, an beliebigen Orten der Grundherrschaft einen Markt einzurichten (si rectores eius [loci] utile judicarint, mercatum statuant in quocumque potestatis sue loco voluerint). Im westfränkischen Reich hat sich kein königliches Marktregal entwickelt, denn einmal gab es genug alte Märkte, zum anderen war die Stellung des Königs sehr schwach[77]. Rechts des Rheines geht die im 9. Jahrhundert einsetzende Entwicklung in der Ottonenzeit bruchlos weiter. Noch ist die Verbindung des Marktes mit der Grundherrschaft eng; alle Privilegien sind an die Grundherren gerichtet. Die Ordnung des Marktes ist herrschaftlich.

Wie ist es um die städtischen Frühformen der Slawen bestellt? Hierüber verdanken wir der intensiven Spatenforschung in Böhmen-Mähren und Polen überraschende Aufschlüsse[78]. Die Verhältnisse in den westslawischen Gebieten weisen manche Übereinstimmungen auf mit den mitteldeutschen städtischen Frühformen, mit den Burgmarktorten zwischen Rhein und Elbe. Im sogenannten Großmährischen Reich besitzen Adelsgeschlechter feste Burgen auf den Hügeln Mährens und der westlichen Slowakei. Die interessantesten mährischen Anlagen sind die von Mikulčice (in der Nähe der Stadt Hodonin/Göding) und Staré Město (in der Nähe der Stadt Uherské Hradiště/Ungarisch Hradisch). Sie weisen Siedlungsschichten aus der Zeit des Großmährischen Reiches auf. Die Grabungen in Mikulčice erbrachten Funde, die weitreichende Handelsbeziehungen bezeugen, wie auch die Existenz eines spezialisierten Handwerks. Es handelt sich offenbar um eine großangelegte Siedlung städtischen Charakters, mit sozial differenzierter und beruflich spezialisierter Bevölkerung. Reste eines Palastbaus und vier bis fünf Kirchen und die reiche Ausstattung von einem Dutzend Gräber erweisen die Anlage als ein bedeutendes Zentrum des politischen und religiösen Lebens von vielleicht insgesamt tausend Einwohnern. Sie besaß mindestens ein befestigtes Suburbium. Fränkische, irisch-schottische und byzantinische Einwirkungen sind festzustellen. Auch der Einfluß des deutschen Klerus war nicht unbedeutend. Staré Město war eine Siedlungsgemeinschaft auf einer sehr großen Fläche von 200 ha, aber in sehr lockerer Bebauung; es bestand wohl aus mehreren Burgen, um die sich Handwerker gruppierten. Das Ganze war mehr ein Stadtdorf. Diese großmährischen Siedlungen bieten im übrigen noch viele ungelöste Probleme. Mit dem Zusammenbruch des Großmährischen Reiches 906 gehen auch sie unter. Sie wurden entweder ganz verlassen oder bildeten sich zu Dörfern zurück. Ein städtisches Leben erwächst in Mähren dann erst wieder in Zusammenhang mit der wachsenden Bedeutung des böhmischen Staates.

Im Kranz seiner Gebirge war Böhmen sicher vor der ungarischen Invasion, der das Großmährische Reich zum Opfer gefallen war. Es nimmt eine schnelle wirtschaftliche Entwicklung, die sich vor allem in Prag manifestiert, wohin im späten 9. Jahrhundert der Fürstensitz verlegt wird. Die Christianisierung wird unter dem hl. Wenzel 915—929 vollendet. Arabische Reiseberichte schildern Prag im 10. Jahrhundert. „Die Stadt Prag ist aus Steinen und Kalk erbaut, und sie ist der größte Handelsplatz jener Länder. Zu ihr kommen aus der Stadt Krakau die Rus und die Slawen mit Waren, und es kommen zu ihnen aus den Ländern der Türken (= Ungarn) Muhamedaner, Juden und Türken gleichfalls mit Waren und gangbaren Münzen und führen von ihnen Sklaven, Zinn und verschiedene Felle aus. Ihr Land ist das beste von den Ländern des Nordens und das reichste an

Lebensunterhalt. Für einen Pfennig verkauft man ihnen soviel Weizen, daß ein Mann daran für einen Monat genug hat, und man verkauft bei ihnen an Gerste für einen Pfennig das Futter von 40 Nächten für ein Reittier, und man verkauft bei ihnen 10 Hühner um einen Pfennig. In der Stadt Prag verfertigt man Sättel, Zäume und dicke Schilde, die in ihren Ländern im Gebrauch sind. Auch verfertigt man im Lande Böhmen dünne lockergewebte Tüchelchen wie Netze, die man zu nichts anwenden kann. Ihr Preis ist bei ihnen wertbeständig, 10 Tücher für einen Pfennig. Mit ihnen handeln sie und verrechnen sich untereinander. Davon besitzen sie ganze Truhen. Die sind ihr Vermögen und die kostbarsten Dinge kauft man dafür: Weizen, Sklaven, Pferde, Gold, Silber und alle Dinge. Seltsam ist, daß die Bewohner Böhmens braun und dunkelhaarig sind, der blonde Typus ist bei ihnen wenig vertreten."[79] Der Text läßt erkennen, daß Prag eine volkreiche Stadt damals schon gewesen sein muß, in der die Fäden des Fernhandels und des lokalen Handels zusammenliefen. Einige Stellen weisen noch — falls sie stimmen — auf einen gewissen Archaismus der Verhältnisse hin: z. B. die Geldfunktion der feinen Tüchlein. Prag war damals auch Zentrum des politischen Lebens Böhmens und Bischofsitz. Die archäologischen Funde bestätigen den Bericht mit Ausnahme einiger Einzelheiten, so der übertriebenen Bemerkung vom „steinernen" Prag. Prag bestand in der 2. Hälfte des 10. Jahrhunderts aus einer Burg und mehreren Suburbien. Wo sich die Märkte befanden, wissen wir nicht. Es gab aber mindestens zwei Märkte: in suburbio Pragensi et vico Vissegradensi. Der Fernhandel wickelte sich vor allem auf der Straße Regensburg, Prag, Krakau, Kiew ab.

Über die Verhältnisse in Böhmen außerhalb Prags unterrichtet die Burgwallforschung. Die älteren Wallburgen, vor allem in Ostböhmen, ähnelten den großmährischen Befestigungen. Die neueren Anlagen des 10. Jahrhunderts waren kleiner, etwa 2—5 ha groß. Ein Teil der älteren Wälle verfiel, ein anderer beschränkte sich auf einen Abschnitt des alten Areals. Immer offenkundiger wird die privilegierte Stellung einer zahlenmäßig begrenzten Gruppe von Leuten, die im Inneren dieser kleinen Burgen angesiedelt waren. Mit deren Hilfe beherrschten die ganz großen Herren, die Premysliden z. B., ihre Herrschaftsbereiche. Es bestanden Burgbezirke; die jüngeren Burgorte waren ihre Zentren.

Die zwei Entwicklungsphasen, die sich hier abzeichnen, hat Gieysztor sehr klar als gemeinslawische Erscheinung herausgearbeitet. Zu den Großburgen des mährischen Reiches stellt er die ins 9. Jahrhundert zurückreichenden Keimzellen der pommerschen Städte Wollin, Kolberg, Stettin, Kammin — der polnischen Gnesen, Stradow und Chodlik — aber auch der russischen Zentren wie Kiew, Smolensk, Ladoga, Pskow — vielleicht Nowgorod. Er nennt auch das schwer lokalisierbare emporium Reric an der Ostsee in diesem Zusammenhang, weist ihm aber eine Sonderstellung zu, die ich betonen möchte.

Insgesamt und im Vergleich zur zweiten Phase waren diese Burganlagen des 9. Jahrhunderts noch nicht sehr zahlreich. Die Konzentration der politischen Macht war weniger ausgeprägt als in der Folgezeit. Den Burgherren standen noch viele Freie gegenüber, die in den öffentlichen Angelegenheiten ein Mitspracherecht hatten. Das ändert sich im 10. und 11. Jahrhundert, wobei der Fortschritt vor allem in der stärkeren Konzentration der Macht, des herrschaftlich-staatlichen Elements liegt. Daher nennt Gieysztor die Burgstädte dieser zweiten Phase „villes d'Etat" und hebt sie ab von den älteren Anlagen bzw. deren erster Phase, den „villes des Grands". Die „villes d'Etat" sind sehr zahlreich: in Mähren ungefähr zehn, in Böhmen etwa fünfzehn, in Polen in seinen heutigen Grenzen über 60. — Man muß den Arbeitsaufwand und den Spürsinn der polnischen Forscher, die sie freigelegt haben, bewundern. — Es waren zentrale Orte, von denen aus ein begrenzter Bezirk beherrscht wurde. Sie bestanden aus dem castrum — in Polen zeigen die mächtigen Holz-Erde-Steinwerke in der Form der Gitter- und Hakenkonstruktion eine Weiterentwicklung der Holztechnik, als der Westen anfing, zum Steinbau überzugehen — und dem zugehörigen suburbium, das man vielleicht am besten als befestigte Handwerkersiedlung kennzeichnet. Im castrum saß der Fürst oder sein Amtsträger mit weltlichem und geistlichem Gefolge und der Burgmannschaft; wirtschaftlich gesehen war es ein Konsumentenzentrum. Wie wurde es mit den Gütern des täglichen Bedarfs versorgt? Offensichtlich nicht durch einen freien Marktverkehr zwischen castrum und umliegendem Land. Vielmehr füllten die unfreien Bauern des Burgbezirks mit ihren Abgaben die Speicher des castrum. Daß es neben den Suburbien Handwerkerdörfer gab, scheint anzudeuten, daß die gewerbliche Produktion in den Suburbien noch kein sehr hohes Niveau erreicht hatte. Die Handwerker in den Suburbien waren keine freien Leute, die gegen Lohn und für den Absatz auf einem Markt arbeiteten. Sie waren in die herrschaftliche Burgbezirksorganisation eingegliedert und erhielten allenfalls aus der Hand des Burgherrn einen bescheidenen Anteil an den Abgaben der unfreien Bauern. Eine tschechische Urkunde des 11. Jahrhunderts beweist, daß Leute vom Land gezwungen wurden, sich in den Suburbien als Handwerker niederzulassen. Zu ihrem eigenen Lebensunterhalt mußten sie wohl auch selbst noch beitragen, indem sie in der Umgebung des castrum ihren Acker bestellten; sie lebten in den Suburbien als Handwerkerbauern. Die mächtige Konsumentengruppe im castrum läßt sich also mit außerwirtschaftlichen Mitteln, im Wege der Herrschaft, versorgen und legt ihren Suburbien wie den Dörfern eine Arbeits- und Funktionenteilung auf; sie fordert Abgaben an Gewerbeprodukten wie an Lebensmitteln. Die Handwerker in den Suburbien hängen von dieser Herrenschicht in den castra ab, für die sie arbeiten, die ihrerseits Reichtum ansammelt und damit auch die Möglichkeit, im Fernhandel Luxusartikel zu erwerben. Die Kaufmannschaft bestand großenteils wohl noch nicht aus Berufskaufleuten, sondern kam aus der Schicht vermögender Grundbesitzer. Dazu kamen fremde Kaufleute, noch wenig Deutsche, aber Juden und in den Siedlungen an der Küste im 10. Jahrhundert vor allem Skandinavier. Einige dieser Burgorte werden mit der Christianisierung Polens Mittelpunkt der kirchlichen Organisation, so Gnesen und Posen. Der Klerus ist fremder Herkunft, rheinischer, bayerischer, sächsischer, irischer. Über die Kirche erfolgt hier die erste Berührung mit der westeuropäischen Kultur. Im übrigen liegt eine bodenständige Entwicklung vor. In Posen z. B.[80] liegen die slawischen castra auf dem rechten Ufer der Warthe. Ein frühes castrum des 9. Jahrhunderts mit einem kleinen suburbium wird 950 zerstört. Aber bald erfolgt ein Neubau, der 968 Bistumssitz wird. Auch diese Siedlung wird 1039 wieder zerstört. Ende des 11. Jahrhunderts wird dann ein neues castrum mit zwei Suburbien erbaut, im castrum wird jetzt die romanische Kathedrale errichtet. Erst im 13. Jahrhundert verlagert sich das ökonomische und politische Schwergewicht auf das linke Wartheufer, wo die Entwicklung sehr stark von fremden Kaufleuten aus Westeuropa mitbestimmt wurde.

Slawischen Ursprungs sind also wohl auch die Burgorte Altrußlands, das den Warägern als Gardariki, als Reich der Städte, erschien. Vieles in der Frühgeschichte dieser Plätze ist zwischen skandinavischen und russischen Forschern kontrovers. Kiew war wohl schon im ausgehenden 10. Jahrhundert eine Stadtsiedlung mit Steinbauten. Wenn Thietmar von Merseburg von den 400 Kirchen und acht Märkten in Kiew spricht, so ist das wohl leicht übertrieben. Aber die Häufung der Kirchen ist für die altrussische und — wie wir gleich sehen werden — die skandinavische Stadt bezeichnend.

Die Verhältnisse in Ungarn[81] sind nicht ganz leicht zu übersehen. Während Székely betont, daß erst mit den Anfängen eines städtischen Handwerks, die ins 12. Jahrhundert zurückreichen, wirkliche Städte entstehen, rückt Fügedi die städtischen Frühformen stärker in den Vordergrund, ohne die bedeutenden Wandlungen des 12. Jahrhunderts zu leugnen. Fügedi unterscheidet für das 10./11. Jahrhundert Burgen mit Vorstadt — z. B. die Bischofsburgen Raab, Neutra, Waitzen — und um einen Markt gruppierte Agglomerationen wie Fünfkirchen, wo der Markt den topographischen Mittelpunkt mehrerer Siedlungskeime bildet, zu denen auch die auf einem ehemaligen römischen Friedhof erbaute Kathedrale gehört. Übergangstypen sind nach ihm Stuhlweißenburg und Gran. In Gran befindet sich südlich von der Bischofsburg neben einem den Flußübergang sichernden königlichen Wohnturm der von verschiedenen kleinen Siedlungszellen umgebene Markt. Eigenständige Ansätze vor der Einwanderung von Reichsromanen im 12. Jahrhundert waren sicher vorhanden.

Der nordische Kulturkreis, zu dem vor der normannischen Eroberung auch England gehört, ist mit seinen bedeutenden frühen, aber wieder untergegangenen Städten Haithabu und Birka und deren westeuropäischen Beziehungen schon dargestellt worden. Vom 9. Jahrhundert ab können wir hier Stadtentwicklungen von Dauer verzeichnen: das dänische Ribe, das in der vita Ansgars als vicus mit einer Kirche und im 11. Jahrhundert als Bischofsitz erscheint, das seit 860 erwähnte Roskilde auf Seeland, nach Adam von Bremen civitas maxima, sedes regia Danorum, Viborg in Jütland, seit 962 als Handelsort überliefert, seit etwa 1065 auch Bischofsitz. Handelsbeziehungen verknüpften es mit England, Island, Schweden, Norwegen, der Rheinmündung und schließlich über Schleswig und Stade mit Deutschland und Italien. Alte Hauptstadt Schonens ist Lund, das Knut der Große nach dem Vorbild Londons gegründet haben soll. Das angelsächsische Vorbild ist auch in der Münzprägung belegt.

Für Norwegen sind Tönsberg am Oslofjord, wahrscheinlich Nachfolgerin von Skiringssaal, Drontheim und Bergen zu nennen. Über Bergen werden die seit etwa einem Jahrzehnt betriebenen Stadtkernforschungen Aufschlüsse bringen. Daß Bergens Beziehungen zum Westen intensiv waren, ergibt sich allein schon aus dem Vorkommen rheinischer Keramik in den Fundschichten ab dem 11. Jahrhundert[82]. Adam von Bremen berichtet weiter, daß Birka verödet sei (in solitudinem redacta est, ita ut vestigia civitatis vix appareant), nennt hingegen Sigtuna eine civitas magna. Sigtuna ist heute eine Kleinstadt am Mälar, deren Hauptstraße der alten Einstraßensiedlung des 11. Jahrhunderts entspricht; von dieser Straße laufen Stichgassen zum Ufer. Nach der Landseite begrenzen mächtige Ruinen romanischer Steinkirchen die Siedlung. Es sind sogenannte Kaufmannskirchen, d. h. Kirchen der Sigtuna aufsuchenden fremden Kaufleute, die als Gotteshaus, religiös-geselliger Mittelpunkt der Kaufleutegenossenschaft und sicheres Warenlager dienten. Johansen[83] hat uns die Kaufmannskirche im Ostseegebiet vor Augen gestellt. Die Häufung von Kaufmannskirchen und die große, den Ort durchziehende Verkehrsstraße finden sich ebenso wie in Sigtuna in Viborg und Lund. Die Kirchen von Sigtuna sind wahrscheinlich den Friesen, den Engländern, den Russen und anderen Handelsgästen zuzuweisen. In Alt-Wisby, das in der vorhansischen Zeit schon über viele Kirchenbauten aus Holz und Stein verfügt, möchte man St. Clemens den Dänen, St. Lars den Russen, St. Olav den Festlandsschweden zuweisen. Offensichtlich haben die Fahrergenossenschaften aller in der Ostsee verkehrenden Völker in den Stadtsiedlungen des 11. und 12. Jahrhunderts ihre mit einem eigenen Gotteshaus ausgestattete Niederlassung gegründet. Sie lag auf dem eigenen Grund und Boden der sie unterhaltenden Kaufmannsgruppe. Denn immer noch waren diese Handelsorte Messe- oder Saisonstädte, die sich nur dann ganz füllten, wenn die fremden Kaufleute dort weilten. Das Vorbild der nordischen Fahrmännerstadt sieht Johansen in England, wo die Wikinger zuerst auf die reichentwickelte Kultur des römisch-fränkischen Kreises stießen. Wikinger und Angelsachsen schufen gemeinsam die fünf Dänenstädte Lincoln, Stamford, Leicester, Derby und Nottingham.

Die Frage nach den autochthonen Anfängen eines Städtewesens im angelsächsischen England spitzt sich zu auf die Frage nach dem Verhältnis von burhs und boroughs[84]. Die „burhs" gehen auf Alfred den Großen und seinen Sohn Edward zurück. Es handelt sich um größere Anlagen, die eine starke Mannschaft aufnehmen konnten und durchaus spätkarolingischen und ottonischen Befestigungen des Kontinents — den Heinrichsburgen etwa — vergleichbar sind. Bald benutzte man Römermauern, bald Erdwälle, bald neu erbaute Steinwälle. Fast alle „burhs" waren Münzstätten, und keine Münze wurde im 10. und 11. Jahrhundert außerhalb einer „burh" geprägt. Keinesfalls waren diese Befestigungen schon Städte; sie stellen ein breites Reservoir dar; wo es zur Kombination von „burh" und Markt kam, entwickelten sich boroughs und war die Weiterexistenz als mittelalterliche Stadt meist gesichert. Einrichtung eines Marktes war königliches Vorrecht. In angelsächsischer Zeit sind fast alle boroughs königlich, die nichtköniglichen seltene Ausnahmen. Nach dem starken Unterbruch durch die angelsächsischen Invasionen regt sich städtisches Leben seit dem ausgehenden 6. Jahrhundert an einigen bevorzugten Plätzen, meist solchen mit römischer Vergangenheit: in London, einem von den Fernhändlern aufgesuchten emporium mit Markt und Verkaufshallen, in Canterbury, das sich zur geistlichen Hauptstadt der Insel entwickelte, in Rochester mit Markt, Hafen und altem Bistum. Im 7. und 8. Jahrhundert hat man sich endgültig entschieden von der römischen Vergangenheit entfernt; neue Plätze wie Hamwik, jetzt ein Teil von Southampton, kommen hoch, und während Canterbury im frühen 7. Jahrhundert „barbaric splendour imitating the classical world of the past" zeigt, mit Goldmünzen und Schmuck, zeichnet es sich im 9. Jahrhundert durch die erste Erwähnung einer Gilde für Stadtbewohner aus, der cnihtengild von 858. Ein wohlfundierter Marktplatz ist im 10. Jahrhundert Winchester mit Stadthäusern und Vorratsspeichern des ländlichen Adels. In den statistischen Angaben, die für England früher als auf dem Kontinent zur Verfügung stehen, besonders des Domesday Book, dessen Ausführungen über London und Winchester allerdings verloren sind, spiegelt sich die Bedeutung städtischer Mittelpunkte des angelsächsischen England im Zeitpunkt der normannischen Eroberung 1066: London besaß etwa 12 000 Einwohner — die fehlenden Angaben im Domesday Book lassen sich aus anderen Quellen ersetzen — York 8000, Norwich und Lincoln 5000, Thetford 4000, Oxford 3500, Colchester 2000, Cambridge 1600 und Ipswich 1300. Städte mit solchen Einwohnerzahlen waren natürlich keine Selbstversorger mehr; sie brauchten Zufuhr agrarischer Erzeugnisse. Unter ihrer Bevölkerung allerdings lebte noch ein ins Gewicht fallender Prozentsatz bäuerlich; die Bewohner von Cambridge müssen dem Sheriff dreimal im Jahr ihre Gespanne zum Pflügen leihen.

Wir trafen im Norden auf arabische Händler und arabisches Geld. Das erste kriegerische Vordringen des Islams nach Westen hatte mit der Beendigung der Eroberung Ägyptens um die Mitte des 7. Jahrhunderts eingesetzt. 711 begann der Angriff auf das Westgotenreich in Spanien. Während in Nordafrika die Berber erbitterten Widerstand leisteten, ließ sich Spanien leicht erobern und wurde der Ausgangspunkt weit ausgreifender muselmanischer Expansion. Die spanischen Omajaden, die in den Abbasiden Usurpatoren sahen, pflegten die Beziehungen zu Byzanz, dem natürlichen Feind des Abbasidenreiches. Dennoch blieb al-Andalus im Bannkreis von Bagdad und seiner starken Ausstrahlung. Aus den Erschütterungen einer schweren inneren Krise, die das omajadische Spanien im 9. Jahrhundert heimsuchte, ging die Blütezeit des 10. Jahrhunderts hervor. Der muslimische Orient wie Spanien erschienen reich und hochzivilisiert im Vergleich zu dem armen und rustikalen Europa.

Die arabische Welt war eine städtische Welt[85]. Die Städte waren die Zentren des Kultes und Sitz des Handwerks. Das Handwerk arbeitete für den lokalen Markt; soweit es von überörtlicher Bedeutung war, ist es Luxusgewerbe: Teppichweberei in Armenien und Persien, Ledergewerbe in Spanien — Cordoba wurde Gattungsbegriff für Korduanleder —, Schmiedehandwerk in Toledo. Von China wurde die Papierindustrie eingeführt; sie findet sich im 9. Jahrhundert in Samarkand, im 10. in Damaskus und Palästina und im 11. bei Valencia in Spanien. Auch die ersten Kaufleute der muselmanischen Welt waren Juden. Als Araber und Perser ihnen Konkurrenz zu machen begannen, da bewahrten sie ihre Vorrangstellung in allen bankmäßigen Geschäften. Sie schufen die Kreditinstrumente Suftajah, Wechsel, und den sacc, bei uns Scheck genannt.

Das Kalifat von Cordoba[86], das im 10. Jahrhundert seine Blütezeit erlebte, war ein ethnischer Schmelztiegel: Neben Einheimischen eingewanderte Berber, Araber, aber auch sudanesische Neger und Sklaven slawischer Herkunft. Die muslimische Bevölkerung Andalusiens bestand wie in der ganzen Welt des Islams aus Freien, Freigelassenen und Sklaven; unter den Freien hoben sich die Uhassa aus der Masse, den Amma heraus. Den

Kern der Aristokratie bilden Familien arabischer Herkunft. Die Mittelklasse, reiche Händler, trugen im 10. Jahrhundert den wirtschaftlichen und kulturellen Aufschwung. Die gewerbliche Arbeit und die Märkte waren in den Städten konzentriert. Die Marktabgaben und die Markthallen waren verpachtet. Seit dem 9. Jahrhundert ist die Existenz freier Gewerbe, die in Korporationen zusammengeschlossen sind, bezeugt. Die meisten Gewerbe waren im suk angesiedelt, der sich in der Nähe der großen Moschee befand. Die Luxusgewerbe waren um ziemlich geräumige Höfe gruppiert, die von Säulengängen umgeben waren, auf die sich die Läden öffneten. Die Grossisten hatten ihre eigenen Magazine, den fondaco, und übernahmen die Waren der Gewerbetreibenden oder Importeure in Kommission. Im 10. Jahrhundert beginnen die Luxusgewerbe von Cordoba mit denen von Bagdad zu rivalisieren. An erster Stelle steht das Textilgewerbe, dessen Rohstoffe reichlich vorhanden waren: das Leinen von Saragossa, die Brokatstoffe von Cordoba; letztere wurden in Manufakturen des Kalifen produziert. Berühmte Seidenmanufakturen gab es noch in anderen Städten. Kürschnerei und Ledergewerbe waren sehr entwickelt in diesem Land mit härteren Wintern, als sie die Moslems sonst kannten. Keramik und Kristallglas, Schmuckherstellung, Pergament- und Papierfabrikation waren bedeutend. Als Handelsware spielten die Sklaven eine große Rolle.

Die großen Ausfuhrhäfen waren Algeciras, Malaga und Almeria. Es existierte bereits ein spezialisiertes Transportgewerbe.

Die Vielzahl der städtischen Zentren ist ein charakteristischer Zug Andalusiens im 10. Jahrhundert. Viele repräsentieren schon zur Kalifenzeit den heutigen landwirtschaftlichen Charakter der Dorfstadt oder des Stadtdorfes. Bewässerungsanlagen banden zwar den Bebauer an den Boden, im unbewässerten Gebiet wohnte die Bevölkerung konzentriert in größeren Siedlungen.

Die Muslimstädte besitzen alle ein zentrales Viertel in unmittelbarer Nachbarschaft der großen Moschee. An diesen Kern, auf den hin große Straßenachsen von den Toren ausgehend zustreben, schließen sich zweitrangigere Stadtquartiere an. Oft entstehen Vororte außerhalb der Mauern. Das Straßennetz wird vielfach zu verwirrender Unregelmäßigkeit ausgebaut.

Nach der Hauptstadt Cordoba war Sevilla die bedeutendste Stadt. Die Zahlenangaben sind leider sehr widerspruchsvoll, so werden einmal 471, ein andermal 1600 Moscheen für Cordoba genannt. Die Bevölkerung soll im 10. Jahrhundert eine halbe bis zu einer Million Einwohner betragen haben; auf jeden Fall war sie unverhältnismäßig größer als die der übrigen abendländischen städtischen Zentren jener Zeit. Die Madina von Cordoba mit ihren sieben Toren entsprach der alten Römerstadt, ihre Mauern ruhten auf den römischen Mauerfundamenten; sie hatte die Form eines wenig regelmäßigen Parallelogramms, dessen eine Schmalseite mit dem Guadalquivir parallel lief. Die Römerstadt wurde zu klein für die Bevölkerung. Ein berühmtes Bauwerk war die Brücke über den Guadalquivir, 223 m lang, auf 16 Bogen ruhend. Ein gemauerter Quai erstreckte sich längs des Flusses, von ihm aus gelangte man zu den Mühlen. Die große Moschee — später Bischofskirche der eroberten Stadt — bildet ein Geviert von 180 zu 130 m und ist nach der Moschee in Mekka die größte der Welt. Man verwandte bei ihrem Bau Säulen — sie hat insgesamt 850 marmorne Säulen — und andere Teile einer früheren westgotischen Kirche und holte Jaspis, Achat und Alabaster aus dem Osten. Die meisten der 4000 Lampen wurden aus dem Material geraubter Glocken hergestellt.

Langsam — unter manchen Rückschlägen — schiebt sich die Reconquista vor; sie beginnt 718 mit dem Aufstand in Asturien und sollte 1492 enden. Ihr Vorrücken ist systematisch verbunden mit der Wiederbesiedlung und dadurch Sicherung des eroberten und entvölkerten Landes durch eine christliche waffentüchtige und wirtschaftlich leistungsfähige Bevölkerung. Für diese Wiederbesiedlung sorgen die großen nordspanischen Grundherren unter teilweise sehr weitgehenden Freiheitszusagen in den carta de poblacion. Es ist die erste Welle von Gründungsstädten in Europa[87].

3. DIE BILDUNG DER MITTELALTERLICHEN STADT

Die Bevölkerung Europas wächst seit dem 7. Jahrhundert. Diese Bevölkerungszunahme ermöglicht und erfordert den Landesausbau. Eine erste Rodungsperiode ist für Europa für die Zeit vom 7. bis 10. Jahrhundert anzusetzen, mit Zwischenzeiten nachlassender Landgewinnung. Im 10. Jahrhundert kommt ein gewisser Stillstand, dann setzt die große hochmittelalterliche Rodungsperiode ein. Schon im 9. und 10. Jahrhundert konstatieren wir Inseln dichter Besiedlung z. B. in der Umgebung von Paris, im Weinbaugebiet der Mittelmosel, aber auch in den Ardennen und in den Pyrenäen, also in nicht sehr fruchtbaren Gegenden. Zur Gewinnung von Ackerland tritt die Intensivierung der Landwirtschaft, durch technische Verbesserungen — bessere Geräte, Pflüge und Egge, Dreschflegel, Zunahme der Wassermühlen, die man im Klima der Sommerregen ganz anders ausnutzen kann als in Südeuropa, bessere Anspannung — und verbesserte Betriebsweise: In den großen geistlichen Grundherrschaften Nordostfrankreichs fängt man an, das im Eigenbau bewirtschaftete sogenannte Salland in drei gleiche Teile zu teilen, die nacheinander von Wintersaat, Frühjahrssaat und Brache eingenommen werden. Die Dreifelderwirtschaft beginnt und bedeutet Vergetreidung, mehr Brot für mehr Münder. Dennoch — ein Drittel des Ackerlandes liegt brach, man säte das Getreide locker, der Ackerbau verlangte nicht nur unverhältnismäßig viel Arbeitskraft, sondern beanspruchte auch viel Raum; die Erträge waren nach modernen Begriffen lächerlich gering. Die Bevölkerung in ihren breiten Schichten lebt am Rande der Hungersnot, die jede Mißernte heraufbeschwören kann, denn lange noch ist der interregionale und intertemporale Ausgleich der Ernteerträge unzureichend. Der Wald bleibt für das Bewußtsein der Menschen, für das ganze Leben eine starke Realität. Der Wald ist nicht nur das Jagdrevier des Königs und der Großen, sein Wildbret eine Bereicherung des Speisezettels, er liefert nicht nur wilde Früchte und Honig, das Material für alle möglichen Geräte bis hin zum Hausbau, zum Bau von Palisaden, ja der frühen Burgen und Kirchen, zum Bau der Flotten, er dient zur Heizung und für feuerbetriebene Gewerbe, also das Metallgewerbe, aber auch für die Produktion von Salinensalz; er dient — in seinen Lichtungen — vor allem als Viehweide. Denn Wiesen als Weiden waren gering. In den Domänen von St. Germain-des-Prés stehen 213 ha prata 11 000 ha Pflugland gegenüber; vor allem zur Schweinemast war der Wald unentbehrlich. In St. Germain-des-Prés' Ländereien brauchten 100 Schweine 153 ha Wald[88].

Auf dem Hintergrund und in Wechselwirkung mit der Agrarwirtschaft müssen wir die Ausbildung der mittelalterlichen europäischen städtischen Markt- und Verkehrswirtschaft sehen. — Auch unserer sogenannten industriellen Revolution ging eine agrarwirtschaftliche voraus. — Es bestehen hier nicht nur wirtschaftsgeschichtliche, sondern auch sozialgeschichtliche Zusammenhänge. Die Rodung wurde zwar von der Grundherrschaft organisiert, aber sie war nicht durchzuführen ohne die harte Arbeit der unfreien Bauern. Diesen rodenden Bauern wurden vielfach Vergünstigungen gewährt. Es entsteht neue Rodungsfreiheit auf dem Lande. Die Bevölkerungszunahme setzte das Land in den Stand, Bevölkerung an die Städte abzugeben; das ganze Mittelalter hindurch wuchsen die Städte nur durch Zuzug. Die sich allmählich bessernde Lage der bäuerlichen Hintersassen vermehrte den wirtschaftlichen Austausch zwischen Stadt und Land. Der Landbewohner wird Abnehmer städtischer Gewerbeprodukte, die er mit seinen Überschüssen bezahlen kann. Nicht mehr vorwiegend der Luxusbedarf der zahlenmäßig kleinen oberen Schicht — Adel und Kirche — trägt den Handel. Auch der Bauer begehrte die Ergänzung der Selbstversorgung durch Bedarfsdeckung beim Händler und Gewerbetreibenden. Die volkreicher werdenden Wike und Märkte besitzen eine auf Versorgung durch das Land angewiesene Einwohnerschaft; in den Städten entstehen die Lebensmittelgewerbe.

Sauber im einzelnen statistisch nachweisen lassen sich diese Prozesse nicht. Dafür fehlen im Früh- und Hochmittelalter alle Voraussetzungen des Quellenmaterials, mit alleiniger Ausnahme Englands. Nach den Angaben des Domesday Book von 1086 betrug die Bevölkerung des Königreichs England damals 1 100 000 Einwohner, für 1346 kann man 3 700 000 Einwohner berechnen. Im übrigen lassen sich genügend Einzelbelege beibringen. Sie sind nicht immer so klar wie der 1181 in einer

Urkunde des Propstes von St. Severin in Köln bezeugte Fall eines jungen Manns, „der lieber das Amt eines Krämers ausüben als den Acker bebauen wollte und, wie er selbst bezeugte, aus Freude an städtischen Unternehmungen des Landlebens überdrüssig wurde und überlegte, sein Zinslehen auf dem Lande zu verkaufen" — natürlich um ein Anfangskapital für seine städtische Laufbahn zu haben[89]. Das Stadtgrafenrecht von Dinant aus der Mitte des 11. Jahrhunderts regelt den rechtlichen Status der Auswärtigen, die in die Stadt ziehen und dort ansässig werden wollen. Darunter sind hörige Hintersassen der Abtei St. Hubert und des Lütticher Bistums[90]. Als Herzog Gottfried I. von Brabant zusammen mit dem Abt von Gembloux auf dem wüsten, aber zur Befestigung geeigneten Mont-St.-Guibert eine Kirche erbaut, da kommen viele, angezogen vom Frieden dieses Ortes, und bauen sich ihre Häuser dort[91]. So erwächst hier eine frühe Gründungsstadt. Und jene pauperes, jene gedrückten kleinen Leute, die ihren Landbesitz der Kirche von Paderborn verkaufen, was sollten sie anderes tun als mit dem Erlös in die unter ihrem tatkräftigen Bischof Meinwerk aufblühende Stadt Paderborn ziehen[92]! Ein freieres und leichteres Leben, größere Sicherheit, mehr Chancen zu etwas zu kommen, mehr Geselligkeit, mehr Augenschmaus an hohen Kirchenfesten oder an Hof- und Fürstentagen — das lockte in die Stadt, so sehr, daß die Grundherren die Abwanderung mit Gewalt oder Entgegenkommen zu hemmen suchten.

Der stärkere Austausch von Stadt und Land führt zu einer Vermehrung der Marktsiedlungen. Das 10. Jahrhundert bringt im Deutschen Reich Neuerungen im Marktrecht, die konsequent die Anfänge des 9. fortsetzen und vervollkommnen. Im Privileg, das 946 der Abt von Korvey für Meppen erhielt, wurde allen Marktbesuchern auf der Hin- und Rückreise und während ihres Aufenthalts der Königsfriede zugesichert. Nach seinem Ungarnzug privilegierte Otto I. eine Reihe von Märkten an der Bergstraße und im Elsaß und wandte sich zusammen mit seinem Vertrauten, dem Bischof Adaldag von Hamburg, der Ordnung der niederdeutschen und östlichen Verhältnisse zu. Vor allem ordnet er die Marktverhältnisse in Magdeburg. Die Magdeburger Kaufleute erhalten von den Ottonen auch Zollfreiheit im ganzen Reich, nur an den wichtigsten Zollstätten in Mainz, Köln, Tiel in der Betuwe und Bardowiek müssen sie Abgaben entrichten. Unter Otto III. erreichte die königliche Markturkunde wie-

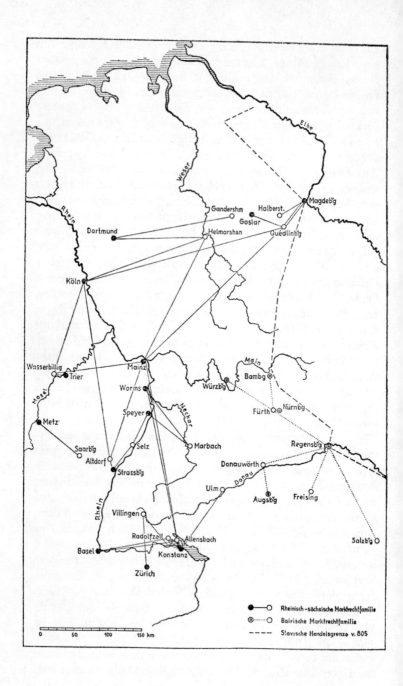

Abb. 3. Marktrechtsfamilien.

der eine neue Entwicklungsstufe: zur Kennzeichnung der einem neuen Markt zugedachten Rechtslage werden Bezugsorte genannt, deren Märkte als Vorbild dienen sollen. Diese Bezugsorte sind alte Marktplätze, deren Bedeutung wir jetzt durch Häufigkeit und Stellung der Nennung als Vorbild zu präzisieren vermögen. An erster Stelle steht Mainz, dessen Marktbrauch vom Bodensee bis nach Sachsen hin bekannt war; dann kommt Köln, dessen Rechte bis zur Elbe und Mosel hin als vorbildlich gelten; eine eigene Marktrechtsfamilie bildet der bayerische Raum mit Regensburg. Dortmund im Nordwesten und Zürich und Konstanz im Südwesten sind Bezugsorte zweiten Ranges. Im 11. Jahrhundert tritt das Königtum zurück; aber die Marktanlagen im rechtsrheinischen Gebiet nehmen zu. In Hamburg, Osnabrück, Minden, Münster, Paderborn, Hildesheim, Goslar, Quedlinburg, Halberstadt, Stade, Bardowiek, Braunschweig bilden sich nun — mitunter im Anschluß an alte einzeilige Kaufmannsniederlassungen — die mit einer Marktpfarrkirche ausgestatteten Marktsiedlungen[93]. In den mittelelbischen Landen entstehen im 12. Jahrhundert nicht mehr durch königliches Marktprivileg, sondern durch landesherrliche Verleihung des ius fori städtische Marktsiedlungen, z. B. Jüterbog, das von Erzbischof Wichmann von Magdeburg 1174 privilegiert wird[94].

Waren Maas und Mosel Leitlinien der Karolingerzeit, so tritt jetzt die Rheinlinie beherrschend hervor. Das spiegelt sich im ältesten Tarif des Koblenzer Zolls aus der Mitte des 11. Jahrhunderts[95]. Da der Tarif teilweise noch Naturalabgaben von der Schiffsladung vorsieht, gibt er willkommene Auskunft über die Gegenstände des Handels. Durch die aus Zürich und Konstanz kommenden Kaufleute ist der Rheinhandel über die Alpenpässe an die oberitalienische Städtelandschaft, durch die Regensburger an den europäischen Südosten angeschlossen. Als wichtigste Nebenachse erscheint die Maas, besonders der mittlere Stromabschnitt mit Dinant, Namur, Huy, Lüttich. Erst dann kommt die Mosel mit Metz, Toul und Trier. Der Main ist durch Würzburg, die Schelde durch Antwerpen, die Yssel durch Deventer vertreten. Direkt werden als Kaufmannsware Sklaven — es ist der letzte Beleg für Sklavenhandel auf dem Rhein —, Schwerter und Jagdfalken genannt. Als Zollabgaben erscheinen Widderhäute für Satteldecken aus Flandern, Käse und Lachs der Niederländer, Salzheringe und Aale, Wein und Wachs, Messingbecken und Pfannen von den Maasorten; also viele Gegenstände des täglichen Bedarfs und gewerbliche Waren. Die Messingindustrie der Maasorte führt ihre Kaufleute auf der großen West-Ost-Route über Köln und Dortmund zu den Kupferschätzen des Harzes nach Goslar. Dieser Handelszug ist für 1103 urkundlich belegt. 1005 übertrug Heinrich II. dem Aachener Adalbertstift den zehnten Teil aller königlichen Einkünfte in Walcheren, Dortmund und Goslar. Die Zusammenstellung dieser drei Orte deutet wieder auf Handelsverbindungen hin: der Erzhandel ging wohl über Walcheren nach England. Die Handelsverbindungen Kölns und Tiels mit London datieren ab 1000 spätestens. Das nordwestdeutsche Wirtschaftsgebiet, dessen rechter Flügel sich im 10. und 11. Jahrhundert verstärkt, greift am Rhein entlang nach Süden. Von Süden her kommen die Orientwaren. Ein Gesandtschaftsbericht des Ibrahim ibn Ahmed at-Tartuschi über eine Reise an den Hof Kaiser Ottos spricht die Verwunderung darüber aus, „daß es dort (in Mainz) Gewürze gibt, die nur im fernsten Morgenlande vorkommen, während sie (die Stadt Mainz) im fernsten Abendland liegt, z. B. Pfeffer, Ingwer, Gewürznelken, Spikanarde, Costus und Galgant; sie werden aus Indien importiert, wo sie in Mengen vorkommen". Er nennt Mainz „eine sehr große Stadt, von der ein Teil bewohnt und der Rest besät ist. Sie ... ist reich an Weizen, Gerste, Dinkel, Weinbergen und Obst ..." Umgekehrt geht der Friesenhandel mit Tuch rheinaufwärts, mit Wein als Rückfracht. In Worms entrichten Kaufleute, Friesen und Handwerker Zoll.

Von besonderer Bedeutung ist der Ausbau der gewerblichen Produktion. Das Vorhandensein eines unternehmungsfreudig weit reisenden, wagemutigen Händlertums garantiert dieser Produktion den Absatz. Das freie, also nicht grundherrlich gebundene Gewerbe sucht die Nähe des Händlers und des Marktes in der civitas oder im portus. Die Handwerker ziehen in die „Städte", sie werden die Städtefüller. Die Zusammensiedlung der Gewerbe in der Stadt führt zu Qualitätsverbesserung, sie ist eine Notwendigkeit in einer Zeit, in der schriftunkundige Händler eine verlegerische Zusammenfassung ländlichen Gewerbes noch nicht zu leisten vermögen. Im 11. Jahrhundert vollzieht sich die Verstädterung und der Aufschwung des Tuchgewerbes in Nordwesteuropa. Wolleinfuhr für Köln und Gent ist um 1000 belegt, die Tuchindustrie von Arras für 1024, die von St. Omer für 1043 bezeugt. Vereinzelt im 11. und regulär im 12. Jahrhundert werden die nordwesteuropäischen Tuche bereits über Alpen und Pyrenäen nach Italien und Spanien exportiert; im 12. Jahrhundert setzt im Bodenseeraum und in Oberschwaben der Aufschwung des Leinengewerbes ein, dessen Produkte in den ersten Jahrzehnten des 13. Jahrhunderts in Oberitalien begegnen. Der Reichtum an schriftlichen Quellen im Mittelmeerraum, vor allem die Notariatsregister, ermöglichten es H. Laurent und H. Ammann den Fernabsatz dieser Gewerbe zu fassen[96].

Italien besitzt durch die Kontinuität vieler Städte, die Urbanität seiner Bevölkerung einschließlich der meisten Großgrundbesitzer, die sich frühzeitig Handelsunternehmungen zuwenden, die fortdauernden Beziehungen zu Byzanz einen Vorsprung, der sich voll auswirken kann, als der Ungarnsieg Ottos I. auf dem Lechfeld 955, die Eroberung Kretas durch die Byzantiner 960 und die Eroberung Sardiniens durch Pisa und Genua 1015/16 die Wege für den italienischen Handel freimachen[97]. Einer neuen Stadt, Venedig[98], sollte am frühesten und erfolgreichsten der Aufbau eines Handelsimperiums gelingen. Venedig verkörpert im Mittelalter am reinsten die Idee des Stadtstaates und blieb ganz frei vom feudalen Geist. Schon für das 9. Jahrhundert beweisen die Fuldaer Annalen einen auch nördlich der Alpen bekannten regelmäßigen Handelsverkehr von Kaufleuten nach Venedig, im gleichen Jahrhundert ist Venedigs führende Schicht bereits auf den Seehandel gerichtet, so nennt der Doge Giustiniano Partecipazio in seinem Testament 1200 Pfund, die er als „laboratorii solidi" d. h. im Seehandel angelegt habe, setzt ein Verwandter, Orso Partecipazio, einen Sack Pfeffer als Legat aus. Der Flußverkehr — auf den kleinen Küstenflüssen, auf der Etsch nach Verona, dem Po in die Lombardei — schafft im 10. Jahrhundert bezeugte Handelsverbindungen zum italienischen Binnenland, die den Seeverkehr ergänzen. Seine Flotte macht Venedig zum unentbehrlichen Bundesgenossen der Herrscher in Italien und Byzanz, dank seiner Lage vermag es zwischen Byzanz — der Weltstadt jener Zeit, Sitz unerhörten Raffinements, der Kunst und des Kunstgewerbes —, der slawischen Welt des Balkans und dem Abendland zu vermitteln. Liutprand von Cremona, Brautwerber Ottos II. am Hof von Byzanz, bekundet in seiner von Bosheit gegen die Graeculi durchtränkten Reisebeschreibung, wie geschickt Venezianer und Amalfitaner auch die kostbarsten Purpur- und Seidenzeuge, deren Ausfuhr durch kaiserliches Gesetz verboten war, hinauszuschmuggeln verstanden. Venedig exportiert also Spezereien und Textilien aus dem Orient und Nordafrika, importiert Erzeugnisse der abendländischen Metallindustrie, aber auch Sklaven und Holz der slawischen Länder und Istriens in den Orient — die Sarazenen brauchen dringend Holz zum Flottenbau — und hat an eigenen Produkten zunächst Fische und Salz aus seinen Salinen anzubieten. Unter dem Dogen Peter II. Orseolo (991—1009) beginnt der Ausgriff nach Dalmatien; schon 992 kann es von den byzantinischen Herrschern bedeutende Erleichterungen für seinen Handel erwirken. In der Normannennot von 1082 erringt es die große Goldbulle, mit der die Periode des ersten Aufstiegs abschließt. Sie gewährt Befreiung von Handelsabgaben im ganzen byzantinischen Reich und räumt den Venezianern in der Hauptstadt, in der sie schon eine Kirche besitzen, eine Reihe von Läden in bester Verkehrslage, dazu drei Landungstreppen ein.

Damals rückt Amalfi auf den zweiten Platz im Orienthandel. Wie Venedig gehört es zum byzantinischen Reich und erfreut sich praktischer Unabhängigkeit. Es besitzt eine Flotte, die im 9. Jahrhundert im Tyrrhenischen Meer an erster Stelle steht. Die Amalfitaner entwickeln eine große Aktivität in Neapel, besitzen Niederlassungen in Konstantinopel, in Antiochien, in Jerusalem, in Ägypten und unterhalten Handelsbeziehungen mit dem muselmanischen Spanien. Für die kleine Stadt, die felsige Berge vom Hinterland absperren, ist das eine bewundernswerte, aber auch erschöpfende Expansion. Amalfi, hat man gesagt, ist nicht in Amalfi. In dieser Glanzzeit der Stadt spielen seine Staatsmänner und großen Unternehmer Mauro und sein Sohn Pantaleone di Mauro die Hauptrolle. Mauro exportiert aus Konstantinopel Seidenzeuge und Kunstwerke und stiftet für seine Landsleute Spitäler in Antiochien und Jerusalem; sein Sohn schenkt St. Paul vor den Mauern in Rom Bronzetüren und versucht angesichts der normannischen Gefahr eine Einigung zwischen dem Papst, Heinrich IV., Gisulph von Salerno und dem griechischen Kaiser Konstantin X. zustande zu bringen. Die normannische Eroberung bedeutet zwar einen scharfen Einschnitt, die Niederlassung in Konstantinopel wird der venezianischen integriert, Niederlassungen in Durazzo, Ravenna, Bari, Ägypten, Syrien bleiben aber bestehen und man findet die Kaufleute Amalfis in allen Häfen des Tyrrhenischen Meeres; als der Kampf zwischen Pisa und Genua beginnt, verbünden sie sich mit Pisa.

Neapel, eine der ältesten Städte Italiens, Zentrum einer fruchtbaren Ebene, überläßt es Amalfitanern und Pisanern, seine Meereslage für Handelszwecke nutzbar zu machen, seine Bewohner sind nur Grundbesitzer. Ähnlich sind die Verhältnisse in Salerno, wenn auch die Honorantiae Civitatis Papie Salernitaner erwähnen, die orientalische Stoffe nach Pavia bringen. Gaeta hat eine Handelsflotte, etwas Seidenindustrie und beteiligt sich an der Versorgung Roms, besitzt Beziehungen zu Genua und hat eine Niederlassung in Konstantinopel; mit Amalfi ist es freilich nicht zu vergleichen.

Apulien war am längsten den Angriffen der Sarazenen ausgesetzt. Siponto wurde 927, Tarent 976 von ihnen erobert und Bari 1002 nur durch das Eingreifen der Venezianer vor einem gleichen Schicksal bewahrt. Andererseits klammerte sich Byzanz zäh an diesen Besitz, dessen Hauptstütze Bari, die Residenz der byzantinischen Katepane war, deren hartes Regiment die Bevölkerung erbitterte. So verbanden sich die Barenser 1064 schon durch einen Eid mit Robert Guiscard; 1071 fiel die Stadt endgültig an die Normannen. Die Seestädte Apuliens waren beliebte Pilgerhäfen für Wallfahrten nach dem Heiligen Land und sicher auch Handelsplätze. Am besten bezeugt ist das für Bari. Wenn die Chronik der Bischöfe von Cambrai von der wunderbaren Rettung Kaiser Ottos II. berichtet, daß er sich auf dem fremden Schiff, das er schwimmend erreichte, für einen reichen Kaufmann aus Bari ausgegeben habe, so ist diese Erzählung zwar irrig, beweist aber, daß Bari als reiche Handelsstadt auch in weiter Ferne galt. Das erste Chrysobull für Venedig von 992 untersagte den Venetianern die Mitnahme von Amalfitanern, Juden und Langobarden, d. h. nichtgriechischen Bewohnern von Bari, damit der ermäßigte Schiffszoll nicht auch diesen zugute käme; das erbitterte die betroffenen Barenser, hinderte aber die rege Handelsverbindung Baris mit Byzanz nicht. Der Verkehr mit der Levante überdauerte die normannische Eroberung. Das beweist die folgenreiche Episode der achtziger Jahre, als Schiffe aus Bari auf der Rückfahrt von Antiochia in Myra die Gebeine des hl. Nikolaus raubten und am 9. Mai 1087 nach Bari brachten, wo Urban II. 1089 die prächtige Nikolauskirche einweihte.

Gering war der Außenhandel der Römer. Aber wie in der Antike war Rom — jetzt durch den Hofhalt der Kurie — ein bedeutsames Konsumentenzentrum. Es war einer der großen Wallfahrtsorte der Christenheit. Pilgerschaft und Kaufleuteschaft verbinden sich häufig. Angelsachsen, Friesen, Franken, Langobarden, Ungarn (seit 1001) hatten ihre Kirchen mit eigenen Hospizien und Begräbnisplätzen in Rom; in der Leostadt gab es einen besonderen burgus Saxonum oder Anglorum und einen burgus Frisonorum. Bereits 1052 wird der Standort der Geldwechsler in Rom erwähnt; die Römer standen im Geruch der Geldgier: „populus Romanus, suo more nummorum canones secutus". Die furchtbare Plünderung durch die Normannen im Jahre 1084 hat die Entwicklung der Stadt fühlbar beeinträchtigt.

Der Aufstieg Pisas beginnt im 11. Jhd. mit den erfolgreichen Unternehmungen gegen die Sarazenen; sie bringen Pisa die Herrschaft über Sardinien und eine bedeutende Stellung im mittleren Nordafrika ein. In Unteritalien verfügen die Pisaner über eine Niederlassung in Neapel; in Korsika überflügeln sie die genuesischen Rivalen; in Rom, auf der Küstenstrecke von Gaeta bis Luni, auf dem Arno genießen sie Handelsprivilegien. Im Gefolge Pisas kommt Genua hoch[99]. Die Urkunde, die Italiens Könige Berengar und Adalbert 958 für die Genuesen ausstellen, läßt die Stadt zwar als einen Sitz von Grundbesitzern erscheinen, die vor allem daran interessiert sind, im ungestörten Besitz ihrer Ländereien innerhalb und außerhalb der Stadt zu bleiben. Der Grundbesitz wird seiner rechtlichen Natur und seiner sonstigen Beschaffenheit nach näher bezeichnet; es handelt sich teilweise um Pachtländereien; er wird grundherrlich genutzt; die Pertinenzformel der Urkunde erwähnt Hörige beiderlei Geschlechts. Die Berechtigung der verschiedenen Erwerbstitel wird garantiert: Gewohnheitsrecht, Urkunden, Erbschaft. Die Pertinenzformel nennt auch Mühlen, Fischereirechte, Weingärten und Salzgärten; also auch für den Handel zu nutzende Ländereien. Auf den Handel verwies die Genuesen schon die Lage ihrer Stadt, und zwar auf den Handel über See; denn Genua besaß nicht bequeme Verbindungen zum Hinterland wie Pisa. Ein Bericht von 1065 zeigt uns die Genuesen in geregelter Handelstätigkeit an der syrischen Küste. Die Grundbesitzer des 10. Jahrhunderts sind die vicecomites und die defensores ecclesiae und die Gastalden, an die ein Großteil des bischöflichen und klösterlichen Besitzes übergegangen ist, sie sind u. a. Großpächter von Kirchengut, das sie weiter verpachten. Das Gewohnheitsrecht der Genuesen von 1056 zeigt schon starke Mobilisierung des Grundbesitzes; der stadtsässige Adel wendet sich den großen Handelsunternehmungen zu[100].

Auch in Italien spüren wir die aufsteigende Entwicklung des Marktwesens und des Gewerbes. Den mercatus publicus in Mailand beschreibt eine Urkunde Ottos I. von 952; es befinden sich auf dem Markt feste Verkaufsstände (stationes, stationes inibi banculas ante se habentes). Die Besitzer der anliegenden Grundstücke sind namentlich bekannt; es sind Kaufleute darunter. In Lucca basiert der Handel von Anfang an stark auf dem Gewerbe. Die gewerbliche Entwicklung kann an manche Techniken, die sich vom Altertum her erhalten hatten, anknüpfen; eine solche ununterbrochene Tradition war wohl die Kunst, Gold und Silber zu feinen Blättchen und Fäden zu verarbeiten sowie die verschiedensten Arten von Vergoldung auszuführen, die in Lucca schon im 9. Jahrhundert geübt wurde. Goldfäden sind ein italienischer Exportartikel von einiger Bedeutung gewesen. In der Folgezeit entwickeln sich Pisa zu einem Hauptsitz der Lederindustrie, Mailand der Waffenindustrie; die Glasindustrie in Venedig gewinnt für gewisse feinste Arbeiten eine fast monopolistische Stellung. Mischgewebe aus Baumwolle und Leinenzusatz gelangen schon im 12. Jahrhundert aus Piacenza durch Genua in den überseeischen Export. In Florenz werden zunächst nordwesteuropäische Textilien veredelt. Die Seidenindustrie geht von Sizilien — Seidenmanufaktur in Palermo — zur Toskana, während Venedig das rasche Aufblühen seines Seidengewerbes wohl in erster Linie der Verbindung mit Byzanz zu danken hat. In der Toskana ist im Seidengewebe zunächst Lucca führend.

Südfrankreich und die spanische Mark litten im 9. Jahrhundert furchtbar unter den Sarazenen; Marseille wurde 838 überfallen, Barcelona 852 und 985 eingenommen, in den 880er Jahren setzten sich spanische Sarazenen zwischen Hyères und Fraxinetum bei Fréjus fest und plünderten von hier aus das Hinterland. Erst 973 konnte Graf Wilhelm von Arles Fraxinetum einnehmen und zerstören. Im 11. Jahrhundert entfaltete sich dann das Wirtschaftsleben wieder. Jetzt sehen wir Barcelona durch ein Hafenkastell und Befestigungstürme geschirmt. Barcelonische Sklavenhändler waren auf dem Markt zu Genua eine ständige Erscheinung, und 1009 tritt ein Kaufmann Robert in Barcelona auf (in civitate Barchenona advenit quidam homo nomine Roberto negociatore), in dem Gelehrtenscharfsinn[101] einen flandrischen Tuchhändler entdeckte. Den reichen Sklavenhändlern Verduns der ottonischen Zeit war schon die Route nach Spanien bekannt; der „gewisse Robert" war sicher noch ein einsamer Pionier auf diesem Handelsweg.

Diese „renaissance du commerce" (Pirenne) im 11. Jhd. — wie wir zu illustrieren versuchten ein gesamteuropäisches Phänomen — war zweifellos ein starker Faktor im aufblühenden städtischen Wirtschaftsleben. Nur dürfen wir die mittelalterliche Stadt nicht lediglich vom Rialto oder dem Hafen Genuas, auch nicht von der Kölner Rheinvorstadt und von den Belfriden der flandrischen Städte aus sehen. Diese einseitige, die Kritik herausfordernde Sehweise bei Pirenne, Planitz, Rörig[102] war erwachsen aus dem berechtigten Widerspruch gegen Thesen Rudolf Sohms, der das königliche Marktregal überschätzte, und Georg v. Belows, der zu sehr den gewerbereichen Nahmarktort betonte. Jetzt ist der Rückschlag gegen jene drei großen Städtehistoriker fast zu heftig geworden. — Es kommt darauf an, die gültigen Erkenntnisse der großen Erforscher der Kaufmannsstädte zu ergänzen und den Handel als Faktor in seiner Differenziertheit zu sehen. Wir müssen uns klarmachen, daß der Handel des 11. Jhds. bereits ganz anders als der Fernhandel des 8. bis 10. Jhds. auf städtischen Exportgewerben aufbaute, eine Entwicklung, die in den folgenden Jahrhunderten zunimmt. Handel und Handwerk werden jetzt überall städtische Berufe; der Saisonhändler, der Grundherrnhändler, die grundherrliche Manufaktur treten zurück, wenn sie auch nicht ganz verschwinden. Die Arbeitsteilung zwischen Stadt und Land beginnt sich durchzusetzen. In diesem Prozeß spielt der städtische Markt seine gewichtige Rolle. Nicht der Fernhandel, sondern der Markt macht die Stadt zum zentralen Ort des Wirtschaftslebens. Zunahme der Marktsiedlungen, vor allem in den rechtsrheinischen Gebieten, Intensivierung des Marktlebens in den alten civitates, so im „permanenten Markt" (Lopez) von Mailand, sind ein weiteres Indiz des Wiedererstehens der städtischen Lebensform.

Neben die „renaissance du grand commerce" müssen wir auch für bedeutende Städte die „renaissance associeé au renouveau rural" stellen. Higounet hat eingehend beschrieben, wie der langsame Wiederaufstieg von Bordeaux, das im 9. Jahrhundert einen Tiefpunkt erlebte, im 11. und 12. Jahrhundert nicht fernhändlerischer Initiative, sondern dem Aufschwung auf dem Lande, vor allem der Zunahme der ländlichen Bevölkerung in der Umgebung zu verdanken ist: „L' expansion de l'agriculture a refait de Bordeaux le marché qu'il avait été. Avant de reprendre sa place dans les courants du grand commerce, Bordeaux a trouvé aux 11. et 12. siècles les forces de sa résurrection dans les pays garonnais et gascons." Aber auch diese Sicht der Stadtbildung ist noch einseitig; sie sieht zu ausschließlich den Beginn der arbeitsteiligen Wirtschaft, überhaupt zu sehr den ökonomischen Sektor.

Auch die mittelalterlichen Städte sind Sitze der Herrschaft, wenngleich — vor allem nördlich der Alpen — nicht in stadtstaatlicher Form, sondern in einer feudalen Umwelt. Aachen bleibt die „urbs Aquensis, urbs regalis sedes regni principalis" auch nach Karl dem Großen. Frankfurt wird 876 von Regino v. Prüm „principalis sedes regni orientalis" genannt und gehört vom 9. bis zum Beginn des 11. Jahrhunderts zu den am meisten in königlichen Itineraren genannten Orten. Wie für Aachen in der späten Regierungszeit Karls des Großen verdichtet sich für Frankfurt unter Ludwig dem Deutschen der Charakter des Hauptsitzes der Herrschaft zur Residenz; von Oktober 833 bis August 876 weilte Ludwig der Deutsche 33mal in Frankfurt, darunter sind sehr lange Aufenthalte, allein vier Überwinterungen[103]. Regensburg, das uns als Fernhandelsplatz schon öfters begegnete, ist Bischofsitz, bayerische Herzogsresidenz und unter Ludwig dem Deutschen und Arnulf von Kärnten wichtige „sedes" des ostfränkischen Königtums[104]. Im westfränkischen Reich haben Reims im 9. und Laon im 10. Jahrhundert einen vergleichbaren Sedes-Charakter; doch konstatieren wir hier — im Gegensatz zum merowingischen Streben nach städtischen Residenzen, das aber als Ausklang der Antike zu werten ist — in karolingischer Zeit häufig die Verlegung der Königspfalz aus der Stadt heraus in einen Klosterbezirk vor den Mauern. Unter Otto dem Großen wird Magdeburg, das eine ähnliche Verbindung von Fernhandelsstadt und Residenz zeigt wie Regensburg, zum Aachen des Nordens[105]. Eine fränkische oder sächsische Königspfalz ist zwar für sich allein genommen noch keine Stadt. Wichtige Pfalzen wie Ingelheim oder Tribur, Werla und Tilleda sind auch nie Städte geworden. Stadtpfalzen sind erst die Pfalzen der Staufer. Von den genannten Fällen ist in Aachen und Frankfurt die Pfalz der altstädtische Kern im Prozeß der Stadtwerdung; Magdeburg und Regensburg waren schon vor Einrichtung der Königspfalzen stadtartige Gebilde. Das gilt besonders für Regensburg. Schon Aloys Schulte hat mit Regensburg Pavia verglichen[106]. Das römische Ticinum, gotisches Bollwerk gegen Byzanz, seit Alboins Ermordung 572 politischer Mittelpunkt der Lombardei und Hauptmünzstätte des Landes, bleibt nach der fränkischen Eroberung die Hauptstadt des regnum Italicum — eine leicht zur Rebellion geneigte Hauptstadt allerdings. Pavia bewahrt die Funktionen eines zentralen Organs der Regierung als Sitz der Administration, Finanzverwaltung und Rechtsprechung. In Pavia entstehen — mehr als im benachbarten, volkreicheren Mailand — die „cellae" oder „curtes" der Kirchen und Klöster Mittel- und Norditaliens, ja Frankreichs; die Bischöfe von Mailand, Lodi, Cremona, Bergamo, Tortona, Genua, Piacenza, Reggio, die Klöster S. Ambrogio, Bobbio, S. Giulia, Nonantola, S. Martin v. Tours, Cluny haben in Pavia eine cella, curtis oder ein Xenodochium und profitieren auch an seinem Wirtschaftsleben, dem Angebot von Luxuswaren, dem Zusammenströmen der Kaufleute. Die frühe, von königlichen Beamten kontrollierte Wirtschaft Pavias tritt in der berühmten Aufzeichnung der Instituta regalia et ministeria Camerae regum Longobardorum et honorantiae civitatis Papiae (ca. 1010/1020) zutage; sie verzeichnet die Abgaben der venezianischen, salernitanischen, gaetanischen, amalfitanischen, der angelsächsischen und transalpinen Kaufleute an die königliche Kammer, aber auch der in ministeria organisierten Handwerker, der Metzger, Fischer, Lederarbeiter und Seifensieder und die Organisation der Münze. Alles dient der Versorgung des Hofes. Diese imposante Organisation ist zum Zeitpunkt der Aufzeichnung schon im Stadium des Verfalls; viele Rechte der Kammer sind verschenkt und verschleudert worden. In Oberitalien überrollt die freie Wirtschaft der großen Kommunen die königlich kontrollierte Wirtschaft. Um so wichtiger ist für uns der Einblick in ein Frühstadium, das sich von den wirtschaftlichen Anfängen Venedigs, Amalfis, Genuas so stark unterscheidet und eher an byzantinische Verhältnisse erinnert, ein Einblick, der uns wiederum warnen soll, den königlich-staatlichen bzw. herrschaftlichen Faktor in der städtischen Entwicklung zu unterschätzen.

Der herrschaftliche Faktor bleibt in Permanenz da wirksam, wo er nicht den archaischen Formen des ottonischen Reiches verhaftet ist, sondern entweder in die Zukunft weisenden modernen Herrschaftsgebilden oder aus der Antike stammenden Organisationen entspringt. Das prägnanteste Beispiel für ersteres ist die Grafschaft Flandern, für letzteres die Bischofstadt.

Die ersten modernen Staatsgebilde Europas nördlich der Alpen entstehen im Nordwesten: in Flandern, der französischen Krondomäne und der Normandie. Besonders früh und vorbildlich in Flandern — allerdings nicht nur dort, sondern gehäuft in den ganzen südlichen Niederlanden und vereinzelt auch anderwärts — entstehen residenzartige Burgen, Keimzellen der großen flandrischen Städte[107]. Graf Balduin II., der sein Land als eine von den Normannen verwüstete Wildnis übernommen hatte, unterwarf von 889 bis 918 in unaufhörlichen Kämpfen die Gegend zwischen Küste, Schelde und dem Artois seiner Herrschaft. Um dieses Gebiet gegen die Normannen zu verteidigen, bediente er sich der Burgen, die er an der Küste und an den Ufern von Schelde und Lys errichten ließ. Die flandrischen Grafenburgen[108] — Brügge als älteste — sind nun wirkliche Residenzen; zwar nicht in dem Sinne, daß der Graf von Flandern einen einzigen festen Wohnsitz besessen hätte; auch hier ist die Herrschaft noch ein „ambulantes Gewerbe", sie sind es durch ihre Ausstattung. Neben der Burg als fester Wohnung des Grafen beherbergt der Residenzkomplex nicht nur Wohnungen der Burgmannschaft und Speicher, sondern auch ein Kollegiatstift, in Brügge Maria und St. Donat, dessen Kirche der des Aachener Marienstifts nachgebaut war, ein beredtes Zeugnis für das Selbstgefühl dieser Dynasten, in deren Adern karolingisches Blut floß. Die Verbindung von Herrscherwohnung und Stift ist typisch für die Königspfalzen. Dem Vorbild des Königs eifert der Hochadel nach. Ähnlich wie die flandrischen Grafen und sonstigen Herren der südlichen Niederlande haben die Konradiner im Lahntal ihre Burgen in Limburg, Weilburg und Wetzlar mit Stiften ausgestattet, und auch hier erwuchsen in diesem Komplex Städte, von denen Wetzlar immerhin Reichsstadt wurde. Auch Warburg in Westfalen dürfte in diesen Zusammenhang gehören. — In Gent gehört zum erhaltenen düsteren Grafensteen und dem — nicht erhaltenen — Stift St. Pharaildis noch eine gewerbliche Siedlung, in der u. a. Lederarbeiter saßen, also Handwerker, die dem Bedarf der Burgmannschaft dienten. In Brügge und Gent bildete sich außerhalb der Residenz eine kaufmännische Niederlassung, der portus. In Gent liegen Grafensteen und Pharaildisstift in der Mitte, zwischen der Vorburg mit der Cordewaniersstraat und dem durch den Flußlauf abgesonderten portus. In der Folgezeit werden die Grafenburgen Flanderns Zentrum eines Gerichts-, Verwaltungs- und

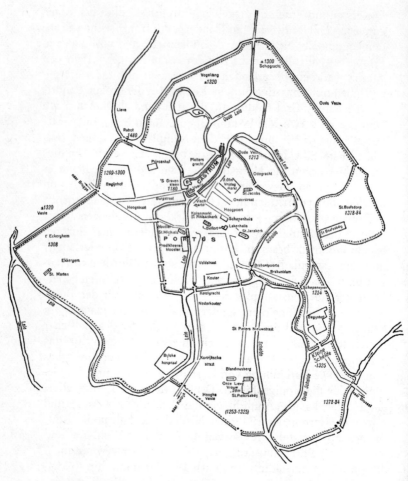

Abb. 4a. Historischer Stadtplan von Gent.

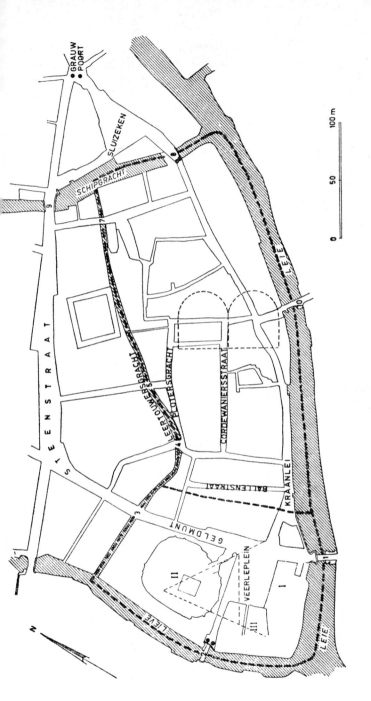

Abb. 4b. Stadtplan der Genter Grafenresidenz

Domanialbezirks, einer Kastellanei. Die flandrische Kastellaneiverfassung macht die Stadt zum zentralen Ort einer modernen Verwaltung. Im einzelnen sind manche Fragen der Topographie und der zeitlichen Ansätze des frühen Brügge und Gent noch strittig, als Gesamtergebnis der Forschung steht fest der Dualismus der — in Gent mit einer Handwerkersiedlung ausgestatteten — von Flußläufen und Grachten beschirmten Grafenresidenz und des gesondert davor liegenden Portus. Weitere Siedlungszellen sind in Gent die großen alten Abteien St. Peter und St. Bavo.

Eine vergleichbare Situation finden wir im Dualismus von Bischofsitz in Römermauern und davor erwachsener Kaufmannssiedlung mit großer Marktanlage in Köln, oder umwallter Domimmunität und davor angelegter Marktsiedlung in Trier[109] oder — wieder mit einer besonderen Nuance — Kaufmannssiedlung bei der Königspfalz und Bischofstadt in Speyer, womit die Topographie dieser Städte auf eine sehr vereinfachende Formel gebracht ist. Der Bischofsitz spielt hier die Rolle der Grafenburg, ist aber nicht nur älter, sondern auch anderer, nämlich antiker Herkunft. Die Bedeutung des Bischofsitzes wird verstärkt durch die wichtige Stellung der Bischöfe im Reich. Auch in Köln setzt der Aufschwung nach der Stadtzerstörung durch einen Normannenzug — 881 — ein. Über das Ausmaß dieser Zerstörung fehlt es an präzisen Angaben. Zwei Jahre nach der normannischen Invasion waren erst die Wohnungen wieder aufgebaut und die Befestigung instandgesetzt. Die Restaurierung der Kirchen war 891 im Gange. Im ersten Drittel des 10. Jhds. tauchen neue Kirchen in bisher unbesiedelter Gegend auf; das deutet darauf hin, daß man sich außerhalb der Trümmer neu ansiedelt. Mit dem Königsbruder Erzbischof Bruno (953—965) beginnt der große Aufstieg. Er residiert als Archidux, tutor und provisor im Westen des Ottonenreiches in Köln, das dadurch zum Mittelpunkt Altlotharingiens wird. Hier bricht sich 953 der Aufstand der lotharingischen Großen, von hier aus werden die Verhältnisse auch im Westfrankenreich geregelt, zu Bruno als dem tutissimum portum flüchten viele von den Normannen Bedrängte. Ein denkwürdiger Tag war das Pfingstfest des Jahres 965 in Köln, ein Familientag der Ottonen, ein Hof- und Reichstag. Im Glanz der 962 errungenen Kaiserkrone war Otto von Italien kommend eingekehrt, die Königinmutter Mathilde fand sich ein, die soror regina, die Königin des Westfrankenreiches,

Gerberga, mit ihren Söhnen Lothar und Karl. Und als Gastgeber waltete Bruno, der Herr über die Geschicke Lotharingiens und Westfrankens. Im gleichen Zeitraum konstatieren wir den Aufschwung des Kölner Wirtschaftslebens. Der Fernhandel der Kölner Kaufleute hat seine von der Bischofsresidenz unabhängige Grundlage. Aber ohne Bedeutung für die Wirtschaft war der Bischofssitz nicht. Schon zum Jahr 967 wird uns ein Zusammenströmen der Gläubigen in Köln an Ostern geschildert, vielleicht ein Hinweis auf die Kölner Ostermesse; daß Erzbischof Bruno die Kette des hl. Petrus nach Köln brachte, gab wohl den Anstoß zur zweiten Messe an Petri Kettenfeier — 1. August —; die dritte fand Ende Oktober statt, am Tag des heiligen Kölner Bischofs Severin.

Was die Ottonen für Köln, sind die Salier für Speyer. Zum riesigen salischen Dombau des 11. Jahrhunderts kommen Stadterweiterung und Mauerbau in mehreren Phasen.

Auch das im Mittelalter so mächtige religiöse Gefühl trägt zum Aufschwung städtischen Lebens bei, neben all den anderen Ursprungskräften, die wir schon nannten und mit Beispielen belegten. Nicht nur verbinden sich Heiligenfeste mit Messen und Märkten, säumen gefreite Siedlungen, die französischen salvitates, den Pilgerweg nach Santiago di Compostela — die Wallfahrt läßt Städte entstehen oder aufblühen — denken wir nur an die mittelalterlichen Wallfahrtsstädte wie Le Puy und Chartres. Chartres war im Lauf des 11. Jahrhunderts die erste Wallfahrtskirche Frankreichs geworden. Man bewahrte in Chartres eine Marienreliquie, die in den Normannenkriegen gute Dienste leistete und bei einer epidemisch auftretenden Fieberkrankheit half. Die romanische Kathedrale hatte schon die Maße des heutigen Kirchenraumes. Auf der Höhe und im Tal drängten sich im Jahre 1100 etwa 20 Kirchen um die Kathedrale. Auch die Wirtschaft wurde von der Wallfahrt bestimmt; die tabernae, die Wirtschaften, Backöfen, Schlachtereien, Wechselstuben rentieren sich nur dank der Pilger — Chartres ist außerdem eine Tuchstadt im Abschnitt Isle de France der nordfranzösischen Textilprovinz. Es besaß ferner eine ausgezeichnete Schule, wie überhaupt die französischen Kathedralschulen — auch Orléans und Paris — im 11. Jahrhundert hervorragen. In den südlichen Niederlanden ist Lüttich eine Schulstadt von großem Ruf in der Zeit der Ottonen und der Salier. Immer noch sind daneben die Klöster bedeutende Mittelpunkte des literarischen und künstlerischen Lebens. Sie sind gelegentlich auch Ansatzpunkte einer städtischen Entwicklung, wie etwa St. Trond in den Niederlanden, wo zugleich die Wallfahrt das wirtschaftliche Leben steigert, wie es uns die Geschichte der Äbte von St. Trond anschaulich beschreibt[110].

Kultische Zentren sind die Städte immer gewesen; gerade darin bestand ja auch das römische Erbe; nun werden sie auch wieder zu kulturellen Zentren — in Konkurrenz mit Klöstern und Burgen.

„Die Städte dehnen und füllen sich" (Aubin). Das von den antiken Mauern umschlossene Neapel erweitert sich im 10. Jahrhundert um die junctura nova und hat unter Roger II., der es 1140 gewinnt, 30 000 Einwohner. Das von Rothari 642 entfestigte Genua wird als Vorort einer Markgrafschaft und Bischofsitz, als castrum und civitas, 952 befestigt; außerhalb dieser Befestigung bleibt der burgus, den die Mauer von 1156 miteinschließt. In Venedig datiert der erste Mauerbau um 900; es entsteht die civitas Rivoalti, bald civitas Veneciarum; 1084 beginnt die Einteilung der Stadt in confinia genannte Bezirke; im Liber Plegiorum (1224—28) werden 72 confinia erwähnt, die fast alle ihre eigene Kirche haben. Das in konzentrischen Ringen gewachsene Mailand kennen wir aus der Beschreibung des Bonvicinus de Ripa „De magnalibus urbis Mediolani" (1288); es hatte damals schon 12 500 Häuser.

Die Stadtentwicklung zwischen Loire und Rhein kann, wie wir durch Beispiele veranschaulichten, auf die Formel des topographischen Dualismus zwischen altstädtischem Kern und früher Kaufmanns- oder Marktsiedlung gebracht werden[111], wobei nicht nur die Existenz von weiteren Siedlungszellen minderer Bedeutung, sondern vor allem auch eine Fülle von Variationen der beiden Hauptbestandteile der Siedlung und ihrer Zuordnung möglich ist. Der altstädtische Kern kann ein Bischofsitz in Römermauern — im rechtsrheinischen Gebiet in frühmittelalterlicher Befestigung — sein, eine Königspfalz, eine Dynastenburg, ein befestigtes Stift oder Kloster; zusammenfassend kann man ihn als befestigten Sitz eines geistlichen oder weltlichen Herrn charakterisieren. Das bei diesem Herrensitz entstehende suburbium kann eine frühe Kaufmannssiedlung, ein vicus, portus, emporium, negotiatorium claustrum sein, aber auch eine Marktsiedlung. Ich möchte nur noch zwei Beispiele zur Illustrierung anfügen: Verdun und Bonn. Für Verdun steht uns die Schilde-

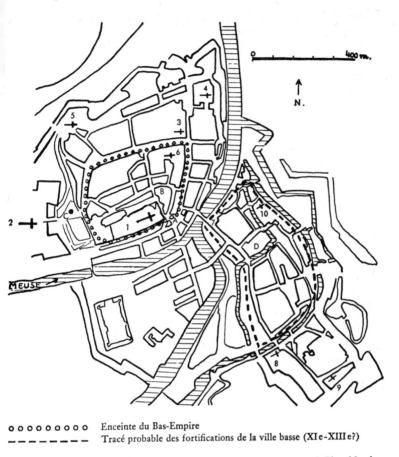

○○○○○○○○○○	Enceinte du Bas-Empire
– – – – – – – –	Tracé probable des fortifications de la ville basse (XIe-XIIIe?)

1 Cathédrale	5 Saint-Maur	9 Saint-Victor	A Place Mazel
2 Saint-Vanne	6 La Madeleine	10 Saint-Sauveur	B Rue Châtel
3 Saint-Pierre	7 Sainte-Croix		C Tour le Voué
4 Saint-Paul	8 Saint-Airy		D Braceolum

Abb. 5. Stadtplan von Verdun.

rung Richers zum Jahr 985 zur Verfügung, die auf eigener Orts-kenntnis beruht. Er beschreibt zuerst die civitas, den befestigten Bischofsitz, in der schwer einnehmbaren Position auf dem zur Maas steil abfallenden Felsenplateau und dann die durch die Maas von der civitas geschiedene, allerdings durch zwei Brücken mit ihr verbundene Kaufmannssiedlung, die gut befestigt war. Die Kaufleute von Verdun, die sich so früh eine Befestigung schufen, sind uns schon als reiche Sklavenhändler der Ottonen-zeit bekannt. Slawische Kriegsgefangene, von Magdeburg über Köln herangebracht, wurden in Verdun verschnitten und als Leibwächter an die Kalifen von Cordoba verkauft[112]. Der Ge-winn aus diesem Handel, der gegen 980 allerdings aufhört, war „immens". Verduns Handel ging auch nach dem Osten, wie u. a. ein Vertrag bezeugt, den seine Kaufleute 1178 mit Kölner Bürgern abschließen. Auch für die Verduner ist Köln eine Sta-tion auf dem Wege zum Kupfer des Harzes für ihr Metallgewer-be, das hochstehendes Kunstgewerbe war; sie bringen nach Köln Gewürze und wahrscheinlich auch andere Mittelmeerwa-ren; sie bekommen über die Messen der Champagne auch Kon-takt mit Italien, im 13. Jahrhundert erscheinen ihre Geschäftsab-schlüsse in den Registern der Genueser Notare. Ganz anders als in diesem ausgesprochenen Fernhandelsplatz, der allerdings im 13. Jhd. von Metz überflügelt wird, ist die Situation in Bonn. Hier entwickelt sich innerhalb der bei dem Cassiusstift entstan-denen Siedlung — also innerhalb des altstädtischen Kerns — eine einzeilige Kaufleuteniederlassung des 9. Jahrhunderts, die durch die Normannenstürme schwer angeschlagen wird. Vor der ummauerten Stiftssiedlung entsteht im 11. Jahrhundert eine Marktanlage; möglicherweise sind Reste der alten Kaufmanns-straße darin aufgegangen; die topographischen Gegebenheiten legen das nahe. Der große Marktplatz — er entspricht dem der Gegenwart — war dicht mit festen Marktbuden besetzt; die an-schließenden Häuserblocks mit der gleichmäßigen Aufteilung in langrechteckige Grundstücke lassen auf eine planmäßige Anlage schließen. Diese Marktsiedlung ist unbefestigt. Ihre Befestigung wird erst ab 1244 auf Befehl des Stadtherrn ge-schaffen. Der Fall Bonn zeigt sehr schön, daß die Stadtwerdung einerseits ein gestreckter Prozeß ist, daß andererseits bei die-sem langsamen Wachstum Momente der Planung bzw. Grün-dung nicht fehlen. Man kann diese Städte zwischen Loire und Rhein als gewachsene Städte bezeichnen, die sich abheben so-

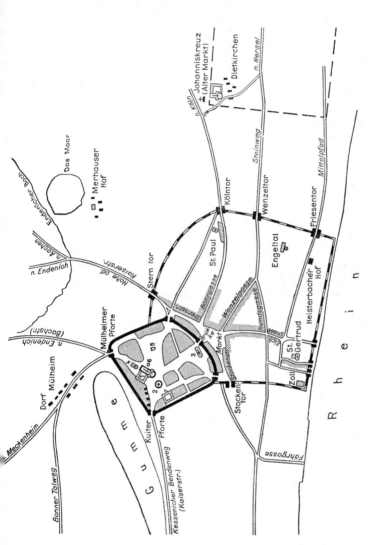

Abb. 6. Stadtplan von Bonn, 12. und 13. Jahrhundert.

wohl von den durch einmaligen Gründungsakt erst geschaffenen wie von den in der Gesamtanlage mit ihren Mauern erhalten gebliebenen Städten südlich der Loire und jenseits der Alpen. Natürlich legen sich alle großen Städte im Lauf der Zeit neue Wachstumsringe zu[113]. Während man bisher dem Osten — besonders dem transelbischen Raum — die Gründungsstädte zuwies, sind wir nicht nur durch die Archäologen über die Existenz früher stadtartiger Gebilde in den östlichen Gebieten belehrt worden, eine interessante neue These, die sich im wissenschaftlichen Gespräch noch bewähren muß, glaubt auch für den ostmitteleuropäischen Raum den topographischen Dualismus als Nebeneinander von Burg und Kaufmannssiedlung zu erkennen[114]. Diese Kaufmannssiedlungen werden für das 12. Jahrhundert aus der Verbreitung städtischer Nikolaikirchen erschlossen. Die besondere Bedeutung dieser These liegt darin, daß vielfach wenigstens diese Kaufmannssiedlungen das missing link zwischen Burgstädten der Slawenzeit und den deutsch-rechtlichen Städten des Ostens darstellen. So sind Momente des Wachstums und der Gründung auch im Osten ineinander verschlungen, und wenn wir versucht haben, eine gewisse Typologie aufzuzeigen: 1. die Einheit der alten civitas im Süden, 2. die Zweiheit von Herrensitz und ökonomisch geprägter Niederlassung und 3. die Gründung — so doch in dem Bewußtsein, daß es eine starre Ordnung und reine Typen hier so wenig gibt wie anderwärts im Leben der Vergangenheit. Wie wir schon bei der Erörterung der topographischen Kontinuität feststellten, ist auch beim mittelalterlichen Prozeß der Stadtwerdung kein Fall einem anderen ganz genau gleich. Jede Stadt hat ihre Individualität.

Seit dem 10. Jahrhundert gewinnt die Stadt durch den Mauerbau ihr typisch mittelalterliches äußeres Bild; die Mauer ist natürlich keine romantische Arabeske, sondern bittere Notwendigkeit in einer Zeit, die zwar verzweifelt um den Frieden ringt, ihn aber nicht gewinnt; die relative Kleinräumigkeit der Herrschaftsgebilde, der Stadtkommunen, Fürstentümer und Territorien, hat zur Folge, daß der Friede mehr durch ständige Fehden als durch große Kriege gestört ist, zumal die Fehde bis 1495 als erlaubtes Mittel im Rechtsstreit gilt — unter gewissen Kautelen. Genügten in der Normannen-, Ungarn- und Sarazenennot noch die wiederinstandgesetzten Römermauern oder die Burg des Herrn als Zufluchtsort, so vermögen diese jetzt die außerhalb liegenden Suburbien mit der zahlreich gewordenen Bevölkerung nicht mehr zu schützen. Die Römermauern werden erweitert, um die Kaufmannssiedlung einzubeziehen oder um überhaupt dem Wachstum der Siedlung zu entsprechen — im 12. Jahrhundert in Bourges, Poitiers, Dijon; oder neuerstellte Mauern schützen jetzt die Suburbien und fassen Herrensitz und Kaufmanns- bzw. Marktvorstadt in einem Mauerring zusammen. Damit wird der Dualismus der Stadt als Siedlung überwunden. Nach einem häufig anzutreffenden Vorstadium von Erdumwallungen und Palisaden geht man zur steinernen Mauer über. In Cambrai z. B. errichten Bischof und Bürgerschaft gemeinsam um 1090 eine Steinmauer um die bis dahin nur durch eine Holzbefestigung geschützte Stadt (unde eisdem civibus auxiliantibus totam in circuitu civitatem vallo ligneo prius compositam ipse episcopus munivit muro lapideo fortius). Die Domburg innerhalb der Stadt erhielt noch eine besondere Befestigung (Castellum etiam infra civitatem, in quo erat et aecclesia b. genetricis Dei et coenobium sancti Autberti muro excelso firmavit, fossato relevato alto et terribili). Mit dem Vordringen des Steinbaus aus dem Mittelmeerkulturkreis nach Nordwesteuropa fassen wir eine jener Tiefenströmungen, welche die mitteleuropäische Stadtwerdung vorbereiten und begleiten. Zunächst verwendet man den Stein nördlich der Alpen zum besonderen Schutz herrschaftlicher Sitze, für Burgen, Immunitäten und für große Kultbauten, aber auch für kleinere Wehrkirchen. Die steinerne Umwehrung von Sitzen des Handels und Gewerbes ist ein sicheres Kriterium für deren wieder gesteigerte Bedeutung. Auch spiegelt sich der höhere Rang städtischer Schichten im Steinbau, wobei kulturräumliche Momente mitspielen. Zwei Hauptformen mittelalterlicher Herrenbauten — Turmhäuser und Saalgeschoßhäuser, die in ihren Grundelementen von den spätantiken Kulturen des Mittelmeerraumes ausgingen — erreichen innerhalb der Herrenschicht die nördlichen Gebiete im 11. Jahrhundert[115]. Durch Häufung von Wohntürmen fallen als nördliche Städte Metz und Trier am Rande der sog. lothringischen Steinbauinsel auf. Die Rheinstrecke bis hinauf nach Utrecht ist mit Turmhäusern oder monumentalen Zinnenhäusern belegt. — Auch die Maasstrecke zeigt frühes und gehäuftes Steinbauvorkommen, schließlich auch Flandern, während Französisch-Burgund, Loiregegend und Bretagne viele bürgerliche Fachwerkbauten haben. Noch bedeutsamer als das Turmhaus ist das Saalgeschoßhaus für die Ausbildung des herrschaftlichen Wohnstils. Es hat auch noch stärker auf den bürgerlichen — übrigens auch bäuerlichen — Wohnbau West- und Mitteleuropas gewirkt. Das Saalgeschoßhaus ist im frühen Mittelalter auf die Kaiserpfalzen, großen Dynastenburgen, Bischofspfalzen und Klöster beschränkt. Es hat einen zwei- bis dreigeschossigen langgestreckten Baukörper. Über meist gedrücktem Erdgeschoß erhebt sich das hohe Saalgeschoß. Entscheidend ist das Emporheben des Wohnens in die Obergeschosse, wie wir es im Bürgerhaus vielfach bis ins 20. Jhd. finden.

Die Steinmauern der Städte hebt sie, die sich schon durch geschlossene Bebauung und bewegten Aufriß auszeichnen, als Siedlung scharf aus dem umgebenden Land heraus — natürlich gibt es auch hier Ausnahmen: die Tiroler Städte verzichten fast alle auf die Ummauerung[116], in Südwestdeutschland gibt es ummauerte Dörfer. — Aber im allgemeinen ist die Mauer im Mittelalter ein Kennzeichen der Stadt. Der Mauerbau war eine der größten Gemeinschaftsaufgaben der mittelalterlichen Bürgerschaften — er war geeignet, die von nah und fern in diese gewerblichen Plätze einwandernde Bevölkerung, die keinen einheitlichen Charakter besaß — weder landsmannschaftlich noch rechtlich, noch gesellschaftlich — zu einem einheitlichen sozialen Gebilde, einer selbstbewußten Bürgerschaft zusammenzuschweißen. Die Befestigungshoheit ist oft ein wesentlicher Streitpunkt zwischen Stadtherr und Bürgerschaft z. B. in Köln. Im Haushalt der Stadt spielt der Mauerbau eine wichtige Rolle; bei den landesherrlichen Städten ist der Fürst am Mauerbau interessiert, da diese Städte Festungen des Landes sind; er erleichtert den Bürgern finanziell den Mauerbau durch Gewährung von Steuernachlaß oder die Genehmigung, eine Akzise, eine Umsatzsteuer, zu erheben. Die Akzise wird dann eine Haupteinnahmequelle vieler Städte. Die meisten Städte erhalten ihre Mauer im 12. Jahrhundert, einige Vorreiter schon im 10. und Kerngebiete früher Stadtbildung — Rhein-Maas-Mosel-Scheldestädte — fast geschlossen im 11. Jahrhundert.

Wie nennt man die Gebilde, die jetzt zu Städten heranwachsen und wie nennt man ihre Bewohner[117]? Die Quellen der Zeit sind überwiegend lateinisch. Dadurch werden wir vor das Problem der Rückübersetzung gestellt. Die Historiographen der Zeit, die Geschichtsschreiber, und die Kanzlisten, die Verfasser der Urkunden, mußten dem antiken Wortschatz die Bezeichnung für die Anlagen der eigenen Zeit entnehmen. Dabei erhalten die antiken Worte oft einen ganz neuen Sinn. So bedeutet das lateinische Wort civitas im Frühmittelalter nicht mehr als eine befestigte Siedlung, meist einen befestigten Bischofsitz, aber auch ein befestigtes Kloster wird als „lapidea civitas" bezeichnet, und schließlich wird civitas auch synonym mit castrum gebraucht. Die deutsche Bezeichnung für Stadt, die uns die Dichter in deutscher Sprache und Glossare überliefern, ist das Wort Burg. Die Römerorte werden als Burgen bezeichnet: Kolnaburg. Die heute noch bestehende Bezeichnung „An der Burgmauer" in Köln bedeutet „An der Stadtmauer". Dementsprechend spricht man von castrum Bonna — Bonnburg. Das Annolied — 1080—1100 — verwendet zur Bezeichnung der Städte im allgemeinen noch das Wort „burg" und nur selten das jüngere „stat". Die Servatiuslegende des Heinrich von Veldeke, ca. 1170, benutzt ausschließlich „stat". Das moderne Wort „Stadt" tritt also im 11. Jahrhundert zuerst auf. Ein nur den Stadtbewohner bezeichnendes Wort gibt es zunächst nicht. Die lateinischen Bezeichnungen cives und urbani sind nicht eindeutig, civis kann den Einwohner schlechthin oder den Laien im Vergleich zum Kleriker meinen. Wenn Notker von St. Gallen — um 1000 — cives mit burgliute übersetzt, so mag er in diesem Fall an die Konstanzer gedacht, also Städter gemeint haben. Aber eine klare Scheidung von Burg- und Stadtbewohnern gab es in der Terminologie vor 1100 ebensowenig wie eine klare Scheidung von Burg und Stadt selbst. Sehr aufschlußreich — aber auch sehr umstritten — ist die Wortgeschichte von mittellateinisch burgus und burgensis. Burgus kann sowohl eine Befestigung wie eine — meist unbefestigte — Siedlung bedeuten. Letztere Bedeutung läßt sich zwar schon im 4. Jahrhundert vereinzelt feststellen, in größerem Umfang finden sich als burgus bezeichnete Siedlungen im 9. und 10. Jahrhundert im Raum von Saône, Rhone und Loire. Von diesem Ursprungsgebiet aus verbreitet sich burgus als Siedlungsbezeichnung Ende des 10. Jahrhunderts in Frankreich, vor allem Südfrankreich, und dringt von da nach Oberitalien und Nordspanien. Liutprand von Cremona verdanken wir die Worterklärung „ipsi domorum congregationem, quae muro non clauditur, burgum vocant", also burgus bezeichnet eine geschlossene, unbefestigte Siedlung. Im germanischen Sprachgebiet — in Brabant, Flandern wie in Süddeutschland — erscheint burgus in dieser Bedeutung erst im ausgehenden 11. und 12. Jahrhundert. Von burgus abgeleitet ist das Wort burgensis; es erscheint seit dem 11. Jahrhundert ebenfalls im Rhone-Saône-Loire-Gebiet und bezeichnet den Bewohner eines burgus, in der Folge da, wo die burgi, wie noch zu besprechen sein wird, privilegiert werden, den Bewohner einer privilegierten, gefreiten Siedlung. Von diesem Ausgangspunkt aus erklärt sich, daß burgensis im deutschen Sprachgebiet zur mittellateinischen Bezeichnung des Menschen bürgerlicher Rechtsstellung wird, den man in deutscher Sprache burgaere, im Niederländischen, abgeleitet von portus, poorter nennt. Im Deutschen ergibt sich so eine gegenläufige Entwicklung; das Wort Burg wird ersetzt durch Stadt, wenn eine Stadt gemeint ist und schließlich wieder nur im eingeschränkten Sinn für eine rein fortifikatorische Anlage gebraucht; umgekehrt bezeichnet burgaere immer seltener noch den Burgbewohner und schließlich nur noch den Stadtbewohner, der eine entsprechende Rechtsstellung genießt. Ob das mittellateinische burgensis an dieser Entwicklung des burgaere zur Benennung des städtischen Bürgers einen Anteil hat? Das wage ich nur zu fragen. Wichtig ist, daß im 11. Jahrhundert für die Stadt und den Stadtbewohner die heute noch gültigen Bezeichnungen aufkommen. In den terminologischen Wandlungen tritt ein neues Selbstverständnis der Stadtbewohner zutage.

Die Stadt wird jetzt eine gemeineuropäische Erscheinung, und zu den gewachsenen Städten treten allenthalben die Gründungsstädte.

In Spanien konstatierten wir eine der Reconquista parallellaufende Welle von Gründungen, der poblaciones, deren Bewohnern eine besondere Rechtsstellung gewährt wird. In Frankreich entstehen im 11. Jahrhundert privilegierte burgi und salvitates, und zwar im Süden und Südwesten. 1007 erbaut der Graf von Anjou ein Kloster mit burgus auf seinem Allod, er schenkt es der Abtei Beaulieu und erklärt „in quo (burgo) quicumque habitabit nusquam poterit de crimine servitutis infamari, sed omnes eius habitatores erunt liberi"[118]. Den neuen Bewohnern wird die Freiheit zugesichert, niemand darf sie der servitus, der Unfreiheit, der Hörigkeit bezichtigen. Der berühmte Rechtsgrundsatz „Stadtluft macht frei" klingt hier schon an. Die salvitates, im Herzogtum Gascogne und der Grafschaft Toulouse weit verbreitet, säumen die Pilgerwege nach Santiago. Sie gewähren erhöhten Friedensschutz, dienen dem Landesausbau und sind gelegentlich auch Marktorte. Der salvitas der Abtei La

Sauve-Majeure gewähren die Herzöge der Gascogne Sicherheit auf dem Reiseweg für alle Pilger, die zum Gebet, und für die Kaufleute, die zum Jahrmarkt und Wochenmarkt kommen. Innerhalb der Grenzen der salvitas — die durch Aufstellung von Kreuzen gekennzeichnet zu werden pflegte — sollen überhaupt alle sicher sein, Ritter, Landleute und Kaufleute. Die im burgus wohnenden burgenses genießen eine unbegrenzte Sicherheit. Der Zustrom in die salvitas war so groß, daß zwei Siedlungen mit je einer Pfarrkirche entstanden. Im 11. Jahrhundert setzen die Gründungen in Flandern ein[119]. Allerdings ist der Gründungsakt erschlossen und nicht urkundlich belegt. Die wüste unkultivierte Zone Innerflanderns zwischen der Küste und der ihr fast parallel fließenden Leie wird durch Maßnahmen der Grafen Balduin V. (1037—1067) und Robert der Friese (1071—1091) mit Städten ausgestattet: Thourout, Lille, Messines, Aire, Cassel. Gründung von Kastellaneien mit Kanonikerstiften und von Messen — Thourout, Ypern, Messines und Lille werden die großen flandrischen Messeplätze — sind Maßnahmen der Grafen, die aber nur durch Mitwirkung der Kaufleute zu ihrem großen Erfolg führen konnten: Die Grafen verklammerten mit diesen Stadtgründungen die Küsten- und die Scheideregion. Wir nannten schon die älteste Gründung der Herzöge von Brabant, Mont-Saint-Guibert im Jahre 1116. Die bedeutendste Brabanter Gründung ist Herzogenbusch, 1196 als „nova civitas apud silvam" erwähnt; die undatierte Freiheitsurkunde geht auf Herzog Heinrich I. zurück, den bedeutendsten Städtegründer unter den Brabanter Herzögen. In England kommt es unter den Normannenkönigen zur Expansion alter englischer Städte wie zur Gründung neuer Burgstädte, vor allem an der walisischen Grenze. Das 12. Jahrhundert erlebt die meisten Städtegründungen, auch der Feudalherren, besonders in den zurückgebliebenen und dünn bevölkerten Grafschaften wie Lancashire, Devon und Cornwall. In der zweiten Hälfte des 13. Jahrhunderts ebbt die Gründungswelle ab. In Deutschland liegt die Hochflut der Gründungen später. Dem frühen 12. Jahrhundert gehört die Zähringergründung Freiburg — burgum liberum — an; man hat sie den Paukenschlag genannt, mit dem ein neues Kapitel im südwestdeutschen Städtewesen beginne. In der Gründungsurkunde[120] erklärt Konrad von Zähringen, er habe auf seinem eigenen Grund und Boden einen Markt gegründet — forum constitui — in Freiburg schlägt allerdings die Marktgründung in die Stadtgründung um —; weiter habe er angesehene, begüterte Kaufleute von überallher berufen und diese haben mit ihm, dem Gründer, sich als Schwurverband konstituiert. Auf die verfassungsgeschichtlichen Fragen komme ich zurück; halten wir jetzt schon fest, daß hier das Marktgründungsprivileg nicht für den Marktherrn, sondern für die Marktsiedler ausgestellt wird. Jeder Neuankömmling bekommt ein Hausgrundstück von 50x100 Fuß zu Erbzinsleihe gegen einen Schilling Jahreszins. Im Elsaß, im Schwaben- und Pleißenland gründen die Staufer Städte[121]. Die bedeutendste Gründungsstadt Nordostdeutschlands ist Lübeck; die schauenburgische Gründung von 1143 übernimmt und vollendet 1158/59 Heinrich der Löwe[122]. Die Kräfte der kölnisch-westfälischen Kaufleuteschaft stehen hinter dieser Gründung. In Westfalen setzt die Gründungsperiode mit der 1185 erfolgten Gründung von Lippstadt ein. Ziel dieser — für Deutschland — frühen Gründungen war die Handels- und Gewerbestadt in günstiger Verkehrslage. Diese Städte sind auch zu bedeutenden oder doch mittleren Städten herangewachsen. Bei den jüngeren Gründungen überwiegt die Initiative der städtegründenden Herrschaft — sie stehen in einem inneren Zusammenhang mit dem Ausbau des modernen Staates, der Kommune in Italien, des Königsstaates in Frankreich, der Fürstentümer im deutschen Reich. Vereinzelt in Venetien und Ligurien, häufiger in der Emilia und zahlreich in der Lombardei und in Piemont erscheinen seit der Mitte des 12. Jahrhunderts die „borghi franchi"[123]. Sie sind Gründungen der großen Kommunen, die auf diese Weise ihre Landgebietspolitik gegenüber benachbarten Städten oder Feudalherren vorantreiben, indem sie sich in den borghi franchi und nuovi Stützpunkte schaffen, die eine Straße, eine Straßenkreuzung, eine Furt, einen Talausgang kontrollieren, zum Mittelpunkt eines Bergbaugebietes, eines urbar zu machenden Gebietes bestimmt sind oder zu einer noch dünn besiedelten Gegend einen sicheren Zugang schaffen sollen. Die Kommune Brescia z. B. beschließt 1179 das Kastell von Casaloldo wiederaufzubauen, richtet im Jahr darauf dort einen Markt ein und gewährt den Bewohnern von castrum und suburbium gewisse Vorrechte; sie sollen keine höheren Abgaben zahlen als die Bürger von Brescia und so frei sein wie diese, dafür das castrum besetzen und wehrhaft bewahren und der Kommune Brescia die Treue halten. Eine Urkunde von 1210 veranschaulicht, wie man sich die Errichtung eines solchen burgum u. U. vorzustellen hat: Die Kommune Vercelli soll das burgum erbauen, Gräben anlegen und vier Tore mit Torburgen errichten, eine Kirche darin bauen — alles auf ihre Kosten. Ein Markt, eine Straßenverbindung zu anderen Orten sollen eingerichtet werden, jeder Bewohner erhält einen Bauplatz zugewiesen und die Abgaben sollen nicht höher sein als die in Vercelli. — Gina Fasoli hat an Hand der reichlich fließenden schriftlichen Quellen, die sie vielfach auszugsweise mitteilt, die Gründungspolitik der Kommunen, die Errichtung der borghi, die Rechtsstellung ihrer Bewohner eingehend untersucht.

Wie die borghi franchi Stützpunkte der sich festigenden Stadtstaaten, sind die Städtegründungen der deutschen Landesherren Kristallisationskerne der aus einem Konglomerat von Gebietsteilen, die ihnen auf Grund verschiedenster Rechtstitel zugefallen waren, aufzubauenden Territorien. Diese landesherrliche Städtepolitik betreibt nicht nur Gründungen, sondern auch Förderung bereits bestehender Städte oder doch solcher Orte, die bereits auf dem Wege städtischer Entwicklung waren. An den Grenzen der Territorien und in Gebieten starker territorialer Zersplitterung sind die jungen Gründungen besonders zahlreich. Eine eigene Gruppe machen die Orte aus, die vom Landesherren mit Vorrechten ausgestattet, aber nicht mehr zur Stadt erhoben wurden, die Stadtrechtsorte, die villes neuves in Frankreich und der Reichsromania, die Freiheiten, Täler, Weichbilde in Deutschland. Auch die poblaciones, salvitates, burgi liberi, bastides und borghi franchi stehen dieser Form der Stadtrechtsorte nahe. In Lothringen setzt die Freiheitsbewegung mit der Urkunde des Bischofs von Toul 1177/78 für die Bewohner der neuerbauten Festung Liverdun ein; leider ist sie nicht im Original erhalten. Die Bewegung bedient sich vor allem des 1182 geschaffenen Rechts von Beaumont. Bei der Übertragung gerade dieses Rechtes handelt es sich vielfach nur um Dorfbefreiung. Mitunter ist die Gründung einer nova villa auch eine reine Fiktion. Man bedient sich der mit einem von zwei und mehr Partnern abgeschlossenen Teilungsvertrag — Zusammenlegung der Güter, Teilung der Gefälle — gekoppelten Institution der nova villa, um den Weg aus einer strittigen und verwickelten Rechtslage zu finden[124]. Die französischen Könige haben solche Pariageverträge häufig als Mittel der Machtausdehnung verwandt. Auch die süd- und südwestfranzösischen bastides des 13. und 14. Jahrhunderts sind Instrument der königlichen oder baronialen Politik und stehen in Zusammenhang mit Wandlungen der Agrarverfassung; die bastides der Gascogne wurden vielfach auf dem Boden von Zisterzienser- oder Prämonstratensergrangien angelegt nach Aufgabe der Eigenwirtschaft. Die Zisterzen schließen dabei bereitwillig Verträge mit dem König von Frankreich oder mit Baronen der Gascogne zur Anlage von bastides auf ihrem Boden, wobei die bastides seigneuriales der Barone als planmäßige Gegengründungen zu den bastides royales aufgefaßt werden[125].

Die Grenzen zwischen Dorfbefreiung, Schaffung von Stadtrechtsorten und Stadterhebung sind überaus fließend. „Hanc libertatem dedi" ist die Zusammenfassung der bischöflichen Privilegierung von Liverdun, und libertas villae heißt das Stadtrecht von Huy von 1066 — und doch welcher Unterschied der Position dieser Orte im Zeitpunkt der Privilegierung, welcher Unterschied der darauf folgenden Entwicklung.

Leon in Spanien ist eine Stadt. Die als Freiheiten erscheinenden Saarbrücken oder Elberfeld sind bedeutende Städte geworden, wenn auch erst in der Neuzeit. Blankenberg an der Sieg hingegen, 1245 vom Grafen Heinrich III. von Sayn zur Stadt erhoben, ist heute eine der kleinsten Titularstädte Deutschlands und bewahrt nur im Siedlungsbild einige Erinnerungen an seine städtische Zeit. Eine Stadtwirtschaft hat sich hier nie entwickeln können. Von vornherein war die fortifikatorische und administrative Funktion dieser Orte wichtiger als die wirtschaftliche Rolle. Viele Gründungen deutscher Landesherren waren Amtssitze der betreffenden Territorien und lebten im 19. Jahrhundert als Kreisstädte und Amtsstädte weiter. Jedes noch so kleine Territorium wollte schließlich „seine" Stadt oder ein paar „Städte" haben, aus Prestigegründen, aus Angst, daß ihm zuviel strebsame, unternehmungsfreudige Einwohner davonliefen in die Städte benachbarter Territorialherren. So entstanden viele Klein- und Zwergstädte. Manche waren tatsächlich de facto nur ummauerte Dörfer, andere weisen immerhin eine soziale Differenzierung und Einbindung in die städtische Verkehrs- und Marktwirtschaft auf, die es verbietet, sie mit dem überhaupt recht unglücklich formulierten Titel „Ackerbürgerstädte" zu belegen[126]. Es ist unmöglich, die Fülle der Erscheinungen auf diesem Gebiet der Stadtgeschichte hier zu schildern[127]. Die Erörterung dieses Phänomens hat uns bereits mit rechts- und verfassungsgeschichtlichen Fragen konfrontiert, denen wir uns nunmehr zuwenden müssen.

4. STADTHERRSCHAFT UND STADTGEMEINDE

Das 11. Jahrhundert ist nicht nur die Epoche der Renaissance des Handels, der entschiedenen Hinwendung zu einer arbeitsteiligen und marktorientierten Wirtschaft, sie ist auch eine Zeit, die in mächtigen, mitunter revolutionären Bewegungen Frieden und Freiheit herbeizuzwingen sucht. Des Friedens bedurfte in ganz besonderem Maß der Handel und der Markt, der reisende Kaufmann, der Messebesucher, der Bürger für Schatz und Warenlager in seinem Hause und in seiner Stadt. Nach Freiheit strebte die Kirche, die einen ersten Versuch machte, sich aus der frühmittelalterlichen Verstrickung in die Adelswelt zu lösen, nach Freiheit strebten die städtischen Bürgerschaften, aber auch die Bauern.

Das Frühmittelalter ist eine Zeit der Herrschaft. Der Wesensunterschied zwischen unserem modernen Staat mit seinen Apparaturen, unserer Gesellschaft mit ihren Zwängen und der herrenständischen Ordnung des Frühmittelalters, bei der Herrschaft persönlich wahrgenommen werden muß, in der Gegenseitigkeit der Verpflichtung von Herrscher und Beherrschtem wurzelt, der Selbsthilfe ein breiter Raum gelassen ist und mehrere Herrschaftsbereiche sich durchdringen, ist in den letzten Jahrzehnten so oft beredet worden, daß wir uns damit begnügen können, diesen Sachverhalt ins Gedächtnis zu rufen.

Dem Herrscher stehen damals nicht Einzelne, sondern vielmehr Gemeinschaften gegenüber — „Freilich nicht die Herrschaft allein ist es", sagt Schlesinger, „die im Mittelalter politische Ordnung hervorbringt und gestaltet. Nicht minder wirkungsmächtig steht neben ihr die Genossenschaft. Allen herrschaftlichen Ordnungen ist auch ein genossenschaftliches Element eigen, und man kann nicht sagen, die Herrschaft bringe die Genossenschaft erst hervor. Eigenberechtigt tritt sie vielmehr jener gegenüber, aus selbständiger Wurzel erwachsend."[128] So mannigfalltig wie die Formen der Herrschaft sind auch die der Genossenschaft. Wir untersuchen jetzt einen Sonderfall mittelalterlicher Herrschaft und Genossenschaft, nämlich Stadtherrschaft und die auf genossenschaftlicher Basis erwachsene Gemeinde. Sie sind aufeinander zugeordnet von Anfang an.

Wir sprechen zwar von einer stadtherrschaftlichen oder prae-
kommunalen Periode des mittelalterlichen Städtewesens und
meinen damit die Zeit, in der die herrschaftliche Komponente
die genossenschaftliche überwiegt. In vielen Städten führen
dann innere Auseinandersetzungen zwischen dem Stadtherrn
und der Stadtgemeinde zu stark ausgeprägter Selbständigkeit
oder sogar völliger Autonomie der Gemeinde, deren Organ an
die Stelle des Stadtherrn tritt und damit zur Obrigkeit, zur Herrschaft wird. Falsch ist die Auffassung, als ob es vor diesem
Machtkampf zwischen Stadtherrn und Bürgern keine gemeind-
liche Organisation gegeben habe, daß die Gemeinde sich erst
in diesem Kampf konstituierte.

Der Prozeß der Gemeindebildung ist in der Forschung sehr umstritten[129]. Die Vielfalt der Ursprungskräfte des Städtewesens,
der Pluralismus der Frühformen sollte schon davor warnen, nach
einer einzigen Wurzel der mittelalterlichen Stadtgemeinde zu
suchen. Sie ist eine eigenständige Schöpfung des Mittelalters,
etwas ganz Neues. Dem Fortbestand vieler antiker Stadtkörper
entspricht kein Vorgang der Institutionengeschichte. Mögen sich
Rudimente antiker Stadtverfassung in Italien erhalten haben,
stellt die bischöfliche Stadtherrschaft ein Bindeglied zwischen
Antike und Mittelalter dar, werden Rechtsgedanken der Antike
im Mittelalter wieder wirksam, so wird das doch alles in Formen
des mittelalterlichen Verfassungslebens restlos eingeschmolzen.
Die Untersuchung der Bausteine darf uns den Blick auf den Neubau nicht verstellen; denn die von den Historikern nachgewiesenen Einzelelemente erhalten in ihm oft eine ganz andere
Funktion. Wohl sehen wir mit gutem Grund im Stadtrecht nicht
mehr *das* Kriterium der mittelalterlichen Stadt schlechthin; die
ältere Forschergeneration, die das vielfach tat, bewies dadurch
trotzdem echtes Gespür für die Bedeutung des besonderen Stadtrechts gerade für die mittelalterliche Stadt. — Es liegt in der Natur der Sache, daß die Gemeindebildung in einem inneren Zusammenhang mit der Sozialstruktur einer Stadt oder Städtegruppe steht. So konstatieren wir Gemeinsamkeiten der Rechts-
und Verfassungsverhältnisse in Handelsplätzen des Nordwestens, die Planitz richtig beobachtete, aber zu Unrecht verallge-
meinerte.

Eine nordwesteuropäische Besonderheit ist die ältere Kaufleutegilde, wie sie uns die Quellen seit dem frühen 11. Jahrhundert
schildern. Alpert von Metz, ein Mönch des Utrechter Sprengels,

erzählt in seinem etwa 1020 verfaßten Werk[130] von der Gilde der Kaufleute zu Tiel, Erbin des untergegangenen Dorestad und nunmehr wichtigstem Handelsplatz zwischen England und dem Rheintal. Der fromme Mönch entrüstet sich darüber, daß die Tieler — sicher recht harte Leute — nicht nach dem Landrecht, sondern nach ihrer Willkür richten und behaupten, das sei ihnen vom Kaiser verbrieft; er begreift nicht, daß sie als Kaufleute unter Königsschutz nach dem besonderen Kaufleuterecht verfahren. Das gemeine Landrecht des Frühmittelalters war das Recht einer Agrargesellschaft; die besonderen Bedürfnisse des Kaufmanns waren darin nicht berücksichtigt. Das gilt vor allem für die Regelung von Schuldverhältnissen; auch hier kannte das mittelalterliche Prozeßrecht das Beweismittel des Gottesurteils, des Zweikampfes vor allem, eine höchst lästige Sache für einen Kaufmann, der oft in die Lage kam, eine Schuld beweisen oder abstreiten zu müssen. Vom Gottesurteil waren die Tieler befreit; sie reinigen sich bei Schuldklagen durch ihren Eid. Die Freiheitsurkunde für Huy von 1066 ersetzt ebenfalls den Zweikampf durch Eidesleistung[131]: der Einheimische kann sich mit 3 Eideshelfern von einer Schuld freischwören, der fremde Kaufmann, der in Huy wahrscheinlich so schnell keine Eideshelfer findet, durch Eineid und die rechtssymbolische Geste der exfestucatio. Die Gildestatuten von St. Omer von ca. 1100 betonen, daß man dem Gildegenossen, aber nur diesem, beistehe, wenn er zum Zweikampf gefordert wird. Um 1070 befreit Graf Philipp von Flandern die Bewohner von Grammont vom Zwang, sich einem Gottesurteil zu stellen. 1116 befreit Graf Balduin VII. von Flandern die Bürger (burgenses) von Ypern vom Gottesurteil des Zweikampfes, des glühenden Eisens und des Wassers; sie reinigen sich stattdessen durch den Eid mit vier Eideshelfern. — In Nordwesteuropa, in Flandern, der französischen Krondomäne und der Normandie, beginnt die staatliche Reform des mittelalterlichen Strafrechts, die zunächst einmal die Gottesurteile abschafft[132]. — 1127 erklärt Wilhelm Clito, Graf von Flandern, in der Stadtrechtsurkunde für St. Omer ausdrücklich, daß die Bürger von St. Omer auf jedem Marktort Flanderns (in omni mercato Flandriae) nur dem Urteil der Schöffen ohne Zweikampf unterworfen sein sollen, daß sie überhaupt vom Zweikampf völlig befreit seien. 1173 heißt es im Barbarossaprivileg für die flandrischen Kaufleute im deutschen Reich: Niemand fordere einen flandrischen Kaufmann zum Zweikampf. Wenn er etwas gegen ihn vorzubringen hat, so nehme er dessen Eid ohne Gefährde (vare) entgegen. Schließlich erlangen 1178 die Kaufleute von Verdun in einer Abmachung mit Kölner Bürgern die Zusage, daß sie in Köln vom Zweikampf und jeglichem Gottesurteil befreit sind. Dieser Grundsatz des Kaufmannsrechtes wird ein wichtiger Bestandteil vieler Stadtrechte. Zum Kaufmannsrecht gehören auch das Recht auf den Nachlaß — nach allgemeinem Recht gehört der Nachlaß eines Fremden dem Herrn —, die Befreiung vom Strandrecht, die Sicherheit vor Beschlagnahme des mit Waren beladenen Kaufmannsschiffes. — Wir kehren zur Tieler Gilde zurück: Alpert erzählt weiter, daß die Kaufleute in Tiel eine gemeinsame Kasse hatten, aus der sie zu bestimmten Zeiten festliche Gelage bestritten; sie dienten, sagt er, gewissermaßen feierlich der Trunkenheit. Das ist das Gildegelage, wo tüchtig gezecht wurde, wo man aber auch der verstorbenen Gildebrüder gedachte und wo ein festes Ritual galt. Das Gildegelage wird uns in den Statuten der Kaufleutegilde von St. Omer ausführlich geschildert; Ordnungsvorschriften sorgen für den friedlichen Verlauf; sie verbieten u. a., sich mit den Fäusten, Brot oder Steinen zu schlagen, „andere Waffen fehlen nämlich". Sie bestimmen aber auch, daß nach Beendigung des Gelages und Bereinigung aller Ausgaben der Rest in der Gildekasse zum gemeinen Nutzen (communi detur utilitati) gestiftet werde für die Straßen, Tore und die Befestigung der Stadt. — Für Köln ist uns eine Liste der neuaufgenommenen Gildegenossen ungefähr der Jahre von 1135—1170 erhalten[133]. Sie erlaubt ergänzende Beobachtungen. Die Zahl der Gildegenossen dürfte 200—300 betragen haben. Sie waren in der Regel zugleich Bürger und Bewohner der Rheinvorstadtgemeinde St. Martin. Außerstädtische Mitglieder der Kaufmannsgilde wie in englischen Städten gab es in Köln nicht. Die Gildegenossen waren Kaufleute im engeren Sinne des Wortes, Händler. Natürlich waren sie auch im gewinnbringenden Detailhandel tätig. Schon im 12. Jahrhundert haben die Tuch-, Eisen-, Salz- und Futterhändler ihre besonderen Stände im Kölner Marktgebiet, wobei die Tuchhändler die erste Stelle einnehmen. Die geringeren Kleinhändler, die Krämer, Hühner-, Schmerkäse- und Wollhändler gehörten der Gilde nicht an. 71 Prozent der neuen Gildegenossen sind nach Aussage der Herkunftsangaben der Liste aus Städten zugewandert, während aus den Schreinskarten des 12. Jahrhunderts nur 51 Prozent städtische Zuwanderer ermittelt wurden. Für eine Betätigung der Gilde auf allgemein kommunalem Gebiet gibt es keinen Hinweis. Die Gilde dürfte mindestens in das 11. Jahrhundert zurückreichen und bestand bis zur Mitte des 13. Jahrhunderts. Diese Kaufleutegilden des nordfranzösisch-flandrischen, niederländischen, englischen und niederdeutschen Raumes, die man nicht mit „Gilde" genannten Zünften verwechseln darf, sind ein starker Faktor im Stadtganzen. Ein in der Stadt führender Personenkreis vereinigt sich in ihnen zu unbedingter Hilfeleistung; für die Gildebrüder von St. Omer gilt neben der Hilfe im Prozeß das Einstandsrecht. Die Schleswiger haben den Mord am Aldermann ihrer Gilde, Knut Laward, Sohn König Erichs von Dänemark, blutig gerächt: Als der Vater des Mörders König Nikolaus am 25. VI. 1134 auf der Flucht vor Schleswig erschien, ließ man ihn, dessen Begleiter vergebens gewarnt hatten, ein — aber dann läuteten plötzlich alle Glocken, und vor dem Dom wurde der König mit seinem Gefolge niedergemacht. Aber selbst wenn wir Forschungs- und Überlieferungslücken einkalkulieren, bleibt es dabei, daß auch im nordeuropäischen Verbreitungsgebiet der Gilde viele Städte nie eine derartige Kaufmannsgilde besaßen; sie war nur in bedeutenden Handelsplätzen möglich. Vor allem: die Gilde war und blieb ein exklusiver Personalverband; sie umfaßte stets nur eine beschränkte Anzahl der Stadtbewohner. Weder das Kaufmannsrecht noch das Gilderecht sind bezirksbezogen. „Es hieße die zusammenschließende und prägende Kraft der Beheimatung eines menschlichen Verbandes verkennen, wollte man über dem gemeinsamen Merkmal der Zugehörigkeit einer Mehrzahl von Menschen die tiefe Verschiedenheit von rein personalen und raumbezogenen Verbänden vergessen", so beurteilt Kroeschell das Verhältnis von Gilde und Gemeinde. Die Gilde besaß keine Zwangsgewalt gegenüber Ungenossen. Die Gildestatuten von St. Omer stellen nachdrücklich fest, daß der in St. Omer ansässige Kaufmann, der ihrer Gilde nicht beitritt, ihres Beistandes entbehren muß; nur in dieser Form können sie auf seinen Beitritt hinwirken. In der Organisation der Stadtgemeinde hat die Gilde keine dauernden Spuren hinterlassen; sie ist kein Aufbauelement der Stadtgemeinde, wohl prägt sich in ihr die Kraft der Genossenschaftsidee aus, die bewirkt, daß die Stadtbewohner in verschiedener Weise genossenschaftlich zusammengefaßt waren; das verstärkte auch ihre Position gegenüber dem Stadtherrn.

In den niederfränkischen Städten vertritt die Gilde keineswegs allein die genossenschaftliche Komponente. In den Städten an Rhein, Maas und Mosel stellt das Schöffenkolleg, also ein Organ der Gerichtsverfassung, die älteste Gerichts- und Verwaltungsbehörde dar. Nach Westen wie nach Osten nimmt die Bedeutung der Schöffen allmählich ab, im Norden, in Schleswig etwa, fehlen sie ganz, wie sie auch in niederdeutschen Gründungsstädten nicht die Funktion einer städtischen Verwaltungsbehörde vor Ausbildung der Ratsverfassung haben. In Köln wird noch im Schiedsspruch zwischen der Stadt und dem Erzbischof Konrad von Hochstaden von 1258 ausdrücklich festgestellt, daß die Kölner Schöffen eidlich verpflichtet seien, das Recht der Kirche und der Stadt Köln zu wahren und daß nach ihrem Ratschluß mit Zustimmung des Erzbischofs seit alters die Stadt geleitet werde (gubernari). Die Schöffen werden also vom Stadtherrn ernannt und in Pflicht genommen; ihre Rechtsprechung erstreckt sich zunächst oft über einen Stadt und Land umfassenden Bezirk. Sobald das Stadtgebiet aus dem größeren Gerichtsbezirk eximiert wird — eine Entwicklung, die im 10. Jahrhundert beginnt, aber auch erst sehr viel später eintreten kann —, sobald die Gerichtsschöffen aus den Bürgern oder schließlich sogar durch die Bürger gewählt werden, entwickeln sie sich zu einem städtischen Organ. Insofern ist die fränkische Gerichtsverfassung eine Komponente der mittelalterlichen städtischen Verfassung, sie bedurfte aber der Umformung. Sollte das Schöffenkolleg den Anforderungen einer städtischen Rechtsprechung und Verwaltung entsprechen, mußte es mit Männern besetzt sein, die etwas vom städtischen Rechts- und Wirtschaftsleben verstanden. So erfahren wir gelegentlich aus den nicht immer mitteilsamen Quellen, daß städtische Schöffen Kaufmannschaft treiben. Als weiteres Element der Gerichtsverfassung tritt uns in vielen Städten das alte ungebotene Ding entgegen: im Augsburger, Regensburger, Ulmer Stadtrecht. Es ist belegt für Worms, Boppard, Koblenz, Bonn, Siegburg, Köln, Neuß, Trier, Metz, Toul, Verdun und Dinant. Diese ungebotenen Dinge werden mitunter — bei stark geschrumpfter Zuständigkeit — bis zur Französischen Revolution gehalten. Im niederdeutschen Raum wird das alte Echteding vielfach zugleich „Bursprake"[134], d. h. eine Versammlung der Gemeindemitglieder zur Besprechung ihrer Gemeindeangelegenheiten. Diese Form findet sich „von Utrecht bis Dorpat". Über den Rhein greifen diese Bursprachen nicht hinaus. In Süddeutschland versammelt sich vielerorts die Bürgerschaft am Schwörtag bei der Ratsumsetzung[135]. Daneben steht fast in allen Städten die Bürgerschaftsversammlung, die ohne institutionelle Verankerung und Ausformung bei außergewöhnlichen Gelegenheiten einberufen wird und handelt.

Ein nicht weiter ableitbares Urphänomen jeglicher ländlicher wie städtischer Gemeindebildung ist die Nachbarschaft, d. h. der Zusammenschluß der Nachbarn, der Geburen, der vicini. Sie ist in ganz Europa — in Köln und Soest wie in Genua — eine Grundlage der Sondergemeinden bzw. Sonderbezirke innerhalb der Stadt. Die innere Einteilung der Stadt wurzelt häufig sehr stark in der Landschaft; hier ergeben sich am ehesten die vor allem von deutschen Forschern immer wieder behaupteten Zusammenhänge zwischen städtischer und ländlicher Gemeinde. Steinbachs Deutung der Landgemeinden im fränkischen Raum wie der Kölner Stadtgemeinde und der Kölner Sondergemeinden als „Genossenschaften uralten Rechts, Glieder der Landesgemeinde" trägt stark hypothetischen Charakter; sie ist belastet durch gewagte Rückschlüsse aus jüngeren auf ältere Zustände und durch eine die Bedeutung der herrschaftlichen Strukturen verkennende Auffassung der spätgermanischen, altfränkischen Verhältnisse. Das kann in diesem Zusammenhang nicht ausdiskutiert werden.

Einen wesentlichen Gesichtspunkt hat Kroeschell in die Debatte eingebracht, der vor allem für die Erklärung der Raumbezogenheit der Gemeinde wichtig ist: er weist auf die Parallelitäten zwischen Gründungsstädten und Rodungsdörfern hin, auf die Bedeutung des Siedlungsaktes, auf die Strukturgleichheit ländlicher und städtischer Erbleihe; er spricht von der Landnahme, der „gemeinsamen Siedlung gleichberechtigter Genossen" als einem „Urvorgang der Rechtsbildung". Er proklamiert einen eigenständigen Beitrag der „Gründung" in der Stadtrechtssphäre. Gründung sei mehr als eine rational gestaltete Imitation der gewachsenen Stadt. In den von ihm untersuchten westfälischen Wikbolden sieht er „Formen freier Siedlung, die sich nicht in den Stadt-Land-Gegensatz hineinpressen lassen". Damit hat er recht; die deutschen Freiheiten und Täler, die villes neuves usw. wurden immer schon als rechtliche Zwischenglieder zwischen Stadt und Dorf, als „Stadtrechtsorte" aufgefaßt und wohl nie als kaufmännische Schöpfungen erklärt. Da die großen alten Städte oft durch Einbeziehung von Vororten wachsen, die durch

Ansiedlung auf herrschaftlichem Boden zu freier Leihe entstanden sind, haben Kroeschells Gedankengänge auch für sie Bedeutung, und der Siedlungsakt als solcher ist da — zum mindesten für einen Teil der Stadt — als gemeindebildender Faktor anzusehen. Auf die Bedeutung kolonisatorischer Vorgänge für die Freiheitszusagen von Person und Eigentum hatte R. von Keller an Hand süd- und westeuropäischen Materials schon hingewiesen[136]. Es ist ein Verdienst Kroeschells, mit mitteleuropäischem Material diesen Gesichtspunkt wieder ins Licht gerückt zu haben; mit den Wikbolden hat er einen regionalen Typ vor uns hingestellt, der es verdiente, einmal herausgearbeitet zu werden. Er leistete mit seinem grundsätzlichen Widerspruch eine wesentliche Ergänzung zu dem einseitigen Bild, das Planitz von der Stadtgemeinde als Eidgenossenschaft entworfen hatte. Er hat allerdings sein Modell überschätzt. Die wohlbegründete Ansicht von der Bedeutung des Fernkaufmanns für die Entwicklung der Stadt und ihrer Verfassung war von den westfälischen Wikbolden aus nicht zu erschüttern. Daß man Münster nicht hier einreihen kann, hat die westfälische Forschung dargetan. „Die komplizierten und raffinierten Rechtssätze des Münsterschen Kaufmannsrechtes konnte nur der geschulte, welterfahrene und weltbefahrene Kaufmann ausdenken, eben der, auf den Planitz sein System fußen läßt" (Engel). Kroeschell stellt gar nicht die Frage, wieviel von den lebensnotwendigen Funktionen der Stadt das Weichbildrecht regelte. Letzten Endes verfällt er in den gleichen Fehler wie Planitz, die Differenziertheit der Stadt im Mittelalter zu verkennen, der nur eine typologisierende Betrachtung gerecht zu werden vermag.

Die Gemeindebildung beim Gründungsakt vollzieht sich in einem Zusammenwirken von Herr und Siedlern; Marktsiedlungen entstehen vielfach so. Wie steht es mit der Bedeutung des Marktes für Stadtrecht und Stadtgemeinde? Das Marktrecht als ius fori, in seiner ausgereiften Form, war — wie Schlesinger betont[137] — Ortsrecht. Er sieht — vor allem am Beispiel Halberstadts und im Anschluß an die topographischen Forschungen Stoobs über niedersächsische Städte — im Stadtrecht eine Verschmelzung von Kaufmannsrecht und Marktrecht; dem kann man zustimmen, auch wenn man die fließenden Übergänge und Überschneidungen von Kaufmannsniederlassung und Marktsiedlung stärker betonen möchte als Schlesinger.

Aus dieser Vielzahl einheimischer Rechtsformen und Rechtsgedanken, unter Verwendung altüberkommener Institutionen erwuchs in den deutschen Städten ein besonderes materielles Recht und eine eigene Verfassungsstruktur — in stadtherrlicher Zeit. Zwei Gesichtspunkte müssen wir noch berücksichtigen: 1. Sind nicht auch Fernbeziehungen feststellbar, Einwirkungen aus anderen europäischen Bereichen? 2. Wie, wann, wo und von welchen Kräften getrieben kommt es zum Durchbruch der genossenschaftlichen Kräfte gegenüber der Stadtherrschaft? Die Stadtgemeindebildung ist kein rein rechtsgeschichtlicher Prozeß, sondern ein in das politische Geschehen und die geistigen Strömungen der Zeit eng verwobener verfassungsgeschichtlicher Vorgang. Das 11. Jahrhundert brachte eine große Unruhe in die Städte, schon allein durch die zunehmende Einwanderung, den Zustrom von Hörigen ungesicherter Rechtslage, dann die Friedens- und Freiheitsbewegung und die auch die breiten Massen aufwühlenden Diskussionen der kirchlichen Reformen, des Ketzertums, des Investiturstreits.

Seit den letzten Jahren des 10. Jahrhunderts tritt die Friedensbewegung in Erscheinung, und zwar in Südwestfrankreich, in Aquitanien, wo die Zentralgewalt besonders schwach, die Anarchie besonders groß war. Sie hat sich in mannigfachen Formen institutionalisiert, die ineinander übergehen. Die mittelalterliche Terminologie ist unscharf. Die Initiative für die ältesten Friedensvereinbarungen — pax Dei, Gottesfriede heißt es später — lag bei kirchlichen Stellen, den Bischöfen besonders; man bediente sich kirchlicher Strafen. Die Bewegung kam den unteren Volksschichten zugute. Seit dem Konzil von Charroux ca. 989 sind ihre Ziele die Beschützung der Kirche und der Schwachen und die Verfolgung der Gewalttäter. Im 11. Jahrhundert erhält sie neuen Auftrieb durch die Treuga Dei, die außerdem Waffenruhe während festgelegter Zeiten vorschreibt. Die Bekräftigung der Friedensvorschriften durch Eid wird 975 für die Versammlung auf der Wiese von St. Germanus bei Le Puy ausdrücklich erwähnt. Zu den Personenkreisen, die durch diese Friedensvereinbarungen geschützt werden, gehören die Kaufleute. Es ist schwer abzuwägen, wieweit die Bewegung wirklich genützt hat. Die Fehden der Großen hören im ganzen 11. Jahrhundert nicht auf, aber wir wissen nicht, wie viele Fehden verhütet wurden. Vor allem aber wurde diese Bewegung, die gegen die potentes zugunsten der inermes pauperes gerichtet war, auch von der breiten Masse der pauperes getragen. In Frankreich entwickeln sich die diözesanen und die städtischen Schwurgenossenschaften nebeneinander[138]. Die Bewegung entwächst allerdings sehr stark den kirchlichen Gewalten, und in den Städten ist sie eine Laienbewegung, die sich oft gegen den bischöflichen Stadtherrn wendet. Nach Deutschland greift sie relativ spät über. Erst um 1082 wird ein Gottesfriede in Lüttich verkündet. Von hier aus erreicht diese große Bewegung Köln. 1083 beschließt eine Kölner Synode unter Erzbischof Sigewin den Gottesfrieden. Dieser Friede wird 2 Jahre später auf einer Mainzer Synode des kaiserlichen Episkopats für das gesamte Reich verbindlich erklärt. 1103 verkündet der deutsche Kaiser einen Reichsfrieden auf vier Jahre, einen Frieden „für die Kirchen, Kleriker, Mönche, Laien, Kaufleute, Frauen ...". Die deutsche Verspätung mag mit der größeren Sicherheit unter den Ottonen zusammenhängen. Daß mittlerweile besondere Maßnahmen nötig geworden waren, zeigt schlaglichtartig das Hofrecht Bischof Burchards von Worms 1023/25, in dem von „fast täglichen Totschlagsdelikten" die Rede ist, bei denen „in tierischer Art, wegen nichts oder in der Trunkenheit oder aus Übermut" blutiger Streit entsteht, so daß im Lauf eines Jahres in Worms 35 Personen auf diese Weise umkamen. Wohlgemerkt: die Gottesfrieden- und Landfriedenbewegung gehört dem staatlichen Bereich an, hier liegt ihre Bedeutung; sie trägt wesentlich bei zur Umformung des allgemeinen Strafrechts. Sie ist klar zu trennen von der städtischen Eidgenossenschaft, aber im Ziel — der Friedenssicherung — und im Mittel — dem durch Eidschwur bekräftigten gemeinsamen Handeln — ihr verwandt.

Diese Mehrgleisigkeit einer kirchlich-staatlich-städtischen Bewegung zeigt auch das Ringen um die Freiheit. In Frankreich wird im 11. Jahrhundert das Verhältnis von Geistlichem und Weltlichem neu durchdacht, die Laiengewalt aus dem Klosterbereich, dem geistlichen Bereich hinauszudrängen versucht, verlangt eine vertiefte Religiosität — Reform und Haeresie liegen dabei gefährlich eng beieinander —, mit dem armen Christus arm zu sein; Frankreich ist die Heimat der Reformklöster Cluny und Fontevrault, der Reformorden des 11. Jahrhunderts, der Karthäuser, Zisterzienser, Prämonstratenser. In Frankreich, wo die kirchenpolitischen Verhältnisse nicht durch die Tradition einer Reichskirchenpolitik und die Problematik der deutschen Italienpolitik belastet waren, mußten auch der kirchliche Charakter und das ursprünglich mehr religiöse als politische Anliegen des Investiturverbots stärker und deutlicher hervortreten als in Deutschland und Italien.

In Deutschland kommt es zum Investiturstreit, zum politischen Kampf, der die Reichskirche spaltet und im Endeffekt ihre Machtstellung zugunsten der Laienfürsten schmälert. Die städtischen Bürgerschaften engagieren sich in diesem Kampf; sie ergreifen Partei, sie stellen den Parteien Bedingungen; breite Massen machen sich die Reformforderungen zu eigen, und es kommt zu Bewegungen gegen Simonie und den strengeren Vorstellungen nicht mehr entsprechende Lebensführung der Geistlichen. Rheinische Städte sind der Schauplatz entscheidender Höhepunkte des Kampfes zwischen Kaiser und Papst: In Worms wird die Absetzung Gregors VII. ausgesprochen — 24 von 38 deutschen Bischöfen waren der Einladung Heinrichs IV. gefolgt —, in Utrecht spricht am Ostersonntag 1076 Bischof Wilhelm das Anathem über den Papst aus. Während Utrecht bis 1112 eine sichere Bastion des Reiches bleibt, kommt es in der Reichsstadt Cambrai zu einem bischöflichen Schisma, einem politischen gegen das Reich gerichteten Vordringen Flanderns und bürgerlichen Unruhen. Die erste Schwurvereinigung der Bürger war 1077 gewaltsam aufgelöst worden. Als aber 1102 während des bischöflichen Schismas in der Stadt der papsttreue Graf Robert von Flandern in Cambraier Gebiet einfällt, muß der kaisertreue Bischof in seiner Not die Kommune der Bürger anerkennen. Der Feldzug Heinrichs IV. im Jahr 1103 führt dazu, daß Graf Robert in Lüttich in feierlicher Reichsversammlung gelobt, den vom Kaiser ernannten Bischof von Cambrai zu unterstützen. Die Kommune wird allerdings bei der neuen kaiserlichen Expedition des Jahres 1107 gegen Flandern auf Betreiben des königstreuen Bischofs wieder abgeschafft. 1122 wird die Herrschaft über Cambrai vom Kaiser Graf Karl dem Guten von Flandern übertragen zur Freude der Bürgerschaft, weil Karl „von allem Raubgesindel gefürchtet wurde wie Donner und Blitz". Im 12. Jahrhundert erlebt die Kommune von Cambrai ihre Blütezeit. — Im übrigen bleibt Niederlotharingien kaisertreu. Bischof Otbert von Lüttich nimmt den von seinem Sohn bedrängten Heinrich IV. auf, der von hier aus den Widerstand organisiert. Unterstützt von einem Kontingent der Lütticher Bürger kann er Heinrich V. zurückweisen, als er bei Visé die Maas überschreiten will.

In Köln war 1074 der von den Kaufleuten geführte Aufstand gegen Erzbischof Anno — die Beschlagnahme eines Kaufmannsschiffes für den Erzbischof war sein äußerer Anlaß, und der Erzbischof selbst entging nur mit knapper Not der erregten Menge — blutig niedergeschlagen worden. Als Annos vierter Nachfolger Friedrich, den die Gunst des Kaisers nach Köln gebracht hatte, sich 1106 dessen Sohn zuwandte, nahm die Stadt — nach dem Sieg Heinrichs IV. bei Visé — eine andere Haltung ein, sie stellte sich auf die Seite des alten Kaisers, verjagte den Erzbischof aus Köln und verstärkte und erweiterte die Stadtbefestigung. Die Stadt trieb eigene Politik, bald mit, bald gegen ihren Stadtherrn. Am großen niederrheinischen Aufstand des Jahres 1114 gegen Heinrich V. nahm die Stadt an der Seite ihres Stadtherrn teil; vielleicht diente seiner Vorbereitung die „Verschwörung für die Freiheit", die 1112 in Köln zustande kam. Unter Friedrich I. schuf sich Köln sein ältestes Stadtsiegel, eines der ältesten Stadtsiegel Deutschlands überhaupt[139]. 1149 und 1178 schloß die Stadt Köln mit Trier bzw. Verdun zweiseitige Verträge selbständig ab; dennoch bestand die erzbischöfliche Stadtherrschaft de facto bis 1288, de iure noch länger. 1119 kam es auch in Lüttich zu einem Schisma, wobei die Ministerialen der Lütticher Kirche und die Lütticher Bürger verschiedene Positionen bezogen. Als es in Utrecht 1122 beim Aufenthalt des Kaisers am Pfingstfest (14. V.) zu einer coniuratio der bischöflichen Ministerialen gegen den Kaiser kam und der Bischof als maiestatis reus gefangengesetzt wurde, zeigte sich, daß in der Bürgerschaft eine starke kaiserliche Partei bestand; der Kaiser bestätigt am 2. Juni den Einwohnern von Utrecht und Muiden eine Urkunde Bischof Godebalds unter der Bedingung, daß sie ihm den Treueid halten. Dabei wurde auch allen denen, welche die Stadt Utrecht mit einem Wall befestigen wollen, Zollfreiheit für ihre Handelsgeschäfte in dieser Stadt versprochen. In Oberlothringen war Trier kaisertreu, während die Bischöfe von Metz, Toul und Verdun keine einheitliche Politik verfolgten. Auch hier traten die Städte Metz und Verdun gegen ihre bischöflichen Stadtherrn für die kaiserlichen Interessen ein; der 1118 zum Metzer Bischof gewählte Gregorianer Theotger, Abt von St. Georgen im Schwarzwald, konnte wegen des starken Widerstands der Bevölkerung sein Bistum gar nicht in Besitz nehmen und starb in Cluny, und Heinrich von Winchester, eine der Kreaturen Heinrichs V., der aber zum Papst überging, konnte sich seiner Bischofstadt Verdun nur mit Gewalt bemächtigen. Umgekehrt zwang die Mainzer Stadtbevölkerung 1115 Heinrich V., ihren Erzbischof Adalbert freizulassen. Als der Erzbischof 1119/20 der Einwohnerschaft von Mainz Befreiung vom auswärtigen Gericht und von Abgaben gewährte, nannte er ausdrücklich die cives unter denen, die beim Kaiser für ihn eintraten und ihn, den halbtot aus dem Kerker Entlassenen, „wie getreue Söhne den Vater" aufnahmen.

Die städtischen Bürgerschaften waren ein politischer Faktor geworden.

Aber war das schon eine einheitliche, freie, nach gleichem Recht lebende Bürgerschaft? Im 10. und 11. Jahrhundert mitnichten. Die Stadtbewohnerschaft war ständisch gemischt und gehörte verschiedenen Rechtskreisen an. Die Gruppe der Gildekaufleute mit den oft von weither Zugewanderten ist uns bekannt. Kaufleute zählen zu der Oberschicht, die uns als optimi, prudentiores, meliores u. ä. um 1100 in großen wie kleinen Städten entgegentritt. Aber zu ihr gehören auch stadtherrliche oder sonstige Dienstmannen, Ministerialen. Sie sind besonders zahlreich und einflußreich in bischöflichen und königlichen Städten. Es ist keineswegs so, daß sie immer auf seiten des Stadtherrn stehen. Sie entwickeln ein eigenes Gruppenbewußtsein, das sie in scharfen Gegensatz zu ihrem Herrn bringen kann; ein eindrucksvolles Zeugnis dafür ist die Verschwörung (fortissima coniuratio) der Utrechter Ministerialen gegen ihren Bischof im Jahr 1159. Das Verhältnis Ministerialität und Bürgertum[140] wird gerade wieder heftig diskutiert. Herkunftsmäßig stammt ein erheblicher Prozentsatz der führenden Leute aus der Ministerialität. Letzthin entscheidend ist, was aus ihnen wird, ob sich ein Stadtadel entwickelt, wie in süddeutschen Städten, ob der kommerzielle Geist sich so durchsetzt, daß man wie in Köln im 12. Jahrhundert Ministerialität und Bürgertum kaum unterscheiden kann. — Zu den mittleren Schichten gehören in den Städten viele Zensualen, gehobene Unfreie; darunter stehen die Hörigen, die oft noch Bindungen an ihre Herren bewahren, so daß auswärtige Rechtsgemeinschaften in die Städte hineinragen; oder aber die weggelaufenen Hörigen wollen sich diesen Bindungen entziehen, was zu Reaktionen der Herren führt, die den Stadtfrieden gefährden. Die Verhältnisse sind keineswegs statisch, sondern sehr mobil. Ein starkes Streben nach sozialem

Aufstieg kennzeichnet im 11. und 12. Jahrhundert die Gesellschaft. So sind ja die Ministerialen überwiegend aus der Unfreiheit aufgestiegen. Äußere wirtschaftliche und politische Stellung, Reichtum und Einfluß entsprechen oft nicht mehr dem volksrechtlichen Status einer Person; es kommt zu wahren Tragödien, zu Prozessen, zum Bürgerkrieg wegen der bestrittenen Freiheit einer maßgebenden Persönlichkeit. In der Stadt setzt sich der berühmte Grundsatz durch: „Stadtluft macht frei", natürlich in mannigfachen Variationen und mit Ausnahmen. Die aus dem Anfang des 12. Jahrhunderts stammende Charte von Lorris Art. 18 bringt schon den Satz in der klassischen Ausprägung: Wer binnen Jahr und Tag unangefochten in der Stadt wohnt, kann weiter frei und ungestört darin bleiben. Flandrische, englische, deutsche Stadtrechte des 12. Jahrhunderts kennen den Satz[141]. Aber wie ist dieses Resultat zustandegekommen, das alte Herrenrechte annullierte? Im nordwesteuropäischen Bereich treffen wir die ersten Lösungsversuche an in den Maasstädten Dinant und Huy. In Dinant wird das Problem der Zuwanderer durch den gräflichen Stadtherrn in der Weise gelöst, daß jeder Zuwanderer — mit Ausnahme der Hintersassen dreier genannter Grundherrschaften — dem Grafen unterstehen soll; der alte Grundsatz, daß Luft eigen macht, dient hier zur rechtlichen Vereinheitlichung der Bürger. Aber man wollte mehr, nämlich die Freiheit in der Einheit. Die burgenses von Huy erkaufen 1066 von ihrem Stadtherrn, dem Bischof von Lüttich, durch eine beträchtliche Vermögensabgabe die Freiheit ihrer Stadt (libertas ville). Das — schlecht überlieferte — Privileg ist die älteste bekanntgewordene Stadtrechtsurkunde diesseits der Alpen. Es regelt drei große Fragenkomplexe: das Recht der Schuldverhältnisse nach Kaufmannsrecht, wie schon dargelegt wurde, das Recht der Neuhinzuziehenden und das Ortsrecht. Der Satz „Stadtluft macht frei" wird noch nicht konzipiert. Der zuwandernde Unfreie bleibt auch in der villa Huy unfrei, im Dienst seines Herrn. Aber die Beweislast der Unfreiheit fällt dem Herrn zu, der prozessuale Beweis der Unfreiheit war aber eine langwierige Sache; die Herausgabe eines Unfreien ist außerdem nur einem gerechten Herrn gegenüber Pflicht. Der Unfreie, der von seinem Herrn mit ungewöhnlichen Diensten geplagt wurde, bleibt unbehelligt. Der Ort Huy wird mit einem weitgehenden Asylrecht ausgestattet. Wer einen Totschlag außerhalb der städtischen Bannmeile begangen hat und die Stadt erreichen kann, hat in ihr Frieden, solange er sich nicht weigert, sich vor Gericht zu verantworten; er ist damit der Privatrache entzogen. Wer einem andern eine offene Wunde schlägt und rechtzeitig in sein Haus flieht, der soll in seinem Hause Frieden haben, bis er vor das Landgericht geladen wird. Das sind Rechtsvorstellungen, wie sie früher schon in den burgi und salvitates des südwestfranzösischen Raumes auftauchen. Daß diese Libertasbewegung ebenso wie die Worte burgus und burgenses aus Südwestfrankreich zur Maas vorstießen, scheint mir sicher. Solche Freiheitszusagen haben zweifellos oft einen Bezug zu kolonisatorischen Vorgängen, sind Neusiedlerrecht. Man wird fragen, ob die spanischen poblaciones am Beginn dieser Rechtsentwicklung stehen. Vor Jahren habe ich schon in diesem Zusammenhang auf das Privileg von 986 für Cardona hingewiesen, das jedem, auch dem Übeltäter, die Freiheit zusichert[142]. Von Süd- und Südwestfrankreich nach Mitteleuropa vordringende Kulturströmungen sind mehrfach belegt, ebenso wie mittelalterliche Kulturbeziehungen zwischen Südfrankreich und Spanien. Aber die genaue Einzeluntersuchung ist hier noch zu leisten, und auch hier ist die an Kroeschell gerichtete Frage zu stellen, wieweit die kleinen Siedlungen und ihr Status Modell sein konnten für die großen gewachsenen Städte. Die Gemeindebildung rein als solche konnte die notwendige Raumbezogenheit, den gefreiten Bezirk der Siedler bzw. Einwohner aus diesem Vorbild gewinnen; die weitere Entwicklung der Verfassung mußte je nach Größe, politischer und wirtschaftlicher Bedeutung, sozialer Struktur der Siedlung variieren. Die eigentliche rechtsschöpferische Leistung des Bürgertums setzte erst ein[143], wenn die Freiheit von Person und Eigentum gesichert war. Mobilität des Rechts, d. h. Überwiegen des „gewillkürten", also gesetzten, vereinbarten Rechts über das alte überkommene Recht, Rechenhaftigkeit und Rationalität kennzeichnen dem kaufmännischen Geist entsprechend das Stadtrecht. Die überstarke Formbedingtheit des alten Rechts, die „vare", wird in den Stadtrechten des 12. Jahrhunderts bereits beseitigt. — Neben der stadtbürgerlichen Freiheit, die zunächst nur dem geschworenen Bürger zukommt, nicht den Tagelöhnern, Mägden, Knechten, Gesellen, verwirklicht die Stadt weitgehende Gleichheit vor dem Gericht und im Rechtswesen; eine Gleichheit in der Ausübung der politischen Rechte fehlt meist. Die Städte suchen aber ihre Bürger davor zu schützen, vor ein fremdes Landgericht gestellt zu werden. An die Stelle standesrechtlicher

Unterschiede rückt die Differenzierung zwischen reich und arm, an die Stelle der Bedrückung durch die Stadtherren die Bedrückung durch das eigene Patriziat: 1258 wird in Köln Klage geführt, daß die reichen und mächtigen Bürger die ohnmächtigen Volksschichten zu ihren Muntleuten machten und es dadurch zu Rechtsbeugungen käme. Auch der Gegensatz zwischen Einheimischen und Fremden — Gästen — tritt stärker in den Vordergrund. Der zwischenstädtische Handelsverkehr führt zur Einsetzung besonderer Gastgerichte mit beschleunigtem Verfahren. Vielfach ist der Gast benachteiligt durch Stapel- und Niederlagsrecht oder durch das Verbot des Verkehrs von Gast zu Gast. Aufs Ganze gesehen umschloß die Stadtmauer im späteren Mittelalter einen rechtlich einheitlichen, einfach und klar konstruierten Bereich. Die Rechtsgleichheit und Rechtseinheit wird erweitert durch die Übertragung des Rechts einer sog. Mutterstadt auf einen Kreis von Tochterrechtsstädten, die aber nicht schematisch durchgeführt wird. Um die Mitte des 12. Jahrhunderts können wir an der Maas bereits zwei Stadtrechtskreise unterscheiden: nach dem Recht von Namur und nach dem Recht von Lüttich entsprechend den Machtgebieten der Stadtherren. In der 2. Hälfte des 12. Jahrhunderts begegnen schon viele Gründungen nach Magdeburger Recht. 1188/89 wird die Neustadt von Hamburg nach lübischem Recht gegründet, anfangs des 13. Jahrhunderts wird Speyrer Recht weiterverliehen. — Die Stadtrechtsfamilie ist eine gemeineuropäische Erscheinung; in Spanien z. B. ist Jaca eine solche Mutterstadt, in England Oxford, das seinerseits wieder von London abhängt.

In den Städten entfaltet sich seit dem 12. Jahrhundert die Kraft der politisch engagierten, kaufmännisch bestimmten Bürgerschaften in den Schwurverbänden. Was sie für die Ausbildung der Stadtgemeinde zu leisten vermochten, lehrt uns der nordfranzösisch-flandrische Raum besser als der rhein-moselländische, wo die Wucht der Bewegung durch kaiserliche Verbote gehemmt wird wie u. a. in Trier, die Quellenlage allzu dürftig ist wie in Köln oder mehrdeutig wie in Freiburg i. Br.[144]. In Flandern erfolgt der Durchbruch zur Autonomie auf dem Weg der Eidgenossenschaft sämtlicher Bürger unter Führung der Gildekaufleute[145]. Eine besondere politische Situation, der Streit um die Nachfolge des 1127 ermordeten kinderlosen Grafen Karls des Guten, gab den Anlaß, daß sich die reichen Bürger, die cives meliores der flandrischen Städte eidlich zu gemeinsamem Vorgehen in der Frage der Nachfolge verbanden. Das Vertrauen und die Freundschaft der Bürger zueinander war so groß, daß sie nur gemeinsam handeln wollten (nam ex civitatibus Flandriae et castris burgensis stabant in eadem securitate et amicitia ad invicem, ut nihil in electione nisi communiter consentirent aut contradicerent), so der gräfliche Notar Galbert von Brügge, der uns aus unmittelbarem Miterleben mit scharfem Tatsachensinn einen Bericht über diese Ereignisse gegeben hat, in dem die „Frühreife", die das öffentliche Leben Flanderns in diesem Augenblick erreichte, ihren adaequaten Ausdruck fand. Der zunächst erfolgreiche Prätendent Wilhelm von der Normandie macht den durch ihre Eintracht starken Städten bedeutende Zugeständnisse. Er verleiht mehreren Städten große Privilegien; im Original erhalten ist das für St. Omer, das viele Vergünstigungen gewährt und vor allem die Schwurgenossenschaft der Bürger anerkennt. Dem Schwurverband von St. Omer war der von Aire an der Leie vorausgegangen, den Graf Robert um 1100 anerkannte. Wie stark die eidgenossenschaftliche Bewegung St. Omer ergriffen hatte, zeigte sich 1164, als die Stadt sich eine weitere Handfeste geben ließ, die allerdings nie Rechtskraft erlangte, aber wie Ganshof sagt, das Wunschbild der Bürger spiegelt. In ihr spielt die communio, die Eidgenossenschaft, die entscheidende Rolle: von ihr allein, offenbar ohne Mitwirkung des Grafen bestellte Geschworene, iurati communionis, treten als ihre Vertreter und als Mitglieder eines dem Schöffengericht fremden Stadtgerichts auf. Das entspräche einer Kommune nordfranzösischer Art. In Tournai und Compiègne verwalten maior und iurati allein die Städte; in St. Quentin, Laon, Chauny, Corbie, Roye, Bray s. Somme, Péronne, Athis müssen sich die iurati mit einem bestehenden Schöffenkolleg arrangieren. In Flandern hat sich die rein eidgenossenschaftliche Verfassung nicht durchgesetzt; nicht die Geschworenenausschüsse, sondern die Schöffen werden die Regierer der Städte. Auch die von Wilhelm Clito im „cartula conventionis" genannten Privileg für Brügge den Bürgern erteilte Kompetenz, in eigener Gesetzgebung das Recht der Stadt abzuändern und neuen Verhältnissen anzupassen (comes superaddidit eis [civibus] ut potestative et licenter consuetudinarias leges suas de die in diem corrigerent et in melius commutarent secundum qualitatem temporis et loci) bleibt unter den tatkräftigen Grafen aus dem Hause Elsaß nicht bestehen. Aber die Selbstverwaltung der Städte wird in weitem Maß gewahrt, und sie haben Anteil daran, daß sich in Flandern früh ein modernes Recht und ein moderner Staat entwickeln kann. Wie sehr sich die städtischen Bürgerschaften für die terra Flandriae verantwortlich fühlen, geht aus Galberts Darstellung klar hervor. Ein solches auch die Verhältnisse außerhalb der eigenen Mauern einbeziehendes Verantwortungsbewußtsein äußert sich bei den rheinischen Städten erst 1254.

In ihren Anfängen trägt die kommunale Bewegung gerade auch in Frankreich revolutionären Charakter: „Facta itaque conspiratione, quam communionem vocabant", heißt es in den „Actus pontificum Cenomannis in urbe degentium" von der Kommune von Le Mans im Jahre 1070, mit der die schriftlichen Zeugnisse solcher Ereignisse einsetzen; sie ist zwar bürgerlichen Ursprungs, trägt aber regionalen Charakter und hat noch viel Ähnlichkeit mit den Diözesankommunen. In Le Mans gab es vor der Revolte von 1070 bereits „civitatis consuetudines atque iustitie", also ein besonderes Gewohnheitsrecht der Stadt[146]. Im 12. Jhd. bekommt der französische König die Bewegung in den Griff, er wird schließlich zum alleinigen Garanten der Kommune, die nun einen eigenen Typ der Gemeinde repräsentiert.

In Nordfrankreich ist die Eidgenossenschaft der Bürger in der Tat die Gemeinde. Sie ist raumgebunden. Im Sprachgebrauch der Urkunde Philipp Augusts von 1190 für Amiens ist die communia die Stadtgemeinde sowohl als Bezirk wie als Verband. In der Bestätigungsurkunde der Kommune von Soissons von 1189 heißt es, daß alle Bewohner der civitas und des suburbium die Kommune beschwören sollen (universi homines infra murum civitatis et extra in suburbio commorantes . . . communionem jurent), ja, es gehört zum konstitutiven Akt der Kommunebildung in Soissons, daß sie alle fest ansässigen Bewohner erfaßt: nos (= rex) in civitatem Suessionensem communiam constituisse de hominibus illis, qui ea die domum aut plateam habebant infra terminos urbis et suburbiorum eius. Kleriker und milites werden mitunter ausgenommen; auch wird Sorge getragen, daß nicht auf Umwegen — durch Heirat z. B. — Eigenleute ihren Herren entzogen werden. Binnen Jahr und Tag macht aber auch hier die Stadtluft frei. In Amiens werden die Bürger insgesamt als iurati bezeichnet; ihre gegenseitige Treue- und Beistandspflicht wird im ersten Artikel der Charte festgelegt (unusquisque iurato suo fidem, auxilium consiliumque per omnia iuste observabit). Vielfach sind aber unter den iurati die gewählten Geschworenenausschüsse zu verstehen. Daneben besteht die durch Glockenschlag zusammenberufene Versammlung der Kommune. Die Kommune verfügt auch über untergeordnete Vollzugsorgane; so in Amiens über die Dekane, „servientes communie". Die höchste Verpflichtung ist die Friedewahrung. Pax und communia sind nahezu Synonyme. Der Stadtfriede ist der Urgrund des strengen Strafrechts, das die Kommune entwickelt und handhabt, das sich vor allem der Genossenschaftsstrafe der Hauszerstörung — zugleich symbolischer Ausdruck der Ausstoßung aus der Gemeinschaft — bedient. Diese Strafe wird in Amiens auch dem Verletzten angedroht, der zur Selbstrache greifen will und sich mit der von den Organen der Kommune festgesetzten Buße nicht zufrieden gibt. Die Stadtherren — König, Bischöfe — sind mit der Bestätigung der Kommune nicht ausgeschaltet. Der König bestätigt ja nicht nur die Kommune; er kann sie auch kassieren. In Amiens wird der König durch prepositus und bailli vertreten; seine Rechte auf dem Gebiet des Gerichtswesens sind klar abgegrenzt gegenüber denen von major und scabini bzw. iudices, wie der Ausschuß der Kommune in Amiens genannt wird. Der König legt besonderen Wert auf die Einnahmen aus der Gerichtsbarkeit, aus denen ihm ein bestimmter Prozentsatz zusteht. Wenn in Hesdin die Hauszerstörung durch Geld abgelöst wird, gebührt dem König die Hälfte, die andere Hälfte ist zur Stadtbefestigung bestimmt. In der bedeutenden Tuchstadt Amiens werden Kaufleute und Handel in der Charte erwähnt; für ihre Sicherheit wird besonders Sorge getragen, dem fremden Kaufmann unverzüglich Rechtshilfe bei Zahlungsversäumnis seines Schuldners zugesagt. Das alte Kaufmannsrecht der Befreiung vom gerichtlichen Zweikampf wird in Amiens geradezu territorialisiert, d. h. im Gebiet der Kommune ist es verboten, einen gemieteten Kämpfer aufzunehmen (Infra fines communie non recipietur campio conducticius contra homines de communia). Die Schöffen sind Beurkundungsbehörde; ihr Zeugnis macht den Beweis durch Gottesurteil überflüssig. Ältere Strukturen ragen in die Zeit der Kommuneverfassung hinein; in Amiens bestehen z. B. auch noch die drei ungebotenen Dinge. — Es ist an dieser Stelle nicht möglich, Recht und Verfassung der nordfranzösischen Kommunen in allen Einzelheiten und Variationen darzulegen[147]. Die städtische Schwurgenossenschaft ist hier nicht nur eine revolutionäre Episode, in der sich der Durchbruch zu größerer Freiheit der Stadtgemeinde vollzieht, sie ist in ihrer institutionellen Durchformtheit ein Verfassungstyp; Urgrund dieses Typs ist die eidliche Verbrüderung, die im Mittelalter alle Lebensbereiche erfaßt, auch den kirchlichen und den feudalen, und die für die Erringung größerer Unabhängigkeit der Bürger vom Stadtherrn weit über das Verbreitungsgebiet der Kommuneverfassung hinaus ihre Bedeutung hat. Nicht umsonst ruft sie so entschiedene Widerstände wach, wird der städtische Schwurverband — in Zusammenhang mit der Anerkennung der Londoner Eidgenossenschaft durch Johann ohne Land 1191 — als „tumor plebis, timor regni, tepor sacerdotii", „ein Geschwür am Volkskörper, ein Schrecken für das Reich, ein Schauder für die Geistlichkeit" bezeichnet[148]. Insofern hat Planitz recht gesehen, wenn er den Schwurverband als eine wesentliche Triebkraft bei der Ausbildung der Verfassung in den großen mittelalterlichen Städten charakterisierte. Er hat ihn nur nicht klar genug von der Gilde abgesetzt, nicht ausreichend zwischen Gemeindebildung und Entwicklung einer freien oder gar autonomen Stadtverfassung unterschieden, die rein rechtlichen und die verfassungspolitischen Prozesse nicht getrennt und ist in seiner Darstellung der Verbreitung des Schwurverbandes zu flüchtig und undifferenziert vorgegangen. Der als Eidgenossenschaft konstituierten Kommune Nordfrankreichs stehen die Eidesbünde in Köln, Trier, den flandrischen Städten und anderswo gegenüber.

Im Mittelmeerbereich, dem wir uns jetzt zuwenden, sind vergleichbare zeitliche Schichten der Stadtgemeindebildung und Stadtverfassungsentwicklung feststellbar. Es ist mir nicht möglich auch allen regionalen Unterschieden in diesem großen Raum nachzugehen.

Auf die exzeptionelle Stellung Venedigs, das nie einem mittelalterlichen Staatswesen eingegliedert war, wurde schon hingewiesen. Der unumschränkten Dogenherrschaft, die „durchaus stadtköniglich patrimonialen Charakter" (so Max Weber[149]) trug, folgte die in Etappen sich ausformende Herrschaft der auf dem Rialto ansässigen Stadtadelsgeschlechter. Im 12. Jhd. tritt der Rat der Weisen (sapientes) neben den Dogen. Der im placitum versammelte populus wird auf die collaudatio der Ratsbeschlüsse beschränkt. Wie schon Max Weber nachdrücklich hervorhob, haben die Finanzbedürfnisse der Gemeinde, die sich aus der kriegerischen Handels- und Kolonialpolitik ergaben, die

Entwicklung zur Adelsoligarchie mächtig vorangetrieben. Seit 1164 konnte die Stadt auch infolge ihrer Teilnahme am antistaufischen Städtebund ihren finanziellen Verpflichtungen nur mit Hilfe eines Gläubigerkonsortiums nachkommen, von dem acht dem sog. tribunizischen Adel — die tribuni waren ursprünglich Ortsvorsteher der einzelnen Inseln —, vier „neuen", im Handel reichgewordenen Familien angehörten, darunter ein Ziani, Mitglied einer sprichwörtlich reichen Familie des späten 12. Jahrhunderts mit enormem städtischen und sonstigen Grundbesitz[150]. Die der Volksversammlung, dem Großen und dem Kleinen Rat entsprechende Einteilung der Stadt in confinia oder contrade, trentacie und sestieri, der Wahlmodus des Dogen durch vierzig von vier probi homines bestimmte Wähler, die ausgearbeitete Eidesformel des zum ersten Beamten gewordenen Dogen zeigen, wie systematisch die Verfassung von den Adelsgeschlechtern ausgebaut wurde. „Verfassungs- und Verwaltungstechnik Venedigs", führt Max Weber aus, „sind berühmt wegen der Durchführung einer patrimonialstaatlichen Tyrannis des Stadtadels über ein weites Land- und Seegebiet bei strengster gegenseitiger Kontrolle der Adelsfamilien untereinander. Ihre Disziplin wurde nicht erschüttert, weil sie ... die gesamten Machtmittel zusammenhielten unter so strenger Wahrung des Amtsgeheimnisses wie nirgends sonst. Diese Möglichkeit war zunächst bedingt durch die jedem Mitglied des an gewaltigen Monopolgewinnen interessierten Verbandes täglich vor Augen liegende Solidarität der Interessen nach außen und innen, welche die Einfügung des Einzelnen in die Kollektivtyrannis erzwang. Technisch durchgeführt aber wurde sie: 1. durch die konkurrierende Gewaltenteilung mittels konkurrierender Amtsgewalten in den Zentralbehörden; die verschiedenen Kollegien der Spezialverwaltung, fast alle zugleich mit gerichtlichen und Verwaltungsbefugnissen versehen, konkurrierten in der Kompetenz weitgehend miteinander; — 2. durch die arbeitsteilige Gewaltenteilung zwischen den stets dem Adel entnommenen Beamten im Herrschaftsgebiete: gerichtliche, militärische und Finanzverwaltung waren stets in den Händen verschiedener Beamte; — 3. durch die Kurzfristigkeit aller Ämter und ein missatisches Kontrollsystem; — 4. seit dem 14. Jhd. durch den politischen Inquisitionshof des «Rates der Zehn» ... Als furchtbar galt sie nur dem Adel, dagegen war sie die bei weitem populärste Behörde bei den von der politischen Macht ausgeschlossenen Untertanen, für welche sie das einzige, aber sehr wirksame Mittel erfolgreicher Beschwerde gegen die adeligen Beamten darbot..."

Von dieser Konsequenz und inneren Geschlossenheit sind die Verhältnisse in den anderen italienischen Städten weit entfernt. In der Seehandelsstadt Genua steht am Anfang der Verfassungsentwicklung das schon angeführte Privileg von 958, das als eines der ältesten Stadtprivilegien Europas unsere Aufmerksamkeit verdient. Es wurde — worauf Hlawitschka mich aufmerksam machte — von den Königen Berengar II. und Adalbert in einer besonderen politischen Situation gegeben. Berengar lebte in der ständigen Furcht vor Otto I. Er hatte 950/51 die Grenzmark Obertenga eingerichtet, zu der Genua gehörte; aber Markgraf Obert überließ die tatsächliche Machtausübung in Genua einem vicecomes aus einer alten römischen Familie Genuas. 952 war Ido vicecomes, von dessen Sohn Obert drei Familien genuesischer Visconti abstammen. Der Markgraf Obert, der 945 als Berater von Berengars Gegner Lothar am Hof zu Pavia auftritt, gehörte 960 zu den italienischen Großen, die nach Deutschland flüchteten und Otto zu Hilfe gegen den „Tyrannen" Berengar riefen. Wollte König Berengar sich Genuas durch die Privilegierung gegen den unzuverlässigen Markgrafen versichern? Genua war damals wieder ein befestigter Platz, nachdem Rothari es 642/644 erobert, seiner Mauern beraubt und zum vicus degradiert hatte. Dank seiner Befestigung war es im 10. Jhd. ein Zufluchtsort der Bevölkerung bei den ständigen Überfällen der Sarazenen. Die Befestigung, das castrum mit der Kirche S. Maria al Castello und die civitas mit der Kathedrale S. Lorenzo umfassend, schloß den burgus mit der alten Kathedrale San Siro nicht ein. Von dieser topographischen Dreiteilung der Stadt, die noch in Dokumenten des 12. Jhds. erwähnt wird, steht in unserem Privileg nichts. Es richtet sich unmittelbar an die Einwohner der civitas Genua, weder den Markgrafen noch den Erzbischof erwähnend. Unter civitas ist hier die Gesamtstadt zu verstehen; civitas wird als übergeordneter Begriff gebraucht; die civitas im weiteren Sinn des Wortes umfaßt castrum, civitas im engeren Sinn und burgus. Man möchte annehmen, daß die Erteilung des Privilegs an die habitatores in civitate Januensi eine handlungsfähige Gesamtheit voraussetzt, die eine Urkunde empfangen und aufbewahren kann; da aber ein besonderer politischer Anlaß den König be-

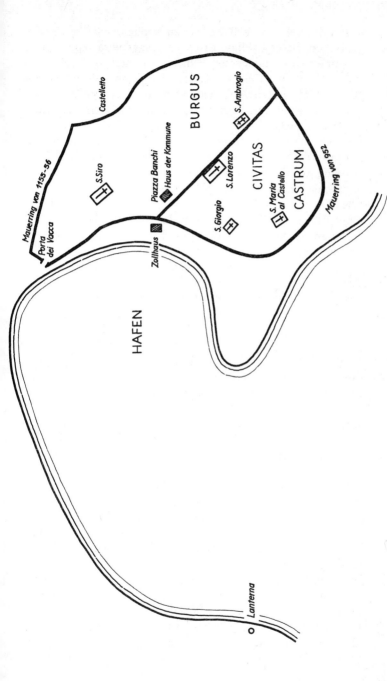

Abb. 7. Skizze von Genua (13. Jahrhundert).

Mauerring von 1155–56
Castelletto
BURGUS
S. Ambrogio
S. Siro
Piazza Banchi
Haus der Kommune
S. Lorenzo
CIVITAS
Porta dei Vacca
S. Giorgio
S. Maria al Castello
CASTRUM
Mauerring von 952
Zollhaus
HAFEN
Lanterna

wog, sich direkt an die Bewohner zu wenden, und über die Organisation dieser habitatores nichts gesagt wird, könnte man an ein gesamthänderisches Handeln ad hoc, nur bei dieser außerordentlichen Gelegenheit, denken, wenn nicht nachdrücklich den Einwohnern ihr Gewohnheitsrecht bestätigt würde, und zwar im Zusammenhang mit ihren Ländereien, deren ungestörter Besitz ihnen garantiert wird. Schon R. Keller vermutete, daß diese Gewohnheiten überkommenes Siedlungsrecht seien; auf Siedlung weist aber auch die Existenz des burgus hin. Diese Deutung, die Genuas Freiheitsbrief in einer inneren Verwandtschaft mit den spanischen poblaciones zeigt, scheint mir wahrscheinlicher als die Annahme von Vitale[151], der an ein Fortleben römisch-byzantinischer Rechtsgewohnheiten glaubt; gegen eine solche andauernde Kontinuität sprechen nicht nur die Befunde im übrigen Italien, sondern auch die Dramatik des genuesischen Schicksals, vor allem der durch die Topographie bezeugte Zustrom neuer Bevölkerung im 10., vielleicht auch 9. Jhd. — Im übrigen gewährt das Privileg Gastungsfreiheit und den Hausfrieden. Die Summe der einzelnen Hausfrieden macht hier in Genua den Stadtfrieden aus, eine summierte Immunität, wie sie übrigens dem Wesen der Immunität durchaus entspricht; insoweit liegt das Privileg auch in der Linie, die sich in langobardischer Zeit abzeichnete: die Stadt erscheint als Bereich eines erhöhten besonderen Friedens. Die nicht auf Genua beschränkte Bedeutung des mittelalterlichen Instituts der Immunität ist wichtig für „das lokale Element in der Vorformung der Kommune" (Dilcher). Die Siedlungsgemeinschaft Genuas hat sich in diesem geschützten Bereich zur Einwohnergemeinde entwickelt, die nun vom König anerkannt und gefreit wird. Daß die gefreite Einwohnergemeinde in dieser Form in Italien seltener begegnet — vor allem bei den großen Städten —, hängt damit zusammen, daß bei den civitates das allmähliche Wachstum ungleich viel häufiger ist als der Wachstumsprozeß durch Vorstädte mit Gründungscharakter und die meisten Gründungen nur borghi sind.

Eine von Dilcher besonders hervorgehobene Frühform italienischer lombardischer Stadtverfassung ist die Absetzung der Stadt als Gebiet eigenen Verfassungsrechtes vom umliegenden Land unter bischöflicher Herrschaft, wobei die Stadtbewohner als concives episcopi genossenschaftlich an der privilegierten Stellung der Bischofskirche teilhaben. Dilcher weist dabei auf

den neuen Begriff des „districtus civitatis" hin, der das bezirks-
bezogene „eigene typisch städtische Verfassungsrecht" begründet, und betont für die Zeit von 800 bis 1000 die Existenz „genossenschaftlicher Bindungen der Stadtbewohner untereinander, die sich in zunehmendem Maß verdichten". — Ein besonders
geartetes Beispiel dafür lernten wir in Genua kennen. — Sieht
Dilcher dabei in der Kirche sehr stark den Träger vom Herrscher
übertragener öffentlicher Rechte, so hat H. F. Schmid die Bischöfe
in ihrer Rolle als Symbolträger ihrer Städte geschildert und die
organisierte Laienmitwirkung bei der kirchlichen Vermögens-
verwaltung herausgearbeitet und unterstrichen, „daß sich überall in den Bischofsstädten ein Kreis rechts- und geschäftskundi-
ger Personen erhalten hatte, eine gebildete wohlhabende Oberschicht, aus der Päpste und Bischöfe ebenso hervorgingen wie
Konsuln oder podestà, die aber vor allem den in der mittelalterlichen italienischen Stadt so zahlreichen Stand der iudices et
notarii stellt." Auch Dilcher betont, daß der Bischof nicht als
Lehns- oder Grundherr seine Privilegienstellung über die Stadt
erlangt. Die gesellschaftlichen Unterschiede zwischen Bischöfen
und führenden Stadtbewohnern waren sicher geringer als in
Nordwesteuropa, wo Bischof und kaufmännische Oberschicht
jeweils anderen Lebenskreisen angehörten.

Im 11. Jahrhundert beginnt auch in Italien die Auflösung oder
Umwandlung der frühmittelalterlichen Ordnungen. Sie vollzieht sich in der Abschichtung von Kirche und Stadt, einem Teil-
vorgang der abendländischen Trennung geistlicher und welt-
licher Kompetenzen, der im 11. Jahrhundert einsetzt. Eine typisch italienische und allgemein südeuropäische Erscheinung ist
das Hineindrängen des Adels in die Städte. Während jenseits der
Alpen der Adel seine Burgen außerhalb der Städte baut, ziehen
die Adligen Italiens freiwillig oder gezwungen in die Städte. Genua schließt mit den unterworfenen großen Herren seiner Umgebung die sog. Habitaculumverträge. In ihnen verpflichtet sich
der Adlige eidlich, eine gewisse Zeit des Jahres in Genua zu
wohnen, sich an den Kriegszügen der Stadt mit einer bestimmten Anzahl von Bewaffneten zu beteiligen, seine Kinder, wenn
es mit Ehren geschehen kann, in Genua zu verheiraten, in der
Zeit seiner Anwesenheit am parlamentum in Genua teilzu-
nehmen. Die zwangsläufige Einbürgerung des landsässigen
Adels ist weitverbreitet, wenn auch die dem Adligen gemachten
Auflagen variieren. So macht 1220 die Kommune von Como

es einem bormiesischen Edelmann zur Pflicht, in Kriegszeiten in Como zu wohnen, und zwar nur in eigener Person und nicht mit seiner Familie, wenn er das nicht wolle[152]. Die Stadtsässigkeit des Adels ist eine gemein-südeuropäische Erscheinung. In Italien ging der stadtsässige Adel in den Handel, und zwar in den großen Überseehandel, der bald dazu führte, daß die italienischen Seestädte Venedig, Pisa und Genua, schließlich aber auch die Binnenstadt Florenz Kolonialreiche schufen, die sich als ein Netz von Handelsniederlassungen darstellten. In Italien fiel dann weitgehend die Scheidewand zwischen dem reichen Händler und dem handeltreibenden Adligen. Kaufmännisches Gewinnstreben ergriff den Adligen, ein auf kolonisatorisch-kriegerische Expansion, auf Herrschaft gerichteter Geist die Stadt. Der contado wurde zum städtischen Territorium. Nicht Landesherrschaften wie im Deutschen Reich, sondern Stadtstaaten erwachsen in Italien. Damit spielen sich aber auch die Machtkämpfe, die nördlich der Alpen in den endlosen territorialen Fehden ausgetragen werden, in Italien in der Stadt ab: von Palast zu Palast, von Turm zu Turm bekämpfen sich die rivalisierenden Geschlechter. So ist der Stadtfriede von innen heraus bedroht. Aber auch die Kirchenreform, die Kämpfe der Pataria, in der sich religiöse und soziale Unruhe verbinden, das Einbezogenwerden Reichsitaliens in die Kämpfe zwischen Kaiser und Papst erschüttern Ordnung und Frieden. Auch hier wird nun die städtische pax durch die Eidgenossenschaft aller Stadteinwohner erstrebt. Schon früh ergreift die schwurgenossenschaftliche Bewegung Italien. Wie nördlich der Alpen, müssen wir zwischen Eidesbünden, die zur Erreichung bestimmter Ziele geschlossen werden, und zwischen schwurgenossenschaftlich organisierten Stadtgemeinden unterscheiden. Die eidgenossenschaftliche Bewegung durchzieht ganz Italien. Die Annalen von Benevent nennen zum Jahr 1015 die communitas prima, zu 1042 „coniuratio secundo". Angesichts der normannischen Übermacht, nachdem er bereits Roger II. gehuldigt hat, schließt Herzog Sergius VII. 1134 sein Pactum mit den Neapolitanern, und zwar mit dem Adel, den mediani und allen Bewohnern der Stadt. Er verspricht ihnen Unverletzlichkeit der Person und des Eigentums und Sicherheit der Reise und des Aufenthalts allen, die zu Lande oder Meer mit oder ohne Handelsware nach Neapel kommen. Er verpflichtet sich, die Häuser der Neapolitaner nicht zu zerstören und keine neue consuetudo ohne den Rat möglichst vieler

Adligen zu erlassen, wobei consuetudo eine gesetzliche Bestimmung, aber auch eine Abgabe bedeuten kann, und er verspricht weder mit Rat noch Tat mitzuwirken, daß die societas, die unter ihnen geschlossen wurde, aufgelöst wird, sondern vielmehr dafür einzutreten, daß diese societas fortdauere. Krieg und Frieden, Neutralität und Bündnis wird er nur mit dem Rat möglichst vieler Adligen schließen. Als dann Sergius 1137 stirbt, kommt es mit Unterstützung des Erzbischofs zu dem Versuch, eine Adelsrepublik zu errichten; aber 1140 kann Roger II. in Neapel einziehen, und Tancreds großes Privileg von 1190 macht Neapel zu einer königlichen Stadt, die besondere Vorrechte und Freiheiten genießt. Die teils auch von den mediani gewählten consules sind der Magistrat der Stadt, in der dem Adel nach wie vor eine beherrschende Stelle zukommt. An ihrer Spitze steht der von Tancred aus den Neapolitanern gewählte „compalazzo".

Viel gewaltiger und erfolgreicher ist die eidgenossenschaftliche Bewegung in Oberitalien. Eine coniuratio ist die Mailänder Pataria. Doch stellt sie in der Vermengung von religiöser und politischer Zielsetzung und in ihrem überwiegend anarchisch-aufrührerischen Charakter einen Sonderfall dar.

Äußeres Anzeichen der Existenz einer freien Stadtgemeinde ist das Vorkommen von Konsuln. Die Namengebung war ein bewußter Rückgriff auf antike Tradition. Die Ausbildung des Konsulats beginnt gegen Ende des 11. Jhds. Dem Ursprung nach Berater des Stadthauptes, also sehr oft bischöfliche Räte, noch unter verschiedenen Bezeichnungen, treten die Konsuln im letzten Jahrzehnt des 11. Jhds. in Pisa, Lucca, Mailand, Asti, Genua und Arezzo auf, 1105 in Pavia, 1109 in Como, in den 20er Jahren des 12. Jhds. in Bergamo, Bologna, Siena, Brescia, in den 30er Jahren in Modena, Verona und Florenz. Zu den sicher bezeugten Konsuln Pisas von 1094 gehörten Pietro Visconte, dessen Familie bei der Expedition der vereinigten pisanischen, genuesischen und amalfitanischen Flotte gegen Mahdya eine hervorragende Rolle gespielt hatte, daneben kleine Adlige aus dem Contado. Aber der Kern des Konsulats wird von der kleinen Gruppe der Seefahrer gebildet, die Grundbesitz im Contado und Wohntürme in der Stadt haben und eidlich auf die „consuetudines quas habent de mari" verpflichtet sind. Neben den Konsuln stehen im 12. Jhd. das Consilium Credentiae oder der Senat, aus denselben sozialen Gruppen gewählt, und das Parlamentum civitatis, das keine Entscheidungsbefugnisse besitzt. 1162 erwähnt das Breve der Konsuln die Existenz von vier bis fünf consules mercatorum pisanorum, die als Handelsgericht fungieren und die Gewerbeaufsicht über die Handwerker ausüben, die sich — seit 1194 nachweisbar — in „arti" korporativ organisieren.

Enge Verknüpfung des Konsulats mit einem Schwurverband zeigt Pisas erfolgreiche Rivalin Genua. Die Situation hat sich hier gegenüber dem 10. Jhd. vollkommen geändert. Die expansiven handelspolitischen Ziele stehen jetzt im Vordergrund. Die Kommune Genua ist seit 1099 als Compagna organisiert. Außer den Urkunden, den Breven der Konsuln und der Compagna unterrichten uns die Annales Januenses von Cafaro über die Verhältnisse in Genua. Cafaro, etwa 1080 geboren, hat an den Expeditionen Genuas als Mitkämpfer und Anführer teilgenommen, er wurde Konsul, fand Verwendung als Gesandter bei Kalixt II. und Friedrich Barbarossa. 1152 legte er seine dem Schreiber Macrobius diktierten Annalen den Konsuln Genuas vor, und sie beschlossen daraufhin, sein Werk von dem öffentlichen Schreiber Wilhelm de Columba abschreiben und dem Chartular der Kommune einfügen zu lassen. Cafaro fand Fortsetzer, und die „Annalen" werden eine offiziöse Darstellung der glorreichsten zwei Jahrhunderte genuesischer Geschichte. Cafaro nun berichtet, daß im Jahre 1099 in Genua eine compagna von drei Jahren und sechs Konsuln begonnen wurde. Die Errichtung der compagna geschah in einem für die drei oberitalienischen Seestädte denkwürdigen Augenblick. Jerusalem war erobert, und nun erschienen nacheinander eine pisanische, eine venetianische und eine genuesische Flotte an der syrischen Küste, „eine gewaltige Flottendemonstration des Abendlandes, die auf die Sarazenen von tiefster Wirkung sein mußte" (Schaube). Genuas Flotte erschien als letzte, weil zuvor die inneren Wirren, welche die Stadt seit Jahren erschütterten, überwunden werden mußten; und das geschah in der „Compagna communis". Ihr gingen örtliche Distriktskompagnien voraus. Die Compagna ist die Föderation der regionalen „compagne", eine gewillkürte und beschworene Einung, die Bischof und Städter umfaßt. Die zeitliche Begrenzung und immer wieder stattfindende Erneuerung ist für die Compagna charakteristisch geblieben. Seit 1130 werden die Consules de Communi, die Führer der Compagna in politischen und militärischen Angelegenheiten, und die Consules de placitis unterschieden, Richter erster Instanz in Zivilprozessen, während Strafrecht und Appellation in die Zuständigkeit der Consules de Communi gehören. — Die Scheidung des Konsulats in das Konsulat de communi und de iustitia vollzieht sich in Como zwischen 1167 und 1172. — Im 12. Jhd. stehen vier Consules de Communi acht Consules de placitis gegenüber, und zwar vier aus der civitas, vier aus dem burgus. Bis 1190 versammeln sich die Konsuln im Bischofspalast — in vielen italienischen Städten dienen Kirchen und Bischofspaläste bis ins 13. Jhd. als Versammlungsort der städtischen Organe. Neben den Konsuln steht ein weiterer Rat der consiliatores, zunächst wohl nur von Fall zu Fall von den Konsuln, denen jedes Compagnamitglied Rat in städtischen Angelegenheiten auf Erfordern schuldete, einberufen, später institutionalisiert. Die ganze Bewohnerschaft, der populus, muß dem Glockenschlag und Ausrufer zur Vollversammlung, parlamentum, Folge leisten. Zum Eintritt in die Compagna durch Eidesleistung fordern die Konsuln auf. Wer wiederholter Aufforderung nicht entspricht, wird vom gewinnbringenden Seehandel ausgeschlossen; kein Compagnamitglied darf einen Gesellschaftsvertrag mit ihm abschließen. Die Compagna beansprucht Heerbann, Gerichtsbann und Finanzhoheit. Ihre Ziele sind militärische Expansion, Wahrung von Friede und Recht im Stadtgebiet, handelspolitische Monopolstellung der Mitglieder. Den Zielen entspricht die Zusammensetzung der führenden Schicht: die viscontilen Geschlechter, die Grundbesitzer, Seefahrer, Reeder, Kaufleute zugleich sind, durch den Handel hochgekommene homines novi in wachsender Zahl, Rechtskundige. Die Schwurgenossenschaft erscheint im Breve nicht gegen eine obrigkeitliche Gewalt gerichtet, sondern vielmehr gegen die innere Zerrissenheit und Parteibildung. Die Bestimmungen zur Friedewahrung zeigen in ihrer Ausführlichkeit, wie schwer dieser Friede zu behaupten, daß Waffentragen eine Gewohnheit ist und leicht zum Waffenzücken wird, daß innere Fehden von befestigten Stützpunkten ausgefochten werden. Das Compagnamitglied gelobt, keine Kirchen, keinen Campanile, keinen fremden Turm, keine Mauer, kein Stadttor, keine Mauertürme, kein festes Haus innerhalb des Bistums Genua zu erobern, um Fehde zu führen, es sei denn zur Ehre der Stadt Genua. Es werden aber auch alle Sonderverschwörungen verboten — conspiratio, coniuratio, rassa per sacramentum, vel per fidem promissam, nec per obligationem ullam —, alle Abreden in städtischen Angelegenheiten.

Sie waren offensichtlich an der Tagesordnung im innerpolitischen Leben Genuas. So straff die Führung der Compagna durch die Konsuln organisiert war, sie reichte nicht aus, den Frieden zu sichern. Zu den Fehden der Familien und Familienverbände, sozialen Konflikten im Zusammenhang mit dem schnellen Wandel der Bevölkerung und Wirtschaft der Stadt kamen die finanziellen Schwierigkeiten der Kommune, die sich im 12. Jhd. immer stärker selbst in den Überseeunternehmungen engagierte. Als Aushilfe wurden fiskalische Einkünfte im voraus Gläubigerkonsortien, den „compere" verkauft, die sie ohne Rücksicht auf die kirchlichen Vorschriften ausbeuteten. Das Konsulat wurde zum Kampfpreis der Parteien und die letzte Aushilfe war — wie in so vielen italienischen Städten — der Podestat; 1190 wählen Räte und Konsuln einen Podesta.

Der Podesta war ein aus einer fremden Gemeinde berufener Wahlbeamter, der unter der Kontrolle des Rates Ordnung und Frieden wiederherstellen sollte. Ihm oblagen die Rechtspflege und meist das Militärkommando. Der Berufene brachte einen Mitarbeiterstab und Hilfskräfte mit. Der Podesta war oft studierter Jurist. Podesta zu sein wurde ein Beruf. Es gab Personen, die ein halbes Dutzend Podestate bekleidet hatten. Max Weber betont, daß die Rechtspflege durch einen fremdbürtigen Podesta zur rationalen Kodifikation des Rechtes und zur Ausbreitung des römischen Rechtes beigetragen habe.

Als Schwurverbände sind auch die lombardischen Kommunen organisiert. „Die Bürger sind durch eine Eidgenossenschaft verbunden (iurati); diese bestimmt die Ordnung des innerstädtischen Lebens und verleiht den Konsuln ihre Amtsgewalt zur Leitung des städtischen Gemeinwesens" (Dilcher).

In Florenz haben die 1138 auftretenden Konsuln — quartierweise gewählt — mit Hilfe der sapientes, causidici die Leitung der Kommune. Daneben steht ein Rat von 100 bis 150 boni homines, der 1167 erstmals erwähnt wird. In ihm sind anscheinend außer den ehemaligen Inhabern des Konsulats die genossenschaftlich organisierten sozialen Gruppen vertreten: Bezirke, società della torre — miteinander versippte oder befreundete Familien, deren Wohntürme aneinanderstoßen —, die societas militum und die societas mercatorum. Viermal im Jahr tritt das parlamentum zusammen. Seit 1172 besteht die Aufsichtsinstanz der Provisoren. 1189 erscheint zum erstenmal ein Podesta. 1207 wird der Podestat die Form der Verfassung.

Die Schwurverbände tauchen fast zur gleichen Zeit in Oberitalien und im nordfranzösisch-flandrisch-rheinischen Raum auf. Sie haben die gleiche Funktion im Prozeß der autonomen Gemeindebildung — mag auch in Italien die Wahrung des inneren Friedens, im Norden die Erringung der Freiheit vom stadtherrlichen Regiment vordringlicher sein. Aber die Organisation — hier Geschworenenausschuß, dort Konsulat — ist unterschiedlich; ich glaube nicht an eine Abhängigkeit der nördlichen von den oberitalienischen Schwurverbänden oder umgekehrt, sondern sehe hier eine große europäische Bewegung.

Zu einem ähnlichen Resultat kam kürzlich Gautier Dalché[153], als er die Frage aufwarf, ob eine direkte Abhängigkeit der Ereignisse, die sich in der ersten Hälfte des 12. Jahrhunderts in den nordwestspanischen Städten Santiago, Lugo und Sahagun abspielten, von der nordfranzösischen Kommunebewegung zu konstatieren sei. Die Chronologie der Bewegungen, der Pilgerweg nach Santiago, die Existenz französischer Elemente in der Bevölkerung dieser Städte legten einen solchen Gedanken nahe. Aber bei näherer Betrachtung zeigt es sich, daß die Eidverbrüderungen, zu denen es auch in diesen Städten kommt, die sog. germanitates, eine besondere Variante darstellen. „Or, à l'inverse de la communia, la germanitas semble avoir été un moyen seulement et non pas aussi un fin. Elle ne survit pas aux circonstances précises qui l'ont provoquée. Contrairement à ce qui s'est passé au-delà des Pyrénées pour commune, germanitas n' a pas servi à désigner la communauté urbaine, et finalement la ville elle-même. C'est, à certains égards, comme la communia à ses origines, une conjuratio, un groupe d'hommes unis par serment, mais une conjuratio qui ne cherche pas à se perpétuer, à s'institutionaliser."

Wohl aber sind die italienischen Konsuln das glänzendere Vorbild der deutschen Ratsherren. Die Rezeption des Rates als solche wird ziemlich allgemein angenommen, wobei aber jüngst die Frage aufgeworfen wurde[154], ob von Italien oder aus Südfrankreich über Burgund. Für letztere Möglichkeit wird dabei vor allem geltend gemacht, daß der Rat in Deutschland erst auftauchte, als die oberitalienischen Städte schon zum Podestat übergegangen waren. Von Italien war das Konsulat früh in den französischen Süden gekommen: 1128 in Marseille, 1131 Arles,

Béziers, 1136 Avignon, 1141 Montpellier, 1144 Nizza, 1148 Narbonne. In den französischen Konsularstädten gab es — wie in Italien — eine Versammlung aller Bürger, einen Rat, dessen Mitglieder consiliarii oder curiales heißen, und an der Spitze des Ganzen die consules, mit der Normalzahl zwölf, im Anfang oft weniger. Das consilium ergänzt sich meist selbst oder wurde durch die consules bestellt, die Konsuln wurden häufig von ihren Vorgängern aus der Zahl der consiliarii oder der von den consiliarii vorgeschlagenen Kandidaten gewählt. Eine Anzahl der Konsularstellen war vielfach dem kleinen Adel der Stadt reserviert. Eine Beteiligung des Adels am Ratsregiment konstatieren wir am Oberrhein: In Schaffhausen teilten sich die Ritterbürtigen mit einer ratsfähigen Schicht von nicht ritterbürtigen Familien in die Ratsstellen. Der Wormser Stadtrat wurde mit neun Bürgern und sechs Rittern besetzt. Das zweite Straßburger Stadtrecht bestimmte, daß die 12 consules civitatis sowohl den Ministerialen wie den cives entnommen werden sollten. In Boppard bestand der Stadtrat aus fünf adligen Ritterräten, zwölf bürgerlichen Gliedern und dem Stadtschreiber.

Will man das zeitliche Auftreten des Rates feststellen, ist nicht nur nach der Bezeichnung consules zu fragen, denn dann besteht, wie Rörig einmal sagte, die Gefahr, daß man Wort- und nicht Institutionengeschichte treibt. Die Anfänge des Konsulats in Deutschland liegen — in Lübeck, Utrecht, Speyer und Straßburg beinahe gleichzeitig — um die Wende des 12. zum 13. Jahrhundert, und bis um die Jahrhundertmitte hatten bereits etwa 150 deutsche Städte einen Rat. Früh, in den ersten Jahrzehnten des 13. Jahrhunderts, kam ein Stadtrat in den Bischofsstädten Basel und Konstanz auf, aber auch in Zürich, den Zähringergründungen Freiburg i. Br. und Bern, in Colmar und Mühlhausen. In den niederen Rheinlanden findet die Ratsverfassung zum Teil relativ spät Eingang. Planitz nennt als Vorläufer des Stadtrats den Melioresverband, die Stadtschöffen und die Stadtgeschworenen. Im 13. Jhd. kam es in den flandrischen, Brabanter und hennegauischen Städten zum jährlichen Amtswechsel, der ein Kennzeichen der Konsulatsverfassung ist, und der Kooptation durch die abgehenden Schöffen. Der jährliche Amtswechsel erscheint zuerst im Artois, in Arras 1194, kurz danach in Flandern in Ypern 1209, Gent 1212, Douai 1228, Lille 1235, Brügge 1241, später in Brabant und Hennegau, Brüssel 1235, Löwen 1267, Léau 1295, Antwerpen 1300 oder 1350, Bois-le-Duc

1336, Valenciennes 1302, Mons 1315. In den kleineren Städten bleiben die Schöffen meist lebenslänglich, und da, wo wie im Lütticher Land Geschworene die Verwaltungsfunktionen übernehmen, kommt der jährliche Amtswechsel der Schöffen nur ausnahmsweise vor. Die Kooptation bedeutet natürlich eine Zurückdrängung der Ernennungsrechte des Fürsten. Für Gent setzt die Urkunde der Gräfin Mathilde von 1192 fest, daß beim Tode eines Schöffen die Überlebenden dem Grafen einen Kandidaten präsentieren, den er ernennt. Dieses Recht verschwindet 1212, als Ferdinand von Portugal sich das Recht vorbehält, vier Männer, einen pro Kirchspiel, zu ernennen, die in seinem Namen die dreizehn Schöffen wählen sollen. Seit 1228 gibt es in Gent dreierlei Schöffen, drei Gruppen von je dreizehn: die erste Gruppe sind die Schöffen der keure; sie sind tatsächlich die Richter und Verwalter der Stadt, die zweite Gruppe hat nur eine begrenzte juristische Zuständigkeit und die dritte Gruppe, die vacui sind Anwärter mit beratender Funktion. Beim Tod eines der 39 kooptieren die Schöffen der keure einen neuen. Dieses Regime bleibt bis 1302 in Kraft. In Ypern wählen seit 1209 die scheidenden Schöffen fünf probi viri und diese wählen fünf Schöffen, diese wiederum acht weitere Schöffen, so daß die Zahl von 13 voll wird. In Douai ist das System noch komplizierter. Vom Fürsten unabhängiger als die Schöffen sind die iurati, deren Existenz in der betreffenden Stadt eine Eidgenossenschaft der Bürger voraussetzt. Wie schon angedeutet, setzt sich in den südlichen Niederlanden die Institution der Geschworenen nicht allgemein durch: in Flandern treten sie nur sporadisch auf, in Brabant im Lauf des 13. Jhds., gewinnen aber nirgendwo die Bedeutung wie in den Lütticher Städten. Ein großer Rat, der aus mehreren Kollegien — Schöffen, Geschworenen und eventuell noch anderen Persönlichkeiten — zusammengesetzt ist, tritt vereinzelt im 13. Jhd. auf, entfaltet sich erst im 14. Jhd. in den großen Städten. In Köln werden consules zum erstenmal 1216 erwähnt; ob damit allerdings ein städtischer Rat gemeint ist, steht dahin. Auf jeden Fall tritt der Rat in Köln erst um die Jahrhundertmitte deutlicher hervor. Die Mitglieder des Rates wechseln jährlich, seit 1305 wird bezeugt, daß ihre Zahl 15 beträgt; die Ausscheidenden schlagen ihre Nachfolger vor. Vor 1318 wird dem engen Rat ein weiter Rat von 82 Mitgliedern zur Seite gestellt. Sie werden aus den Sondergemeinden berufen, aber nicht in den Sondergemeinden gewählt, sondern ebenfalls von den jährlich ausscheidenden Räten vorgeschlagen und vom engen Rat bestätigt. Der weite Rat darf nicht von sich aus zusammentreten und keine Initiativanträge stellen. Er wird vom engen Rat einberufen, um bei wichtigen Entscheidungen gehört zu werden. Der jährliche Wechsel aller Räte sichert den Geschlechtern, die im Schöffenkolleg lebenslänglich amtieren und aus der Richerzeche die beiden Bürgermeister stellen, nach wie vor entscheidenden Einfluß auf die Stadtverwaltung.

In den deutschen Osten drang die Ratsverfassung über Lübeck und Magdeburg. Von den Tochterstädten Lübecks erhielt Rostock bereits 1218 einen Rat, für Schwerin, Güstrow und Parchim ist er 1228/1230 bezeugt. Magdeburg ging seit 1244 von der Schöffen- zur Ratsverfassung über. Das Magdeburg-Breslauer Recht von 1261 stellt den Rat, der jährlich gewählt wurde, als eine seit der Gründung der Stadt bestehende Einrichtung hin.

Wie jedes mittelalterliche Gremium strebt der Rat nach eigener Gerichtsbarkeit. Wieweit er dabei kommt, hängt von der Auseinandersetzung mit dem Stadtherrn ab; auch in großen Städten blieb die Blutgerichtsbarkeit vielfach der Kommunalisierung entzogen. Der Rat ist die oberste Kommunalbehörde. Ihm obliegt die gesamte Stadtverwaltung; er gibt Satzungen, er vertritt die Stadt nach außen; er hat die Wehr- und Steuerhoheit; vor allem übt er eine genaue Aufsicht über den städtischen Markt, das Gewerbe und die Münze. — Das Münzrecht selbst blieb vielfach noch lange in der Hand des Stadtherrn. — Der Rat wandte sein Augenmerk Sachgebieten zu, die der Aufmerksamkeit des Staates damals oft noch entgingen, und ließ sich stärker als der Staat von sachlichen und nicht rein fiskalischen Gesichtspunkten leiten. Seine oft dirigistische Wirtschaftspolitik begünstigte immer den städtischen Bürger; die Stadt war für den Rat eine wirtschaftspolitische Einheit. Er räumte aber dem Auswärtigen, dem „Gast", wie man im Mittelalter sagte, so viel Rechte ein, daß die Stadt ihre Anziehungskraft für fremde Kaufleute behielt.

5. DIE ORDNUNG DES WIRTSCHAFTSLEBENS

Die wichtigste Organisationsform des mittelalterlichen Fernhandels waren die Messen. Die mittelalterlichen Messen wiesen ein umfassendes Angebot von Waren auf und zugleich ein erhebliches Geldgeschäft. Englische Messen, die von Frankreich, den Niederlanden und Norddeutschland aufgesucht wurden, vermittelten den Absatz der englischen Wolle und des Tuches nach dem Festland und die Versorgung Englands mit Erzeugnissen Westeuropas und des Orients. Die kölnischen Messen — Köln wurde allerdings keine Messestadt — und die flandrischen Messeplätze wurden schon erwähnt. In Südfrankreich spielte vorübergehend die Messe von St. Gilles eine erhebliche Rolle als Treffpunkt der französischen Kaufleute mit denen des Mittelmeers[155]. Aber all dies wurde weit übertroffen vom Messenetz der Champagne mit ihren vier Messestädten, wobei die Lendit-Messe bei Paris und die Messen von Chalon in Burgund eine gewisse Ergänzung bildeten. In der Champagne ließen sechs mehrere Wochen dauernde Messen einen fast ununterbrochenen Markt entstehen, auf dem die Güter des Mittelmeerbereichs, bzw. des Orients mit denen Nordwesteuropas umgeschlagen wurden. Die Messen begannen im Januar in Lagny s. Marne, an Mittfasten kam Bar s. Aube, im Mai die Oberstadt Provins an die Reihe, im Juli-August Troyes, im September die Unterstadt Provins, im Oktober fand die „kalte Messe" in Troyes statt. Der Verkauf erfolgte in bestimmter Reihenfolge der Handelsgüter: Stoffmesse, Leder- und Pelzmesse, Messe der nach Gewicht verkauften Waren, besonders der Gewürze, dann Regelung der geschäftlichen Transaktionen. Die Bezahlung wurde in Geld vorgenommen oder auf eine weitere Messe verschoben oder durch Wechsel oder eine „lettre de foire" getätigt, d. h. Anerkennung der Zahlungsverpflichtung vor den Schöffen einer Stadt; dabei fertigt der Schreiber zwei Ausfertigungen an, dazwischen schreibt er in Großbuchstaben einen Spruch und schneidet die Stücke auseinander; eins erhält der Gläubiger, das andere dieses Chirographs, Zerters, bewahren die Schöffen; die Zusammenfügung beweist die Echtheit des Gläubigerbriefes. Das Stadtarchiv von Ypern verwahrte über 7000 solcher lettres de foire, die 1914 verbrannten. Zu dem Warengeschäft kam so die Funktion der Messen als Abrechnungs- und Zahlungsplatz, dazu zum erstenmal ein wesentliches internationales Geldgeschäft, das hauptsächlich die Italiener betrieben. Rechtssicherheit und schnelle Rechtsprechung auf den Messen, weitgehende Sicherheit auf der Reise zu und von der Messe, ein streng geregelter Ablauf der Geschäfte und praktische Einrichtungen in den Messestädten wie das Spital für kranke Kaufleute in Provins, das die Grafen der Champagne gestiftet hatten, ließen neben der günstigen Mittellage der Champagne diesen internationalen Markt entstehen. Klug verzichteten die Grafen auf beschränkende Regulierung wie fiskalische Ausbeutung der Messen. Um 1300 kommt es zum Rückgang der Champagner Messen. Nicht nur der Anfall der Champagne an die Krone Frankreich (1285) hat ihren Messen geschadet und der Stellung von Paris und der Lendit-Messe genützt, nicht nur die flandrischen Kriege König Philipps IV. haben den Verkehr von Flandern nach der Champagne beeinträchtigt, neue Formen des Handels, die zum Teil auf den Messen selbst entwickelt worden waren, nahmen ihnen die alte Monopolstellung. Der Kaufmann hörte auf, selbst die Messen zu bereisen, überließ den Warentransport Spediteuren, blieb am Ort und regelte seine Angelegenheiten schriftlich. Die Italiener bestellten ihre Vertreter in den großen Textilstädten Flanderns und Brabants selbst, ja sie benutzten seit rd. 1300 den Seeweg nach Westeuropa. Ostfrankreich verlor seine Stellung als Durchgangsland. Brügge wurde zum Erben und zum internationalen Marktplatz, bis es die Messefunktion Brabant, Antwerpen und Bergen op Zoom, abtreten mußte. Antwerpen kam als englisch-rheinischer Treffpunkt im 14. Jahrhundert hoch. Der südliche Erbe der Champagner Messen wurde Genf. Ihm sollte das 1464 vom französischen König privilegierte Lyon Konkurrenz machen. Im 14. Jahrhundert entwickelten sich die Frankfurter Messen zum Zentrum des Warenaustauschs für das ganze alte Reichsgebiet von Lübeck bis Bozen und von Aachen bis Wien. Eine gewisse Hilfestellung zu Frankfurts Messen nahmen die von Friedberg in Hessen ein[156]. Regionale Bedeutung besaßen die Messen von Deventer[157], die Zurzacher Messen[158], die von Nördlingen[159]; die Messen von Bozen dienten als Bindeglied zwischen Deutschland und Italien, die Messen von Linz den Kaufleuten des deutschen Südostens. Im Osten hatten die Jahrmärkte von Naumburg, dann die von Breslau und Brieg in Schlesien, die Märkte von Posen, Gnesen und Lublin einen weiten Einzugsbereich. Im 15. Jahrhundert erlangte im Zuge der Verlagerung der östlichen Handelswege Leipzig als Messeplatz internationale Bedeutung. Wichtige Geldhandelsplätze waren im späteren Mittelalter Metz[160] und Speyer[161].

Die älteste Spezialisierung des mittelalterlichen Kaufmanns ist nicht die nach dem Gegenstand seines Handels, sondern nach dem Zielort. Die Kaufleute mit gleichem Ziel schlossen sich zu Hansen zusammen[162]. Das Wort „Hanse", das ursprünglich eine Schar, einen Personenverband bedeutete, wird im Mittelalter zur Bezeichnung der Fahrtgenossenschaften von Kaufleuten gebraucht. In diesem Sinn finden wir den Ausdruck seit dem Ausgang des 12. Jahrhunderts in St. Omer, in Gent und Brügge. Mitunter erfüllt der gleiche Verband die Funktionen von Hanse und Gilde, wie in Lille, Mantes und Paris. Die Mitglieder der Caritas genannten Kaufleutegilde von Valenciennes werden in Statuten des 11. Jahrhunderts hanseurs genannt. Mit Hanse bezeichnet man aber auch die Abgabe, die man an oder für eine solche Kaufleutegesellschaft leistet, schließlich auch das besondere Recht der Genossenschaft und ihrer einzelnen Glieder. Dem 12. Jahrhundert entstammt die Genter Hanse, deren Mitglieder die Beteiligung der übrigen flandrischen Städte am Rheinlandhandel beschränken wollten, ferner die Hanse von St. Omer, die den Handel nach den britischen Inseln und Frankreich südlich der Somme zu monopolisieren strebte. Eine größere Zahl von Städten war in der flandrischen Hanse von London zusammengeschlossen, in der sich Brügge und Ypern die Führung streitig machten. Kaufleute aus Flandern, Artois, Ponthieu, Vermandois, aus der Champagne und Niederlothringen hatten sich vor allem zu gemeinsamem Besuch der Champagner Messen, zur „Hanse der XVII Städte" zusammengetan; in Wirklichkeit war die Zahl der angeschlossenen Städte größer. Mit dem Niedergang der Messen verlor diese Hanse auch ihre kommerzielle Bedeutung. In London bestanden neben der flandrischen Hanse die Hansen der deutschen Kaufleute. Am ältesten und bedeutendsten war in London die niederrheinische Hanse, der vor allem Tieler und Kölner angehörten. Die Bürger Lübecks beschwerten sich 1226 beim Kaiser darüber, daß jene Hanse sie nur gegen ein hohes Entgelt zum Englandhandel zulassen wolle

(„... at illo pravo abusu et exactionis onere, quod Colonienses et Telenses et eorum socii contra ipsos invenisse dicuntur ...")[163], und 1267 gestattete Heinrich III. von England ihnen, eine eigene Hanse zu gründen, so wie er es schon zwei Monate früher zugunsten der Hamburger getan hatte. 1281 kam es zu einem Zusammenschluß der deutschen Londoner Hansen; seit 1282 kann man von einem Kontor der deutschen Hanse in London sprechen. Die „dudesche Hanse", an die man zuerst denkt, wenn von „Hanse" die Rede ist, geht vorzüglich auf die Genossenschaft der deutschen Gotlandfahrer zurück. Wir werden ihre Entwicklung im Zusammenhang mit dem von ihr beherrschten Wirtschaftsraum schildern.

Neben der Hanse gab es Fahrergenossenschaften in den einzelnen Hansestädten. Köln, das in London immer eine Sonderstellung behielt, beschränkte 1324 den Genuß seiner Sonderprivilegien in England auf Kölner Bürger. Die Kölner Englandfahrer setzten ihren Zusammenschluß in der Heimatstadt in der Gaffel Windeck fort. In Köln gab es aber auch eine fraternitas danica der nach dem Norden Handeltreibenden und den Zusammenschluß der Venedigfahrer. In Lübeck waren diese Fahrerkompanien besonders aktiv. 1378 wurde die der Schonenfahrer gegründet, zwei Jahre später die der Bergenfahrer. Ende des 15. Jahrhunderts gab es in Lübeck etwa zehn solcher Gesellschaften, in Hamburg drei, in Rostock sechs usw. Von den Fahrtgenossenschaften muß man die Handelsgesellschaften unterscheiden, die auf Zeit, mitunter nur für eine Unternehmung abgeschlossen wurden und sich zu festen Formen entwickelten. Im hansischen Bereich unterscheiden wir die sendeve, das Kommissionsgeschäft, und die vera societas, vrye selschop oder kumpanie oder contrapositio bzw. wedderlegginge. Bei letzteren gab es verschiedene Möglichkeiten: der eine Kaufmann stellte das Geld, der andere führte die Unternehmung durch; Gewinn und Verlust wurden zu gleichen Teilen geteilt, mitunter wurde der Verlust allein vom Kapitalgeber getragen, eine gute Gelegenheit für junge Leute, ins Geschäft zu kommen. Am häufigsten war der zweite Typ: alle Gesellschafter brachten Kapital ein, ein oder zwei führten die Transaktionen durch, der Gewinn wurde im Verhältnis der Einlagen geteilt. Beim dritten Typ der vulle mascoppei brachten die Gesellschafter ihr ganzes oder zum mindesten den größten Teil ihres Vermögens ein; er findet sich vor allem als Erbengemeinschaft bei Brüdern. Jeder Hansekaufmann war schon zwecks Risikoverteilung Mitglied vieler solcher Gesellschaften. Die große, auf Dauer geschlossene Firma mit eigenem Gebäude und einem Netz von Filialen war typisch für den oberdeutschen Raum. Auf die Diesbach-Watt-Gesellschaft, auf die Große Ravensburger Gesellschaft kommen wir im nächsten Kapitel zu sprechen. Derartiges fand sich im Hanseraum kaum; erst im 16. Jahrhundert waren die Loitz in Stettin eine den oberdeutschen vergleichbare Firma[164].

Die Hanse befaßte sich auch in allgemeinen Erlassen mit diesen Gesellschaften. Das Brügger Kontor gebot um 1350, eine Gesellschaft, die ein Hansekaufmann mit jemandem eingegangen ist, der aus der Hanse ausgeschlossen ist, aufzuheben „binnen jaren ende binnen daghe nestkommende. Vortmer so en sal neghein man, de in der Dudeschen rechte is, cumpanye noch wedderlegginge met Vlamingen hebben . . ." Die Stadt Köln untersagte ihren Bürgern Handelsgesellschaften mit Fremden im Weinhandel bei Turmstrafe. Köln setzte alles daran, seinen Bürgern den gewinnreichen Zwischenhandel zu sichern, also den Handel von Gast zu Gast zu verbieten — den Brügge erlaubte. Deshalb hatte Köln auch kein Interesse daran, seine Messefunktion auszubauen. Dafür versuchte Köln als erste Stadt in Deutschland den Stapel durchzusetzen, was endgültig 1259 gelang: Alle fremden Kaufleute, die Köln passierten, mußten ihre Waren zuerst in Köln anbieten. Da in Köln von den oberländischen auf die niederländischen Rheinschiffe umgeladen werden mußte, deren Fassungsvermögen verschieden groß war, hatte das Stapelrecht eine natürliche Grundlage. Die Stadt wachte ebenso eifrig darüber wie über die Beobachtung der Vorschriften im Handel mit den Gästen; es kam noch ihr Interesse an der Akziseeinnahme hinzu, da Köln nur selten direkte Steuern erhob, also auf den Ertrag der Akzise besonders angewiesen war. Ein ausgeklügeltes System, das weitgehend durch Gebühren finanziert wurde, sorgte dafür, daß jedes Weinfaß, jeder Warenballen in der Stadt registriert und jede Phase des Umsatzes erfaßt war[165]. Die Hanse verfocht das Prinzip individueller Verantwortlichkeit in ihrer Wirtschaftspolitik, wiewohl damals das Prinzip der Kollektivverantwortung vorherrschte, d. h. daß im Fall des Vergehens des Bürgers einer Stadt in der Fremde Repressalien gegen alle seine zufällig in dieselbe fremde Stadt geratenden Mitbürger angewandt wurden. Wurden die Hansen selbst Opfer irgendwelcher Rechtsbrüche, so suchten sie schnelle und rigorose Satisfaktion zu erhalten. Als Gläubiger verlangten die Hansen wenigstens in Brügge, daß ihr Schuldner innerhalb von drei Tagen zur Vollstreckung gezwungen werde, bei Strafe der Gefangensetzung oder Güterbeschlagnahme. Als Schuldner wehrten sie sich gegen jede Kollektivverantwortung; lag kein schriftlicher Kontrakt vor, konnte der Schuldner sich durch einfachen Eid reinigen. Die Hansen beanspruchten Freiheit vom Strandrecht, vom Recht des Landesherrn auf den Nachlaß des in der Fremde gestorbenen Kaufmanns und Ermäßigung aller Verkehrsabgaben. Sie hatten vielfach ihre eigene Waage, durften auch bei Nacht ihre Schiffe be- und entladen usw. Dieses Netz von Privilegien sicherte dem hansischen Handel Ausnahmebedingungen und trug dazu bei, daß er über die Konkurrenz triumphierte; aber es weckte auch wachsendes Mißbehagen nicht nur bei den fremden Kaufleuten, sondern auch bei den Herrschern in Norwegen, England usw.

Wie Messen und Handelsgesellschaften Organisationsformen des mittelalterlichen Handels, so waren die Zünfte die Organisationsform des Gewerbes[166]. Der mittelalterliche Handwerker arbeitete oft nicht im Kundendienst, sondern mit eigenen Rohstoffen für den freien Markt; er trieb „Preiswerk" (im Gegensatz zu „Lohnwerk"), er war sein eigener Kaufmann. Den Arbeitsprozeß zerlegte man vielfach nicht arbeitsteilig horizontal wie heute, sondern vertikal, indem man die Gewerbe stark aufspaltete. Jede Zunft hatte ein Monopol in der Herstellung, war aber auch auf ihre Spezialität strikt beschränkt, da lag die Ursache für die hohe Qualität des mittelalterlichen Handwerks. Die gewerblichen Betriebe waren Kleinbetriebe; um sie klein zu halten, wurde die Zahl der Produktionsmittel — Webstühle, Öfen u. ä. — und der Arbeiter — Gesellen und Lehrlinge — oft ausdrücklich beschränkt. Bei den textil- und metallverarbeitenden Gewerben kam es im späteren Mittelalter zur verlegerischen Zusammenfassung durch reiche Zunftmeister oder durch Kaufleute.

Sicher bezeugte Handwerkerkorporationen gibt es in Deutschland, England und Frankreich seit rund 1100. Seit der Mitte des 13. Jahrhunderts ist die Zunftorganisation in den Städten der germanisch-romanischen Welt allgemein verbreitet — bei starken regionalen Unterschieden — und wird auch durch die deutsche Ostsiedlung in Polen, Ungarn und im Baltikum eingeführt. Das Wort Zunft ist oberdeutsch; in Köln und Umgebung ist fraternitas, Bruderschaft, gebräuchlich, am Niederrhein und in Flandern finden sich Amt, Ambacht und in Norddeutschland Innung und Gilde. Die Zünfte sind eine komplexe Erscheinung und komplex sind auch die Motive der Zunftbildung. Freiwilliger Zusammenschluß — vielfach in den Urkunden klar bezeugt — und obrigkeitliche Markt- und Gewerbeaufsicht wirken zusammen. Die Zünfte haben Kartellfunktionen, ihre militärische Bedeutung ist oft groß — aber das umgreift nicht die ganze Institution. Religiöse Bruderschaften sind mitunter Anknüpfungspunkte, Rahmen neu sich bildender Zünfte. Das frühbezeugte Beieinanderwohnen der Handwerker in Gewerbegassen hat oft rein praktische Gründe technischer Art, erleichtert aber den Zusammenschluß der Handwerker desselben Gewerbes. Kern des Zunftwesens ist der Zunftzwang, d. h. die Ausschaltung des ortsfremden Handwerkers und die ausschließliche Zulassung der Zunftgenossen zum betreffenden Gewerbebetrieb. In dieser Form tritt uns der Zunftzwang schon in der Kölner Ordnung der Bettziechenweber von 1149 entgegen: alle die das Bettziechengewerbe in der Stadt (infra urbis ambitum) betreiben wollen, müssen zur Bruderschaft gehören. Die Zunft dient der Sicherung des Nahrungsspielraumes ihrer Mitglieder, allerdings gerade in bedeutenden Gewerbestädten auch der Sicherung der Güte der Ware zur Erhaltung der Absatzgebiete. Die Zünfte führen vielfach eine Qualitätskontrolle durch; mitunter muß der Rat die Konsumenteninteressen ihnen gegenüber wahren. Die Zunft sichert jedem einzelnen Mitglied die bürgerliche Nahrung; zum mindesten ist dies das wirtschaftspolitische Programm, das in der Praxis vom Gewinnstreben des einzelnen oft genug modifiziert wird. Das Einstandsrecht verhindert den Aufkauf der Rohmaterialien durch einen oder wenige Meister: Jeder Zunftgenosse kann zu gleichen Bedingungen in den Kauf von Rohstoffen eines anderen eintreten. Vorkauf ist nicht gestattet; die Ware soll auf den Markt kommen und keiner ihr entgegenlaufen. Auch durch diese Vorschriften unterbindet man das Entstehen von Großbetrieben. — Dennoch waren die sozialen Unterschiede zwischen den einzelnen Zünften — reiche Goldschmiede, arme Leineweber — groß, und auch innerhalb ein und derselben Zunft gab es Ungleichheit. Die Zunft hatte nicht nur eine wirtschaftspolitische Zwecksetzung. Religiöse und gesellig-karitative Pflichten banden jeden Genossen: gemeinsamer Gottesdienst, Feier des Zunftpatrons, der

Aufnahme eines Meisters, Totenehrung. Die Zunft besaß ein Haus oder mindestens eine Stube, geschmückt mit dem Zunftsilber oder wenigstens Zinn. Sie verwahrte ihre Statuten und Mitgliederbücher in der Lade. Ein gemütvoll geselliges Brauchtum, Vorsorge und Fürsorge, geregelte Ausbildung des Nachwuchses, Standesgefühl, Sinn für Ehrbarkeit der Person, für Qualität der Arbeit — aber die Butzenscheibenromantik verdeckte auch Enge und Verknöcherung, ja sogar Unterdrückung und Elend — wie wir es noch aufzeigen müssen.

In der so eminent wichtigen Frage der Münze, also des Geldwesens und der Währung, kamen die Städte ebenfalls durchweg vom 11. Jahrhundert ab zum Zuge[167]. Nachdem die unter Karl dem Großen geplante Zentralisation des Münzwesens von seinen Nachfolgern wieder aufgegeben wurde, kam das Münzregal in die Hände von Klöstern und Bischöfen. Die renaissance du commerce bedingte einen Aufschwung auch im Münzwesen, zunächst eine erhöhte Münzprägetätigkeit, schließlich die Schaffung größerer Münzen, nachdem lange der silberne Pfennig, der Denar, das Fernhandelsgeld darstellte, und zuletzt von Italien ausgehend, wo Goldmünzen wohl immer im Umlauf geblieben waren, auch nachdem Karl der Große auf die Silberwährung umgestellt hatte, die Prägung und Neuschöpfung von Goldmünzen. Die feudalen Münzherren erlagen oft der Versuchung, ihr Münzrecht fiskalisch auszubeuten. Das gereichte dem städtischen Wirtschaftsleben zum Nachteil. In Italien richtete sich die im vorigen Kapitel schon dargestellte Teilhabe der Einwohner an der bischöflichen Stadtverwaltung auch auf die Münze. König Lothar II. bestätigte 945 der Kirche von Mantua das Münzrecht; die Prägungen sollten in Mantua, Verona und Brescia gleichbleibenden Wert haben. Mischungsverhältnis und Gewicht sollten jedoch secundum libitum et conventum civium der genannten Städte festgesetzt werden. Folgerichtig übernahmen im 12. Jhd. die lombardischen Kommunen die gesamten Regalien einschließlich der Münze. Im Privileg Heinrichs V. für Speyer von 1111 wurde bestimmt, daß kein Machthaber die Speyrer Münze leichter oder schlechter ausbringen dürfe ohne die Zustimmung der Bürger (Monetam ... nisi communi civium consilio permutet). In der Folge häufen sich für Italien und Deutschland die Belege. In England erscheint das Aufsichtsrecht der Bürger mehr als eine ihnen vom König auferlegte Pflicht. Heinrich I. befahl 1100/01 allen burgenses und allen, die im Burgus wohnen, Franken wie Angeln, zu schwören, daß sie seine Münze bewahren und keiner Fälschung derselben zustimmen. In Frankreich bekräftigte Philipp II. August im Privileg von 1195 für St. Quentin, daß er die Münze nicht verringern noch verändern werde ohne die Zustimmung von Major und Jurati. Im Kölner Stadtmuseum haben sich aus den Jahren um 1268 zwei Lederbeutelchen erhalten, die einst an die Stadt Köln übergebene Proben aus der erzbischöflichen Münze enthielten. Auch Städte, in deren Mauern sich keine Münzstätte befand, hatten das Aufsichtsrecht über die in ihrem Wirtschaftsbereich umlaufenden Münzen. Die Städte übernahmen die Münzstätten in bürgerliche Pacht und Regie, sie erstrebten und erhielten schließlich selbst das Münzrecht. Die willkürliche geographische und zeitliche Verteilung der Erlangung dieses Rechtes durch die deutschen Städte veranlaßt E. Nau zu dem Schluß, daß die Städte auf eine eigene Münze nicht so großes Gewicht legten, wie man früher annahm.

In Italien entwickeln sich die Institutionen des Handels und des Geldwesens imposanter und meist früher als diesseits der Alpen[168]. Die Ausweitung des Handels, die Durchführung der großen Handelsfahrten zur syrischen Küste, der Aufbau ganzer Kolonialreiche durch die Seestädte erfordert die Entwicklung der Gesellschaftsverträge. Man pflegt sie als commenda zu bezeichnen; die Quellen sprechen von accommendatio, collegantia, societas maris, entica u. a. Wie das Seedarlehen wird die commenda für *eine* Handelsreise abgeschlossen. Sie unterscheidet den socius stans, der zu Hause bleibt, und den socius tractans, der die Handelsreise ausführt; bei den unilateralen Verträgen, der venezianischen collegantia oder der eigentlichen commenda, ist der socius stans allein der Kapitalgeber, er trägt allein den Verlust und erhält $3/4$ des Gewinns; bei den bilateralen, die in Genua meist societas maris genannt werden, wird das Kapital zu $2/3$ vom socius stans, zu $1/3$ vom socius tractans beigestellt, an Gewinn und Verlust sind beide Partner beteiligt. Die erhaltenen Texte venezianischer Collegantiaverträge reichen bis ins 11. Jhd. zurück. Auch Barcelona kennt die „comanda". Die Formen variieren; auch Schiffsanteile können in commenda gegeben werden. Lopez hat auch auf die commenda der „kleinen Leute" aufmerksam gemacht und in seiner Dokumentensammlung dafür ein Beispiel aus Genua vom Jahr 1198 veröffentlicht. Für eine Handelsreise nach dem Hafen Bonifacio und Korsika und

Sardinien — also keine allzuweit entfernten Ziele — schießen 16 genannte Personen insgesamt 142 Pfund Genueser Denare zusammen — die niedrigste Einlage sind 2 und die höchste 25 Pfund. Zwei Kapitaleigner, Embrone di Sozziglia und Meister Alberto, die 6 bzw. 2 Pfund beisteuern, unternehmen die Fahrt. So profitierten weite Kreise Genuas am Seehandel. Es ist nicht gesagt, daß der socius tractans immer der ärmere Partner war; mitunter wechselten sich zwei Kaufleute in diesen Rollen ab. Gesellschaftliche Unternehmungen gab es auch in den Binnenstädten und im Landhandel. Die societas terrae hat Ähnlichkeit mit der commenda. Die Compagnia, als fraterna compagnia in Venedig früh bezeugt, wo aber die Commendaverträge bald überwogen, wurzelt vor allem im familienhaften Geschäftsbetrieb der italienischen Binnenstädte; ihre Entwicklung läßt sich besonders in Florenz gut verfolgen. Die Compagnia war nicht befristet.

Die Fortschrittlichkeit des italienischen Wirtschaftslebens zeigt sich auch darin, daß hier christliche Geldwechsler tätig sind: die Kawerschen und die Lombarden, meist aus Asti und Chieri. Auf jedem Markt schlugen sie ihre Wechselbank auf. Die Genueser bancherii nahmen seit dem 12. Jhd. Depositen an, von denen aus sie Überweisungen machten. Sie bekamen bald heraus, daß es genügte, etwa ein Drittel der deponierten Summen bereitzuhalten, um hinreichend liquide zu sein, so konnten sie ihren Kunden Vorgriffe auf das Konto gestatten und auch Geld in eigene Geschäfte stecken. So entstanden Depositen- und Girobanken. Der Handel auf den Champagner Messen brachte als neues Hilfsmittel den Wechsel zustande. Italienische Kaufleute, die zu Hause Geld in Genueser, Florentiner oder Mailänder Währung aufnahmen, um Seide oder Gewürze zu kaufen, verfügten nach Tätigung ihrer Verkäufe in Provins oder Troyes über ein Konto in dortiger Währung, das sie zur Bezahlung verwenden wollten. Das geschah durch einen vor dem Notar geschlossenen Wechselbrief, der durch Verschiedenheit des Ortes und der Währung gekennzeichnet ist. Es gibt bereits gezogene Wechsel. Die Plazentiner waren sehr geschickt in diesem Geschäft, im 13. Jhd. ging fast die Hälfte der Transaktionen zwischen Genua und den Messen der Champagne durch ihre Hände.

6. DIE EUROPÄISCHEN STADTLANDSCHAFTEN

Die Stadtkultur des europäischen Mittelalters hat ihre hervorragendste Ausprägung in einem südlichen und in einem nördlichen Gebiet gefunden, in Oberitalien und im Raum zwischen Seine und Rhein.

Oberitalien, stärker als irgendein anderes Gebiet Europas vom Erbe römischer Urbanität und vom wiedererwachenden Geist antiker Bildung und Gesittung geprägt, neben Unteritalien, der Provence und Katalonien am offensten für Einflüsse aus Byzanz und der arabischen Welt, blieb vom Ende der Stauferzeit bis 1494 frei von einer die zur Autonomie hier wie anderwärts drängenden Bürgerschaften bindenden altfeudalen oder sich unterwerfenden modernen zentralen Staatsgewalt. Geführt von einer herrenbürgerlichen Schicht aus merkantilem Stadtadel und reichgewordenen Kauffahrern erkämpften seine seebeherrschenden Stadtrepubliken einen Kolonialbesitz, der den Zugang zu den Schätzen des Orients sicherte, ja im Fall Venedig monopolisierte; ihre klugen und geschickten, besser und früher als anderswo mit der Rechenkunst und den arabischen Zahlen vertrauten Geldleute, die Sienesen, Lucchesen, Florentiner, Leute aus Asti vor allem, wurden zu den Bankiers der mit den weitestgestreuten Einkünften ausgestatteten und vielleicht geldbedürftigsten Macht Europas, der römischen Kurie, aber auch der europäischen Fürsten; die anlagesuchenden Kapitalien, der Binnenstädte besonders, ließen nicht nur qualifizierte Gewerbe entstehen, sondern bewirkten auch eine vom rationalen kaufmännischen Geist geprägte Umformung der Landschaft, ihrer Siedlung wie ihrer agrarischen Nutzung; zu den Fehden rivalisierender Geschlechter traten in den Exportgewerbestädten mannigfache Auseinandersetzungen zwischen Stadtadel und reicher Kaufmannschaft, zwischen Reichen und Armen; die vielen schreib- und rechtskundigen Laien in den italienischen Städten ermöglichten eine ausgebildete Schriftlichkeit der Verwaltung und des Geschäftslebens, und die Bologneser Schule des großen Irnerius brach der römischen Rechtswissenschaft die Bahn. Nach

Bologna strömten schon im 12. Jhd. die Studenten aus West- und Mitteleuropa, und nur Frankreichs Hohe Schulen konnten mit denen Italiens konkurrieren.

Diese Tendenzen und Kräfte bestimmen das Schicksal, formen das Bild von Städten, deren jede eine scharf ausgeprägte Eigenart besitzt. Die Großstädte Genua und Florenz und das kleinere San Gimigniano werden im Mittelpunkt unserer Betrachtung stehen.

Genuensis ergo mercator, lautet ein altes Sprichwort[169]. Ein Bericht eines Pilgerzuges zeigt uns die Genuesen schon 1065 in voller Handelstätigkeit an der syrischen Küste. 1098 schlossen sieben vornehme Genuesen einen Vertrag mit Bohemund von Antiochien, dem sie militärische Hilfe versprachen, wofür sie die Johanneskirche mit 30 Häusern am Kirchplatz, einen Fondaco und einen Brunnen zu lastenfreiem Eigentum und Abgabenfreiheit zugesagt erhielten. Einen gewaltigen Aufschwung brachte die „Caesareafahrt" mit der Eroberung des damals noch durch Handel blühenden Caesarea (Mai 1101). In einem neuen Seezug mit 40 Galeeren trugen sie 1104 zur Eroberung Akkons bei. Dafür erhielt die Kathedralkirche Genuas einen Platz in Jerusalem, eine Straße in Jaffa und je ein Drittel von Arsuf, Caesarea und von Akkon, seinen Einkünften und seinem Landgebiet bis auf eine Meile im Umkreis, sowie Befreiung von jeder Art von Handelsabgaben in allen Besitzungen. Ein Kanoniker von S. Lorenzo wurde als vicecomes zur Verwaltung des Gewonnenen bestellt, der erste bekannte Vorsteher einer abendländischen Kolonie in der Levante. So ging es weiter und in einem Zeitraum von etwa 13 Jahren gewannen sie an der ganzen syrischen Küste von Jaffa bis zur Orontesmündung eine Reihe wichtiger Handelsstützpunkte. Ein noch größerer Handelsgewinn als in Syrien winkte im mohammedanischen Ägypten; hier waren die Gewürze und Spezereien des fernen Ostens, die auf dem Seewege kamen, billiger einzuhandeln. Das Notariatsarchiv des Johannes Scriba (1155—1164), das älteste erhaltene Genueser Notariatsarchiv, gewährt auch eine Vorstellung von der Intensität des genuesischen Handels mit Ägypten. Die Handelsreisen erfolgten in Schiffskarawanen. Die Genuesen unternahmen alljährlich nur eine solche gemeinsame Fahrt nach Syrien und Ägypten, und zwar im September. Im Juni setzen die für diese Fahrt vor den Notaren geschlossenen Gesellschaftsverträge ein. In der Regel kam die Karawane im Oktober an und blieb den ganzen Winter über bis tief in das Frühjahr hinein; erst um Johanni wurde sie zurückerwartet. So blieb den Kaufleuten Zeit genug zur Erledigung ihrer Geschäfte, zum Besuch verschiedener Hafenplätze auf Küstenfahrten sowie zu Reisen ins Landesinnere. Die Gesellschaftsverträge ließen dem Kaufmann meist freie Hand, seine Geschäfte ultra mare et inde quo voluerit abzuschließen. Mitglieder der städtischen Aristokratie und Träger des Konsulats sind an diesen Handelsfahrten beteiligt; einer der bekanntesten ist Ingo de Volta, der in jungen Jahren persönlich nach Syrien gefahren war, wie er auch seine Söhne dahin schickte, als älterer Mann durch Gesellschaftsverträge am Handel teilnahm, wobei er enorme Summen investierte. Ein reisender Kaufmann war Soliman von Salerno, der in Genua ein Haus und Bürgerrecht erworben hatte und noch Beziehungen zu seinen alten Landsleuten aus dem normannischen Königreich unterhielt; er fuhr 1156 und 1160 persönlich nach Alexandrien. Auf kleineren Fahrten nach Korsika und Sardinien trafen wir schon Genuesen der unteren Schichten an. Die Kaufleute Italiens vermittelten aber nicht nur den Warenverkehr zwischen ihrer Heimat und der Levante; sie führten die Waren namentlich des ägyptischen Marktes im Zwischenhandel auch anderen Ländern zu und exportierten dafür Waren aus diesen. Die Genuesen trieben einen lebhaften Zwischenhandel zwischen der Levante und der südfranzösischen Küste. Bedeutend war auch ihre Niederlassung in Konstantinopel, wenn auch kleiner als die pisanische und erst recht die venezianische. Als das genuesische Quartier 1162 überfallen wurde, waren immerhin 300 Genuesen zu seiner Verteidigung anwesend. Im Zuge der Wallfahrt nach Santiago di Compostela treffen wir sie auch in Spanien. Das Öl Andalusiens, das Quecksilber Almadéns, der Alaun Kastiliens waren für sie wichtige Handelsgüter. Wir finden sie auch an der atlantischen Küste Frankreichs, und sie sind die Pioniere des direkten Seehandels der Italiener nach England und den Niederlanden geworden. Sie erscheinen auf den Messen der Champagne. Zur Zeit des Kreuzzuges Ludwigs IX. waren die Genuesen fast die einzigen Vermittler zwischen den französischen Kreuzfahrern und ihrer Heimat. Mit ihrer Hilfe machten der König und die reichen Barone die heimischen Mittel zur Verwendung im Orient flüssig. Die hohen Summen, die der König in der Ferne bei genuesischen Geldgebern gegen Wechselbriefe, die auf das königliche Schatzamt im Tempel zu Paris ausgestellt wurden, aufnahm, befruchteten auch den Handel Genuas mit Frankreich. Die nahegelegenen Inseln Korsika und Sardinien waren im ganzen 12. Jahrhundert ein Zankapfel zwischen Pisa und Genua. Das waldreiche Korsika war unmittelbar wichtig für den Schiffsbau der Seestädte, zur Ausfuhr gelangten Schiffsplanken und anderes Bauholz, Pech und dgl., ferner Getreide, während Salz bei der Einfuhr nach der Insel eine große Rolle spielte. Schließlich behauptete sich Genua in Korsika, während sich Pisa im Süden Sardiniens eine starke Position schuf. Diese Besitzungen stützten natürlich die Seemacht der beiden Städte im Westbecken des Mittelmeeres. So verpflanzen sich allerdings auch die Rivalitäten zwischen Pisa, Genua und Venedig nach ihren Kolonien. Alle Wechselfälle dieser in mannigfachster Weise in die Erfolge und Niederlagen der Kreuzzüge verwobenen Kolonialgeschichte können wir hier nicht verfolgen. Die Kolonien wurden aber auch Ausgangspunkte für den nach dem Massiv Innerasiens, nach Indien, der Insulinde und den Ostrandländern Asiens ausstrahlenden Handelsverkehr. Von den meisten Küstenstädten aus führten Straßen ins Innere. Auf diesen Straßen haben die Italiener langsam ihren Aktivhandel weiter nach Osten vorgeschoben; wahrscheinlich um 1250 sind Venezianer in Damaskus; sie durchstießen schließlich das gewaltige Festlandsmassiv Asiens und gelangten bis zu den Märchenländern China und Japan. In Ägypten allerdings konnten die venezianischen Händler nicht über Kairo hinaus vordringen, die weitere Fahrt nilaufwärts blieb mohammedanischen Händlern vorbehalten. Als 1261 das oströmische Imperium aufs neue begründet wurde, schmolz Venedigs Besitz wieder zusammen; davon profitierte Genua, das sich im ausgehenden 13. Jahrhundert auf dem Höhepunkt seiner Macht befand: Pisa geschlagen, Sizilien geteilt, die Araber in Westafrika geschwächt, Spanien im Krieg, die französische Marine noch in den Anfängen, die provenzalischen Kommunen verfallen. Schließlich entwickelt sich ein gewisses Gleichgewicht der Kräfte zwischen Genua und Venedig. Sie bleiben beide im ganzen byzantinischen Reich zollfrei: Während Venedig dank seinem Besitz wichtiger Häfen auf dem Festland und der Gewinnung der südlichen Inseln des Archipels mit Kreta vor allem den ägyptisch-syrischen Handel beherrscht, breitet sich Genua im nördlichen Teil der Inselwelt der Ägäis aus. Ein wichtiger Stützpunkt ist Chios mit dem benachbarten kleinasiatischen

Hafen Phocaea, der einer Vereinigung von Staatsgläubigern, der Maona, zur Nutzung überwiesen wird. Von Chios geht der für die Tucherei unentbehrliche Alaun auf dem Seeweg zu den südlichen Niederlanden. Venedig hingegen spezialisiert sich immer mehr im Gewürzhandel und besitzt nahezu ein Pfeffermonopol. In einem Seestatut der Signorie in Venedig von 1233 werden folgende in Syrien zum Export gelangende Waren aufgezählt: Baumwolle, Baumwollgarn, Mützenwolle, Süßholz, Zuckerrohr, Spike, Pfeffer, Muskatnüsse, Gewürznelken, Reis, Zucker in Hüten, Staubzucker in Säcken, Gummilack, Gummi arabicum, Myrrhen, Aloë, Weihrauch, Kardamon, Kampfer, Sandelholz, Galangawurzel, Auripigment, Ammoniak, Wachs, Indigo, Alaun, Glas, Vitriol, Schmirgel, Rohseide und Seidenwaren, Bucharazeuge, Brasilholz (zum Färben), Zimt, Flachs, Kümmel, Muskatblüte, Anis, Kamelotstoffe. Seit Beginn des 13. Jahrhunderts hatte Venedig seine Fühler nach den Gegenden des Schwarzen Meeres und der Krim ausgestreckt, einmal um eine weitere Etappe auf dem Nordweg nach Innerasien, dann um Anschluß an das südrussische Fluß- und Verkehrssystem zu gewinnen; es ging ihm vor allem um das südrussische Getreide, ferner um Pelze, Tran u. dgl. Auch hier treten sich Venedig und Genua als Rivalen gegenüber. Genua gewinnt Kaffa, schiebt 1316 eine Kolonie nach Tana an der Donmündung vor. Bald darauf erscheinen auch hier — 1325 — die Venezianer. Ende des 14. Jahrhunderts kann Genua seine Krimstellung noch erheblich ausbauen. — Wie wichtig die Ausfuhr russischen Getreides durch die italienischen Städte war, geht daraus hervor, daß als Tana 1343 vorübergehend an die Tataren verloren ging, im byzantinischen Reich und in Italien nicht nur die Preise für Spezereien stiegen, sondern auch ein empfindlicher Mangel an Getreide und an Salzfischen eintrat. — Seit 1281 setzen sich die Genuesen in Trapezunt fest; 1319 folgt ihnen Venedig. Zypern mit seinem großen Reichtum an Exportgütern — Salz, Rohrzucker, Zypernwein, Baumwolle, Waid, Kamelotte, Goldfäden, Brokaten — stand bis 1193 unter byzantinischer Herrschaft, sah aber oft die italienischen Kaufleute, in größerer Zahl im 14. Jahrhundert, wo auch Florenz hier Fuß faßte; am stärksten baute Genua seine Stellung aus. Florenz, lange Zeit eine reine Landmacht, hatte in den letzten Jahrzehnten des 14. Jahrhunderts den Kampf um den Handel mit Ägypten gegen die älteren Wettbewerber erfolgreich aufgenommen. Nach der Gewinnung von Porto Pisano und Livorno verhandelte es 1422 mit den ägyptischen Kalifen um die üblichen Konzessionen, es hatte 1455 regelmäßige Flottenreisen angeordnet, mußte aber auf die Dauer Venedig weichen. Nach 1300 begegnen wir Venezianern, Genuesen, Pisanern in Persien, vor allem in Tauris; Persien wird dann Etappe für das Vordringen nach Indien und Ostasien. Die Reisen nach Indien und Ostasien hören um 1350 auf. Der Handel der Italiener mit dem Orient war gekennzeichnet durch seine Unterbilanz. Die Italiener hatten den alten Kulturlandschaften wenig Waren anzubieten, die diese brauchten oder schätzten.

Wenden wir uns dem toskanischen Binnenland zu. Hier bewundern wir heute noch in San Gimignano das pittoreske Bild einer mittelalterlichen toskanischen Stadt, wie es Stadelmann[170] unübertrefflich geschildert hat. „Über den kahlen braunroten Tonhügeln schießt plötzlich ein Bündel von riesigen Steintürmen in die Luft. Enge gedrängt auf dem schmalen Plateau, mit fast unheimlicher geometrischer Präzision stehen die scharfkantigen kubischen Kolosse gegeneinander. Ohne Fensteröffnung und Zinnenkranz, ohne Zugang und Verkehr, eines über das andere hinausstrebend zu enormer Höhe, die graue Umfassungsmauer, die sie einschließen soll, weit hinter sich lassend und erdrückend. Wie dieses gespenstische San Gimignano müssen wir uns Florenz noch im 13. Jahrhundert vorstellen: eine finster großartige Anhäufung von Stadtburgen und Wohntürmen, in denen die ritterlichen Familien mit ihren Schutzgarden sich gegenseitig verschanzen, ein Wald von Bergfrieden und Kastellen, die auf Gassenbreite nebeneinanderstehen." Als Borgo eines Kastells der Bischöfe von Volterra ist San Gimignano entstanden[171]. Um 1000 verfügt der Borgo über einen Markt und über Mauern. Die in günstiger Straßenlage entstandene Stadt zieht großen Gewinn aus einem Durchgangszoll, Fuhrgewerbe und Gastwirte profitieren am Verkehr. Zwei Handelsgüter hat S. Gimignano anzubieten: Safran, der im 13. Jahrhundert nicht nur nach den Champagner Messen, Neapel und Messina, sondern auch nach Nordafrika und bis Ägypten geht, aber wohl auf pisanischen Schiffen, und Wein. Die gewerbliche Entwicklung — Glas und Tuch — war nicht sehr bedeutend. Alter Adel, die vicedomini des Bischofs, die aus familiares und fideles des Bischofs hervorgegangenen boni homines, die späteren consules, stellen die Oberschicht der Stadt dar; die beiden letzteren Gruppen verdanken ihr Vermögen nicht nur Grundrenten, sondern auch dem Handel und der Geldleihe. Die Erbauer der Türme sind Händler- und Geldleiherfamilien, die diesen stadtadligen Lebensstil angenommen haben. Die Stadt besaß eine ausgeglichene Sozialstruktur: die großen Vermögen machten im 13. Jahrhundert 28,9 Prozent, die mittleren 48,3 Prozent und die kleinen 22,8 Prozent aus. Der Adel feudaler Herkunft, die Cattani, die Casaglia und die Ruggerotti da Montagutolo, nahm am politischen und administrativen Leben der Kommune teil, aber seine Position war nicht beherrschend. 1277 verfügten die Cattani und Ruggerotti nur über 2,25 Prozent des städtischen Reichtums. Das 14. Jahrhundert bringt mit Parteikämpfen in der Stadt den Rückgang, den Verlust der Selbständigkeit und den Anschluß an Florenz.

Drei Entwicklungslinien lassen sich an Hand der Florentiner Geschichte exemplarisch verfolgen: der Aufbau eines Staatsgebietes durch eine Stadt, die Ausbildung großer Exportgewerbe und der Aufstieg der betreffenden Zünfte zu politischer Bedeutung, die Umformung der Agrarwirtschaft durch die Städter[172]. Florenz, Zentrum der Kirchenreform in der Toskana, Basis der politischen Aktionen der Markgräfin Mathilde, bewies seine junge Kraft erstmals, als es 1082 die Belagerung durch Kaiser Heinrich IV. abzuweisen vermochte. Es wird *die* Festung des contado, dessen Feudaladel es systematisch unterwirft und zur Residenz in der Stadt zwingt. Das 1171 mit Pisa geschlossene Bündnis verschafft seinem Handel den Zugang zum Meer. Der Mauerring von 1173/75, der die außerhalb der Römermauern entstandenen neuen Quartiere einschließt, bedeutet den Abschluß dieser ersten Aufstiegsepoche. Neben den in der Stadt residierenden Adligen, den Alberti, Buondelmonti, Firidolfi, Pazzi u. a., die sich vor allem dem Waffendienst, den städtischen Ämtern, dem Notariat und Podestat widmen, stehen die reichen Händler, die wie der Adel in festen, mit Türmen ausgestatteten Häusern leben und als milites dienen, ohne dem Handels- und Bankgeschäft untreu zu werden. Auch die vom Lande eingewanderten Alberti del Giudice, Ardinghelli, Peruzzi sehen im Adel ihr Vorbild, dienen als pedites und erstreben größeren politischen Einfluß. Darunter formiert sich die anwachsende Masse der Handwerker. Trotz der Geschlechterfehden, die 1216 ausbrechen, und dem guelfisch-ghibellinischen Parteiengegensatz bringt das 13. Jahrhundert einen enormen Aufschwung. Schon 1198 hat Florenz die Führung des toskanischen

Städtebundes inne. Der siegreiche Kampf gegen Siena verschafft ihm Poggibonsi und damit die Herrschaft über den ganzen contado (1208). In den 20er Jahren beginnt das Zerwürfnis mit Pisa, das sich zu immer stärkerer Handelsrivalität und zu erbittertem Haß auswächst, bis endlich — 1410 — Florenz mit der Gewinnung von Porto Pisano und Livorno den Zugang zum Meer erkämpft hat. Das 13. Jahrhundert sieht den großartigen Aufschwung des Geldhandels von Florenz. Die Florentiner werden neben den Genuesen und Lucchesen die Bankiers der Kurie — deren Geldbedarf durch Kreuzzugspolitik, den Endkampf mit den Staufern, das Bündnis mit den Anjous enorm zunahm — und der Könige und Fürsten Englands, Frankreichs, der Anjous. Denn der Ausbau des modernen Staates mit expansiver Außenpolitik, Söldnerwesen, besoldetem Beamtentum, Bestechungstaktiken verschlang ungeheure Gelder; es sei nur erinnert an die Bestechungssummen, die König Adolf von Nassau erhielt; der Florentiner Musciatto war dabei beteiligt[173]. Kurz nach Genua, das den goldenen Genovino schuf, prägte Florenz 1252 den goldenen Florenus, der die mittel- und nordeuropäische Geld- und Münzgeschichte für Jahrhunderte mitbestimmen sollte.

Im 13. Jahrhundert vollzog sich in mehreren Etappen die Beseitigung des adligen Stadtregimentes. „Il primo popolo" formierte sich 1250 in 20 Kompagnien, einer politisch-militärischen Organisation, welche die societas militum aufhob, und in einer eigenen Organisation der Popolanen, von der Adel und Großbürger ausgeschlossen waren, die neben die alten Organe der Kommune trat.

Von 1260 bis 1267 ist Florenz ghibellinisch, ab 1267 guelfisch. Ab 1282 kommen immer stärker die „arti", die Zünfte, ins Spiel und 1289/93 erfolgt der Umbau der Verfassung, der die arti zur Basis der Verfassung macht; aus den oberen, mittleren und unteren Zünften entsteht der Körper der 21 politischen Zünfte, aus ihrer Mitte wird die oberste Regierungsbehörde, die Signorie, gebildet. Eine politische Rolle kann ein Florentiner nur noch als Mitglied einer „arte" spielen. Auch Adlige können sich einer Zunft einschreiben lassen. — Dante ließ sich in die Zunft der Drogisten, Krämer und Ärzte eintragen. — Die faktische Herrschaft liegt bei dem popolo grasso, den 7 oberen Zünften. Diese Verfassung bleibt bis zur Herrschaft der Medici (1434) bestehen. — Die Florentiner Vorgänge sind keineswegs isoliert: Die zweite Hälfte des 13. Jahrhunderts ist erfüllt von städtischen

Unruhen: Da ist der von Berenguer Oller geführte Aufstand in Barcelona im Jahr 1285 und ähnliche Vorgänge in Gerona und Lerida. In den Niederlanden sind Aufstände in Brügge, Ypern, in Douai, Tournai und Lüttich. In Rouen und in Provins in Frankreich kommt es zu Rebellionen[174].

Seit 1182 besteht in Florenz die Arte dei mercanti. Ihre unmittelbare Fortsetzung ist die Arte di Calimala, so genannt nach der Straße, an der die Läden ihrer Mitglieder lagen. Sie ist die bedeutendste der Handelszünfte, die Zunft der großen Kaufleute und Tuchveredler. Ihre Mitglieder besitzen oft Färberei- und Appreturwerkstätten. Zur Calimalazunft gehören auch die meisten führenden florentinischen Bankfirmen. Natürlich kann ein Calimalamitglied zugleich als Bankier, Händler und Werkstattinhaber sein Vermögen verdienen. Auch Handelsgesellschaften sind Mitglied der arte. Sie wird von gewählten Konsuln geleitet. Ende des 13. Jahrhunderts gibt es ungefähr 80 Handelsgesellschaften der Calimala mit 500 bis 800 Teilhabern. Die Zunft der Cambiatores umfaßt vor allem die Geldwechsler; sie kontrollieren mit den Kaufleuten der Calimala die Münzprägung. Die Arte di Por Santa Maria widmet sich dem Gewandschnitt, dem Import von Seide und dem Verkauf von seidenen Geweben. Die Arte della lana umfaßt zwar auch die Färber, Walker und Weber, aber nur als zweitrangige Mitglieder. Vollmitglieder sind Kaufleute, Wollimporteure und Tuchverleger[175].

Im 13. Jahrhundert ging man in Florenz dazu über, englische Wolle zu verarbeiten. Die Florentiner Kaufleute schlossen mit englischen schafzüchtenden Klöstern gegen Gewährung von Anleihen und Vorschüssen laufende Wollieferungsverträge ab. Die Qualität des aus englischer Wolle gewebten Tuches war so sehr jeder anderen Sorte überlegen, daß die Transportkosten von England und der flandrischen Küste bis zu den tyrrhenischen Häfen und von da nach Florenz sich lohnten. Der Florentiner lanaiolo ist also zugleich Kaufmann und Leiter des Herstellungsprozesses. Er kauft selbst oder läßt durch seine Agenten in den Ursprungsländern, in einem der italienischen Häfen oder in seiner Heimat Rohmaterial und Arbeitsmittel einkaufen, die Wolle etwa in England, Flandern oder Frankreich, in Spanien oder Afrika, den Waid in Erfurt, den Purpur aus dem Orient, den Alaun aus Phocaea, Volterra, Genua beziehen. Persönlich oder durch Mittelsmänner, die aber meist reine Angestellte sind, beherrscht er den ganzen Arbeitsprozeß, denn vom Rohstoff bis zum fertigen Produkt findet kein Eigentumswechsel statt. Der Arbeitsprozeß ist sehr stark zerlegt und auch örtlich zerspalten: die Wolle kommt von den Wäschereien am Arno in die Zentralwerkstatt, von dort aufs Land zum Verspinnen, zurück zum Weber in dessen Heim, zum Färber in die Färbewerkstatt am Corso dei tintori, von dort zum Walker aufs Land in die an einem der zum Arno fließenden Bäche gelegene Walkmühle, zurück in die Stadt in eine der großen Tuchspannereien, endlich wieder in die Zentralwerkstatt des Tuchers zur letzten Appretur, von wo aus dann das fertige Tuch verpackt, obrigkeitlich gesiegelt, zum Verkauf oder Export geht. Ein ziemlich irrationales Hin und Her mit viel Zeit- und Kraftverschwendung. — Aus diesem organisatorisch-betriebstechnischen Aufbau ergibt sich die soziale Differenzierung innerhalb der industriellen Arbeiterschaft. Auf der untersten Stufe, immer am Rand der Existenzmöglichkeit stehen die zumeist in den Vorstädten oder borghi in elenden Behausungen zusammengedrängten Werkstattarbeiter der Anfangsprozesse, Wollschläger, Wollkämmerer, Wollkratzer usw. Etwas besser ist die Lage der Spinner und Weber, die wenigstens noch ihre Arbeitsinstrumente selbst besitzen und mitunter noch Hilfskräfte anstellen. Wieder auf einer höheren Stufe stehen die Fertigsteller und Appreteure, die immerhin ein oft vom Vater ererbtes Fachkönnen besitzen. An höchster Stelle stehen die Färber und Tuchspanner, die eigenes Kapital mitbringen.

Zu den eben beschriebenen vier oberen Zünften — Calimala, Cambiatores, Por Santa Maria, della lana — kommen noch drei weitere: die Zunft der Ärzte, Gewürzhändler und Krämer, die der Kürschner bzw. Pelzhändler, schließlich die der Juristen und Notare, die 1291: 65 Juristen und 575 Notare umfaßt. Diese sieben oberen Zünfte machten etwa 10 Prozent der Florentiner Bevölkerung aus.

Der in die Stadt gezwungene Adel kapitalisierte seine Einnahmen aus dem Landbesitz. In der Toskana und nach der Eroberung der Terra ferma auch im Venezianischen waren nicht nur die Großbürger Landbesitzer; auch der bürgerliche Mittelstand, der seinen Bedarf an Wein und Öl, an Getreide und Fleisch zum Teil selbst befriedigen wollte und für die Zeiten der sommerlichen Hitze oder der Seuchen ein refugium in eigenem Besitz auf Hügel- oder Bergland oder in gut durchlüfteter Ebene erstrebte, erwarb Landgüter. So kam zu der geschilderten politischen Unterwerfung des Landes durch die großen Kommunen die privatwirtschaftliche Nutzung von der Stadt aus und im kaufmännischen Geist; es kam zur Verbürgerlichung der Grundherrschaft und zur Urbanisierung des Landvolkes. Der Grundbesitz wurde kapitalisiert und die bisherigen Hörigen wurden frei. Das Bologneser Gesetz von 1256 beschloß den Freikauf von Hörigen durch die Kommune, um sie den städtischen Industrien als notwendige Arbeitskräfte zuzuführen. Erneute Beschlüsse von 1282 zeigen allerdings, daß eine echte Freiheit der Landleute noch nicht erreicht war. Florenz verbot 1289 den Verkauf der Hörigen zusammen mit der Scholle, es sei denn, daß die Kommune selbst als Käuferin aufträte. Hinter dem Erlaß standen sehr reale Interessen. Die „Befreiung" des Landvolks machte es erst völlig zum Glied der Kommune, der dem städtischen Eigentümer die möglichst rentable Nutzung sicherte. Das geschah durch das rein privatrechtliche Pachtverhältnis in der Form des Teilbaus, der Mezzadria, die seit dem späten Mittelalter in der Toskana zur klassischen Form des Besitzrechtes wurde. Die kaufmännischen Besitzer erstrebten eine rationelle Betriebsweise. Es kam zu einer weitgehenden Zersprengung der alten dörflichen Siedlungen. Die Eigentümer rundeten ihren Landbesitz ab und setzten inmitten des Besitzes den neuen Pachthof; so entstanden die „poderi" und die casae sparsae der Toskana. Mit dieser Neuformung der Siedlung ging eine Neugestaltung der gesamten Agrarlandschaft einher. Der Getreidebau wurde zurückgedrängt zugunsten der Rebe und des Ölbaums — der erst nach 40 bis 60 Jahren die ersten Erträge bringt — und anderer die Anlage größerer Kapitalien erfordernder Nutzpflanzen. Die reinen Getreidefelder schwanden und machten den Formen der Mischkultur Platz: Von Ölbaum zu Ölbaum schlang sich der Wein, und darunter wuchs der Weizen. Die coltura mista hat auch eine günstige Arbeitsverteilung über das ganze Jahr, was für die Familienbetriebe der contadini wichtig war. Damit ist allerdings nur *eine* Seite der Entwicklung auf dem Lande dargestellt, die von der neueren Forschung in der Vielfalt ihrer sozialgeschichtlichen Aspekte und vor allem in ihrem Zusammenhang mit der Bevölkerungsbewegung — expandierende Bevölkerung im hohen Mittelalter, stagnierende seit rund 1300 — gesehen wird[176].

„So zeigen die mittel- und norditalienischen Landschaften die einzigartigen Leistungen einer Bevölkerung, die es fertig brachte, außer der Erfüllung ihrer städtischen Berufe, sozusagen mit der linken Hand, eine Agrarlandschaft völlig umzuwandeln und in Siedlung und Anbaumethoden zu reformieren ... Die lichte berauschende Landschaft Toskanas mit ihren Gutshöfen, ihren Ölbäumen und Zypressen ist das Ergebnis der Planung der Bourgeoisie und ihres Kapitals. So erweist sich die Landschaft der ‚casae sparsae' als völlig in die Stadt einbezogen ... ist die dem äußeren Augenschein nach am stärksten ländliche Erscheinung dieser mittelitalienischen Regionen ihrer inneren Struktur nach die am stärksten urbanisierte" (Dörrenhaus).

Hinter den glanzvollen oberitalienischen Stadtrepubliken stehen die Städte Unteritaliens zurück, die dem straff organisierten normannisch-staufisch-angevinischen Staat eingefügt waren. Die größte Stadt Unteritaliens, eine der volkreichsten Europas überhaupt, wird Neapel. Tancred hatte Neapel 1190 das schon erwähnte Privileg verliehen, das ihr wie Bari, Trani und Gaeta die direkte Unterstellung unter den König zusicherte, die Vorherrschaft des Adels bestehen ließ, aber auch die aufsteigende mittlere Schicht begünstigte. Nach dem Vorbild Mittelitaliens organisierte sich die Stadtgemeinde unter Konsuln, denen der vom König ernannte „compalazzo" vorstand. Aber diese Städtefreiheit war nur von kurzer Dauer. Die Staufer widerriefen die Privilegien Tancreds. Friedrich II. allerdings tat viel für den wirtschaftlichen und kulturellen Aufstieg Neapels: hier prägte er 1231 mit seinen Augustalen die ersten italienischen Goldmünzen, hier rief er 1224 eine Universität ins Leben, die sich vor allem auf dem Gebiet der Jurisprudenz hervortun sollte, während Salerno das Zentrum der medizinischen Studien blieb[177]. Erst recht wird Neapel unter den Anjous als Herrscherresidenz und Hauptstadt Sitz eines glänzenden Hoflebens, einer Kultur großer Eleganz und Raffinesse — mit Boccaccio beginnt hier die italienische Prosa; der Luxusbedarf des Hofes stimuliert Handel und Gewerbe; in der junctura civitatis drängen sich die Stadthäuser des Adels und die Quartiere der Kaufleute, der Genuesen, Katalanen, Marseiller, Pisaner, Florentiner, Amalfitaner. Karl von Anjou läßt hier seit 1278 — nach dem Vorbild des seit 1266 in Frankreich geprägten Turnosen — den „gigliato" schlagen, eine Silbermünze, die bis ins 15. Jahrhundert den Münzumlauf im Mittelmeerraum bestimmt. Die Stadt ist Sitz zentraler Behörden; die normannische Tradition des Archivwesens — ältestes Kronarchiv im Castel Capuano, das Wilhelm I. erbaut hatte

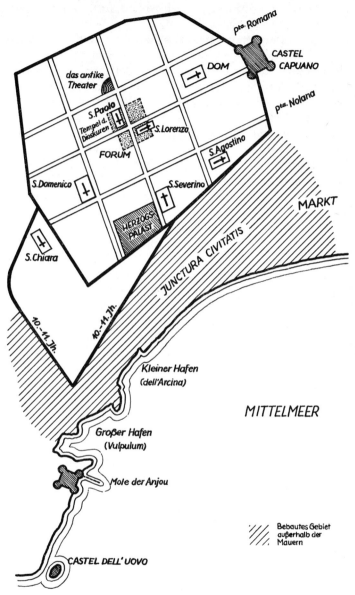

Abb. 8. Skizze von Neapel (um 1300).

— setzt sich unter Staufern und Anjous fort. Um 1300 hat Neapel 50 000 Einwohner.

Zu den hervorragenden Handelsplätzen des westlichen Mittelmeerraumes gehört Barcelona; der große Saal der Lonja, des alten Treffpunkts der Kaufleute, (vollendet 1392) und die Atarazanas Reales, die Schiffswerft (14. und 17. Jahrhundert), zeugen noch heute von der spätmittelalterlichen kommerziellen und maritimen Bedeutung der Stadt, die zwar immer wieder auf die übermächtige italienische, vor allem genuesische Konkurrenz stieß, aber den italienischen Städten eines voraushatte: Als Hauptstadt Kataloniens, gefördert von der Krone Aragon, besaß sie eine außerordentlich günstige zentrale Position „à la tête d'une hiérarchie de villes où les centres commerciaux et urbains secondaires tissent un réseau équilibré, de Perpignan à Tortosa, de Géronne à Lerida. Hormis les faits de concurrence individuelle, point de heurts avec les marchands de la ,province'. Point ,d'étape' ou de circuit artificiellement détourné. Safran et laines quittent la Catalogne par les voies les plus naturelles, l'un à travers les Pyrénées à destination des consommateurs du Nord, les autres en dévalant l'Ebre — et dans les moments de grande crise, tout au plus pense-t-on à créer à Barcelone des foires où traiter de ces denrées. Dans tout cela, l'importance du rôle barcelonais tient à la présence des marchands et des capitaux. Mêmes caractéristiques dans les rapports avec l' avant-pays maritime, pour autant qu'il intéresse nos gens: le corail d' Alghero, le blé et le sucre siciliens restent toujours accessibles. La production industrielle présente des traits identiques. Si l'idée d'une puissante draperie indigène est née à Barcelone, c'est le pays entier qui maintenant tisse et pare les draps dont beaucoup prendront le chemin des mers, et ce sans esprit de concurrence entre les centres de fabrication . . ."[178] Die Einschaltung in den Wollhandel der iberischen Halbinsel und die Entstehung des eigenen Textilexportgewerbes waren die großen Fortschritte, die Barcelona im 14. Jahrhundert buchen konnte. Aber die Stadt blieb vor allem Seehandelsplatz. Der Gewinn der Safranverkäufer und die Vollbeschäftigung in der Tucherei, die Versorgung der großen Stadt mit Lebensmitteln, die Höhe der öffentlichen Einnahmen hingen vom kaufmännischen Erfolg ab. Mit den Gewürzen der Levante bezahlen die Kaufleute aus Barcelona die Wolle aus Aragon, die sie den Venezianern verkaufen; mit den venezianischen Dukaten kaufen sie aber nicht nur Gewürze ein, sondern auch in Genua Alaun und Waid für die heimische Tucherei, deren Produkte sie in Sizilien gegen den Zucker umsetzen, den sie dann auf den Brügger Markt bringen. Im Norden reichte der Handel Barcelonas bis nach England. Seine Schiffe dringen „ultramare" ins östliche Mittelmeerbecken, nach Kleinasien, zu den syrischen Häfen vor. Rhodos ist für sie ein wichtiger Platz, zugleich Zwischenstation auf der Reise nach Alexandrien. Als im 15. Jahrhundert die syrischen Häfen nicht mehr angelaufen werden, nimmt der Verkehr mit Ägypten zu.

Die Südfranzosen[179] schalten sich seit dem 12. Jahrhundert aktiv in den Mittelmeerhandel ein. Die führende Stadt ist Marseille. Immer mehr entziehen sie sich der Bevormundung durch die Italiener, besonders die Genuesen. Reichhaltige Nachrichten informieren über den Marseiller Warenhandel nach Syrien, der nicht das Genueser System der Schiffskarawanen befolgt; wohl ist die Gesellschaftsform der commenda üblich. Zum Export gelangen vor allem Erzeugnisse der Textilindustrie Nordfrankreichs und Flanderns, auch südfranzösische Stoffe und Leinen aus der Champagne und Deutschland. Als Exportartikel von Bedeutung erscheinen Goldfäden aus Genua, Lucca und Montpellier. Dazu kommen Rauchwaren, Zinn englischen Ursprungs, Korallen, die an der provenzalischen Küste selbst gefischt wurden, Mandeln der Provence und Safran wohl toskanischer Herkunft. Aus Syrien bringt man Alaun, Zucker, Gewürze, Brasilholz.

Wichtig sind Wein- und Getreidehandel. Die Einfuhr von Getreide ist eine Lebensfrage für Marseille. Es kommt von Sizilien, von Sardinien — von wo die Genuesen Marseille wegen des Syrienhandels abhalten wollen —, von der kleinen Insel Copreria, von Katalonien und dem Languedoc. Wein wird exportiert. Auf den Schiffen, die von Marseille nach Syrien verkehren, fahren außer den Kaufleuten von Marseille solche aus Figeac und Orlac, Narbonne und Carcassonne, Toulouse, Cahors und Limoges, Alais, Montauban und St. Gilles mit, mit Kapital beteiligen sich außerdem Le Puy, Aix, Nîmes und Avignon an diesen Fahrten. Nächst Marseille spielt Montpellier die größte Rolle im Syrienhandel; von den Rhonestädten entsendet Arles eigene Pilgerschiffe nach Syrien, schließlich gewinnt auch Aigues-Mortes für den Verkehr mit Syrien an Bedeutung. Erst in der Zeit des lateinischen Kaiserreichs hören wir von einem besonderen Quartier der Südfranzosen in Konstantinopel, an dem auch Katalanen Anteil haben; es untersteht venezianischer Oberhoheit. Seit dem Anfang des 13. Jahrhunderts tritt der früher sehr lebhafte Zwischenhandel der Italiener zwischen Südfrankreich und Nordafrika zurück, und der Handel von Marseille mit den Sarazenen des Westens nimmt einen überraschenden Aufschwung. Auch Arles und St. Gilles sind in diesem Handel vertreten, besonders aber auch Montpellier. Exportiert wird Wein, wie gesagt ein Hauptexportartikel von Marseille, aber auch Kastanien, Bohnen, Schmer, Safran, Kupfer, Edelmetall, Korallen, Textilien, Levantewaren, Drogen. Die Einfuhr nach Marseille besteht hauptsächlich in Häuten und Fellen, Wolle, Wachs und Mandeln. Natürlich erscheinen die Südfranzosen auf den Messen der Champagne. Hier sind zuerst die Leute aus Montpellier nachweisbar, dann kommen die Marseiller. Die Katalanen haben 1224 ein Haus in Provins: domus illorum de Hispania. In den 1220er Jahren treffen wir Leute aus Marseille, wahrscheinlich welche aus St. Gilles und solche aus Montpellier auch schon in England. Ein Marseiller Handelshaus bringt Alaun und Zucker nach England. Der Handel der Südfranzosen mit Sizilien weitet sich aus trotz aller Bemühungen Genuas, ihn zu hintertreiben. Eng verknüpft war Südfrankreich schon durch geographische Lage, Stammesverwandtschaft und politische Beziehungen mit Katalonien. Schiffsverkehr zwischen Montpellier und Katalonien bezeugen bereits Nachrichten von 1127. Marseille genießt seit 1219 Handelserleichterung vor allem für seinen Getreidehandel.

Die Messen von St. Gilles haben wir im vorigen Kapitel erwähnt. — Um 1300 kommt es zum Niedergang des südfranzösischen Handels infolge der politischen Verhältnisse, des direkten Handels Italiens mit Flandern auf dem Seeweg, der Niederlassung italienischer Geschäftsleute an der Kurie in Avignon, schließlich der Pest und der barbaresken Seeräuberei.

Die Sozialstruktur der süd- und südwestfranzösischen Städte weist große Ähnlichkeit mit derjenigen der italienischen Städte auf. Nehmen wir als Beispiel Arles. Die Agrarwirtschaft seines Hinterlandes — Salinen der Camargue, Vermellanernte von den Steineichen im Crau, Viehtriften, Wein- und Ölanbau — regte den Handel an und war auf ihn angewiesen. Im 13. Jahrhundert sind 50 Prozent der Vollbürger und Ratsfamilien Zollrechtsinhaber, Münzmeister, Geldleiher, Wechsler, 11 Prozent sind

Juristen, Notare, Ärzte, 11 nehmen direkt am Handel teil, 11 sind am Handel mit Salz, Wein, Fisch, Vieh und Wolle interessiert; alle haben Grundbesitz.

Die große Stadt des französischen Südwestens, Toulouse[180], war nahe daran, ein Stadtstaat oberitalienischer Prägung zu werden, als die Albigenserkriege dieser Entwicklung ein Ende setzten. Es blieb die wirtschaftliche Beherrschung des Landes: viele Toulouser Bürger waren ländliche Grundbesitzer, ja Herren und Notabeln in den anliegenden Dörfern und Flecken. Die Estimes Toulousaines, die Steuerregister der Stadt, die geradezu eine Photographie der privaten Vermögen geben, veranschaulichen, wie charakteristisch der Grundbesitz für die Toulouser Stadtbewohner war: für die reichen, wie den Messire Guilhelm de Garrigues, der in der Stadt 6 Patrizierhäuser und außerhalb der Stadt große Ländereien besaß, wie für die kleinen Handwerker, Gärtner, Arbeiter mit einem Häuschen und ein oder zwei Parzellen Land. 58 Prozent des 1335 registrierten Vermögens bestand in Grundbesitz, in Feldern, Weingärten, Gutshöfen und Herrschaften. Handel und besonders das Geldgeschäft waren ebenfalls wichtig: 1333 sind in Toulouse 80 Wechsler bezeugt. Sein goldenes Zeitalter erlebt Toulouse spät, als gegen Ende des 15. Jahrhunderts der Handel mit Waid internationalen Zuschnitt gewinnt.

Wie berechtigt es ist, von der Individualität einer jeden Stadt zu sprechen, zeigt pointiert der Fall Bordeaux[181]. Bordeaux ist eine atlantische Stadt — aber mit dem Vorbehalt, daß sie sehr tief landeinwärts liegt und daß die Gironde in den oft stürmischen Golf von Gascogne einmündet. Daher berühren lange nicht alle Routen, die im Spätmittelalter den Ozean befahren, Bordeaux: die Genuesen und die Venezianer machen auf ihrer Seefahrt zu den Niederlanden und nach England nicht in Bordeaux Station, ebenso nicht die deutschen und englischen Flotten auf dem Weg nach Portugal oder ins Heilige Land. Zum Mittelmeer hat Bordeaux keine günstigen Verbindungen. Es hebt sich auch durch seine kommunale Verfassung — Bordeaux wird von Maire und Geschworenen regiert — scharf von den südfranzösischen Städten ab. In einem eigenartigen Zusammentreffen wirtschaftlicher und politischer Momente wird Bordeaux im Spätmittelalter zum größten Weinmarkt Europas, dem allenfalls noch Köln an die Seite gestellt werden kann. Der Aufschwung der Stadt war vom Beginn an, wie wir schon ausführten, vom Lande und der agrarischen Entwicklung getragen. Der wirtschaftliche Aufschwung gewinnt im 13. Jahrhundert ein erhebliches Tempo und erleidet durch das französische Zwischenspiel von 1294 bis 1303 nur eine kurze Unterbrechung. Nachdem La Rochelle (seit 1224) und Toulouse (seit 1271) dem König von Frankreich gehören, hat Bordeaux, als Hauptstadt der kontinentalen Besitzungen der Plantagenets und erster atlantischer Hafen Englands auf dem Festland, die unerhörte Chance, den aufnahmebereiten englischen Markt höchst privilegiert mit Wein zu versorgen. In den Niederlanden stieß Bordeaux auf die Konkurrenz der Weine des Poitou, der Isle de France und des Rheinweins, in England gewinnt seine Stellung einen fast monopolartigen Charakter. Hauptabnehmer war London.

Eine stadtstaatliche Entwicklung fehlt in Bordeaux, wenn auch die weite Entfernung des englischen Stadtherrn und des französischen Suzeräns eine kräftige Entfaltung der Selbstverwaltung gestatten. Die ganze Stadt lebt mehr oder minder vom Wein, nicht nur die Bürger, auch die zahlreichen Einwohner, vor allem die Weinbergs- und Hafenarbeiter. An der Spitze der sozialen Pyramide stehen die wenigen großen bürgerlichen Familien, deren politische Machtposition auf ihrem im Weinhandel errungenen Reichtum beruht. Das mittelalterliche Übel der Geschlechterfehden findet sich sehr ausgeprägt auch in Bordeaux.

Im städtischen Ballungsraum zwischen Seine und Rhein entfalten sich die wirtschaftlichen Energien am stärksten. Kennzeichnend für diesen Raum ist die enge und vielfältige Verbindung von Exportgewerben und Handel. Die Schlüsselstellung nimmt dabei die Tuchindustrie ein[182]. Zur großen nordwesteuropäischen Textillandschaft gehören nach Ausweis der Genueser Notariatsregister: die Champagne mit den Tuchstädten Châlons und Provins sowie der Leinwandstadt Reims, die Pariser Gegend mit der Hauptstadt selbst, dann Chartres, Etampes und Beauvais, weiter Caen in der Normandie und in der Pikardie Amiens, St. Quentin, Abbeville, Montreuil, St. Riquier und Corbie. Die Niederlande sind mit Arras, Douai, Lille, Tournai, Gent, Ypern, Brügge, St. Omer und Dixmuiden vertreten. Aber auch Tuche aus Cambrai, Valenciennes, Lüttich und panni Anglici treten auf. Genua erhielt diese Tuche einmal über das Rhonetal und von dessen Mündungshäfen aus zu Schiff, oder über die Alpen und durch Piemont. Die Italiener holten die Tuche teilweise selber. Aber auch die Bürger der Tuchstädte im Norden begegnen in erheblicher Zahl in Genua, an der Spitze die von Arras. Ein wesentlicher Teil des Absatzes wickelte sich auf den Champagnermessen ab. Im Maasgebiet gehören zu den Tuchstädten von alters Huy und Maastricht, dann Lüttich, Namur, Dinant, später noch St. Truiden, Tongern, Hasselt, Roermond, Ivois-Carignan, Virton und Luxemburg. Im Rheinland finden wir den östlichen Vorposten des großen Tuchgebietes mit den beiden frühen und großen Tuchstädten Aachen und Köln, zu denen sich später noch Düren und Münstereifel gesellen. Brabant setzt mit seiner Tuchindustrie ziemlich spät, im 13. Jahrhundert ein und steigt erst im 14. Jahrhundert zu gleichwertiger Stellung mit Flandern auf. Mecheln, Brüssel, Löwen wurden hier die ganz großen Tuchstädte. Ammann zählt insgesamt 150 Tuchorte, von denen 90 auf die Niederlande entfallen. Der Export geht natürlich nicht nur in den Mittelmeerraum, sondern ebenso durch die deutsche Hanse in den Nordosten und über Rhein und Donau in den Südosten. Köln und Aachen erreichen im 12. Jahrhundert den Südosten mit ihrem donauabwärts gehenden Export. Aachens Tuche gehen später aber auch über Breslau nach Polen.

An das nordwesteuropäische Gebiet der Qualitätstuche schließt sich der mittelrheinische Tuchbezirk mit seiner leichteren Ware an. Im 12. und 13. Jahrhundert finden wir die deutschen Grautuche auf den Messen der Champagne und in Paris; nach einem vereinzelten Beleg kamen Tuche aus Mainz gegen Ende des 12. Jahrhunderts bis Venedig[183]. Im frühen 14. Jahrhundert reicht der Absatz der mittelrheinischen Tuche bis zur Nord- und Ostsee, bis zu den Alpen im Süden und bis Breslau und Ungarn im Osten. Kern- und wohl auch Ausgangsgebiet dieser Tuchlandschaft bildet die Wetterau mit Frankfurt, Friedberg und Wetzlar, dann die Gruppe der mittelrheinischen Bischofsstädte, besonders Speyer. Aber auch Kleinstädte im hessischen Bergland, in Taunus, Westerwald und Eifel sind an der Produktion beteiligt.

Die Metallindustrie tritt in Nordwesteuropa hinter der Textilindustrie zurück. Ihre wichtigsten Zentren liegen an der mittleren Maas und in Köln mit dem Bergischen Land. Die Buntmetalle wurden in Dinant, Huy und Namur sowohl in hohen künstlerischen Formen — ein erlesenes Zeugnis ist das Taufbecken Reiners von Huy, das jetzt in Lüttich steht — wie vielseitig zu Gebrauchsgegenständen verarbeitet. Im 12. Jahrhundert bezog das Maastal sein Kupfer aus dem Harz über Köln und Neuß und legte dort Wert auf Handelserleichterungen. Die Maasstädte trieben auch selbst Metallhandel. Lüttich wurde der führende Platz für die Gewinnung und Verarbeitung von Eisen. Köln leistete in der Metallindustrie ebensoviel wie in der Textilindustrie, wo es außer deftigem Tuch auch Leinen, Barchent, Seide und Hanf erzeugte; es war neben Zürich und Regensburg mit seinen Schleiern[184] der einzige Seidenzeugproduzent nördlich der Alpen; seine Metallverarbeitung wurzelte in frühmittelalterlicher Tradition und — wie auch sein vielseitiger Metallhandel — in der Rohstoffgewinnung der links- und rechtsrheinischen Bergländer sowie Nord- und Mitteldeutschlands. Auch die Edelmetallverarbeitung spielte in Köln eine große Rolle. 1395 wurden in Köln 122 Goldschmiede und -schläger gezählt. Die Goldschläger gaben besonders Blattgold und Blattsilber in den Fernhandel, die aber auch von den Künstlern in Köln gebraucht wurden für den Goldgrund der Gemälde und die Verzierung der Altäre.

Das Land an der mittleren Maas fällt ferner mit seiner frühen Steinkohlenausfuhr auf. Es geht darin anscheinend allen Revieren Europas voran, und wenn Steinkohle in der Mitte des 13. Jahrhunderts in niederländischen Zolltarifen steht, dürfte dies auf den Zufuhren über die Maas von Lüttich beruht haben. Die mit Feuer arbeitenden Gewerbe Kölns verwenden im 14. Jahrhundert Steinkohle. Von der Maas wie vom Rheine her wurden die Niederlande mit Holz, Steinen und Kalk versorgt[185].

Kölns Handel vermittelt dem Süden die Früchte der Ostsee und dem Norden den Elsässerwein, die beliebteste deutsche Weinsorte des Mittelalters: der Kölner Brand auf den Fischtonnen bürgt für die Güte der darin eingesalzenen Heringe und die Kölner Ritzung für die mit Elsässer Wein wohlgefüllten Weinfässer. Das Lebensmittelgewerbe des volkreichen Köln war stark auf Einfuhr angewiesen, andrerseits war Köln ein Kornmarkt für die nördlichen Niederlande. Die Viehtafel — eine städtische Kreditanstalt — erleichterte seit dem 14. Jahrhundert den Ankauf auf dem Kölner Viehmarkt, der aus immer weiter entfernten Regionen beschickt wurde.

Die großen Städte dieses Raumes werden im 12. und 13. Jahrhundert von einem kaufmännischen Patriziat regiert und auch wirtschaftlich beherrscht. Machen wir uns an einigen exemplarischen Fällen klar, was das junge, gelehrte Kunstwort „Patriziat" konkret bedeutet.

Ich beginne mit Köln: „Geschlechter" nennen sich die Kölner Patrizier. Das Wort „genus" für die vornehmsten Bürgerfamilien ist quellenmäßig für das 13. Jahrhundert belegt. Die Geschlechter sind zusammengeschlossen in der Richerzeche, einem sehr engen, verwandtschaftsähnlichen Verband. Sie steht in keinem direkten Zusammenhang mit der coniuratio. Die Bürgermeister mit den Amtleuten von der Richerzeche als ihrem Beirat tauchen zuerst in einer Zunfturkunde von ca. 1180 auf. Während sie hier das Zunftrecht verleihen, haben noch im Jahre 1149 die Unterrichter, Schöffen und meliores mit Zustimmung der Gemeindeversammlung dieses Recht ausgeübt. Die Kölner Bürgermeister, die sich langsam an Stelle der Unterrichter auf den führenden Platz der Exekutive in der Stadtgemeinde emporschwangen, treten uns im Zusammenhang mit der Richerzeche entgegen, nicht wie sonst üblich im Zusammenhang mit der Ratsverfassung. Die Kölner Richerzeche ging zwischen 1369 und 1396 in den Kämpfen der Geschlechter zugrunde. 200 Jahre lang hat sie Köln politisch und wirtschaftlich beherrscht und ein nobles Mäzenatentum ausgeübt. Die letzte kulturelle Großtat der Geschlechter war die Gründung der Stadtuniversität. Wie der Name „Geschlechter" besagt, gehört man diesem Kreis kraft Herkunft an, außerdem kraft Reichtums. Den Reichtum verdanken die Kölner Geschlechter Handelsgewinnen. Sie zeigen sich beherrscht von einem kommerziellen Geist, der auch ihr Verhältnis zum Boden prägt. Sie streben danach, sich auf Marktboden fest anzukaufen, der Grundbesitz gibt ihnen dann neue Kreditmöglichkeiten. Das Mittel, sich durch Anlage der Handelsgewinne in Grund und Boden ein wertbeständiges, jederzeit realisierbares Vermögen zu schaffen, wurde für den Kölner Kaufmann die jüngere Satzung, eine originale Schöpfung des Kölner Rechts[186]. Sie beläßt den Besitz beim Schuldner und führt schon in einem Jahr zur Vollstreckung in das Gut. Der städtische Grundbesitz war sehr mobil und stark gesplittert. Hausanteile von einem Achtel, Sechzehntel und weit mehr sind häufig. Mit seinen Schreinen ist Köln die Geburtsstadt des deutschen Grundbuchs. Die erhaltenen 86 Schreinskarten und 516 Schreinsbücher stellen den größten Bestand einer deutschen Grundbücherserie dar. Neben der Anlage im Grundbesitz, wobei der Erwerb von Verkaufsständen, von Back-, Brau- und Schlachthäusern, von Schmieden und Mühlen bevorzugt wurde, thesaurierten die Kölner einen Teil ihrer Gewinne, teils in Metallgeld, teils in der prunkvollen Ausstattung des Haushalts. Der Kaufmann braucht einen „Schatz", um die günstige Gelegenheit für einen guten Geschäftsabschluß, für die Pacht von Monopolen, den Erwerb von Ämtern am Schopfe packen zu können. Nach Gottfried Hagens prahlerischer Schilderung besaß 1268 die Overstolzenpartei in ihren Häusern an der Rheingasse einen Schatz, mit dem man ein Königreich hätte kaufen können. Diese Geschlechter haben bis zu 500 Jahren geblüht; so das Geschlecht der Jude von 1152—1674 und das der Lyskirchen von 1150—1672, von denen jedes ein halbes Jahrtausend während siebzehn Generationen bestand. Weiter, soweit bis jetzt bekannt, die Mummersloch von 1167—1492, die Canus von 1142—1435, die Grin von 1149—1459, die Hardevust von 1140—1479, die Spiegel von 1180—1492, die Quattermart von 1168—1441, die Gir von 1170—1435, die Cusinus von 1160—1438, die Birklin von 1150—1396, die Cleingedank von 1168—1393, die Aducht von 1150—1398, alle zwischen elf bis acht Generationen mehr als ein Vierteljahrtausend blühend[187].

Ein ganz ähnliches Bild wie das Kölner zeigt das Genter Patriziat[188], die „viri hereditarii". Noch heute tragen einige der alten Genter Patrizierhäuser den stolzen Spruch: „Vry huys — vry erve". Im „Frühpatrizier" (so Ganshof[189]) Everwakker (um 1120) ist uns durch einen Rechtsstreit ein Beispiel eines Genter Bürgers überliefert, der Freunde unter den barones des Landes hat, der so reich und mächtig ist, daß er dem flandrischen Grafen Trotz bieten kann und seinen Grundbesitz — der Prozeß ging um 200 ha Schorren, nur für Schafzucht nutzbaren Landes — offensichtlich im Tuchgewerbe nutzt. Die Schranken zwischen den Ständen, städtischem Frühpatriziat und Adel, waren also damals in Flandern nicht unüberwindlich.

Es fehlt nicht an Schattenseiten, an Geschlechterfehden wie die zwischen Weisen und Overstolzen in Köln, an Ausbeutung der „Armen" durch die „Reichen". Ein oft zitiertes Beispiel des 13. Jahrhunderts dafür ist Jehan Boinebroke aus Douai. Als er 1285 starb, hinterließ er, der neunmal Schöffe seiner Stadt gewesen war, ein bedeutendes Vermögen, das vielfach aus Immobilien bestand. Bevor es seinen vier Kindern übergeben würde, sollten die Testamentsvollstrecker seine Schulden bezahlen und alles von ihm verursachte Unrecht wiedergutmachen. Nun erschienen viele Kläger, ihre Beschwerden wurden aufgezeichnet und es entstand ein 5,50 m langes Pergament. Boinebroke kaufte seine Wolle in England und ließ sie in Säcken nach Douai kommen, er gab sie Bauersfrauen aufs Land zum Spinnen, das Garn woben für ihn Handwerker, die rechtlich zwar frei, aber wirtschaftlich von ihm abhängig waren, er hatte seine eigene Färberei. Boinebroke hat seine wirtschaftliche Machtstellung ausgenutzt: er hat seine Arbeiter mit überteuerten Lebensmitteln bezahlt und die für ihn arbeitenden Werkstätten im Preis gedrückt. Es war denn auch schon 1245 zu einem Aufstand der Handwerker und Arbeiter in Douai gekommen, und 1280 griffen solche Empörungen von Ypern nach Tournai und Douai über, wo Boinebroke sie niederschlug.

Wie die Kölner treten die Genter Patrizier im 13. Jahrhundert in der Stadt herrenmäßig auf. Sie schaffen sich befestigte steinerne Wohnungen in der Stadt, die Steene — erste Erwähnung 1212 —, sie besitzen kostbare Reitpferde, führen Siegel, kaufen adligen Grundbesitz, beanspruchen und erhalten die Titel domini und sire.

In Huy kann Joris von der Mitte des 13. Jahrhunderts an den Kreis von etwa 40 Schöffenfamilien rekonstruieren, der die herrschende Schicht bildet; darunter stehen etwa 15 Familien an allererster Stelle. Diese Familien sind vor allem im Tuchhandel tätig, auch der Geldhandel und — sehr viel seltener — das Handwerk führen zu Vermögen. Auch hier schafft man sich einen Rückhalt am Grundbesitz: durch Besitz eines Stadthauses und von Hausrenten in der Stadt, seit dem 12., in stärkerem Maß seit dem 13. Jahrhundert auch von Landbesitz in der Umgebung der Stadt. Dabei war Weinbergbesitz seit dem ausgehenden 13. Jahrhundert sehr beliebt; auch Mühlenanteile wurden begehrt, Bürger kauften Schafe auf und gaben sie den Bauern zur Aufzucht, wobei Teilung der Produkte vereinbart wurde. In seinem Testament von 1270 vermachte Etienne li Pors aus Huy seiner Frau 100 Mark mit der ausdrücklichen Bestimmung „pour marchandeir et faire son proit", also zu spekulativen Zwecken.

Sobald wir den Bereich der nordwesteuropäischen Gewerbelandschaft verlassen, ändert sich das Bild. Metz z. B.[190], die einzige Großstadt des mittelalterlichen deutschen Reiches südwestlich von Köln, hat keine Exportgewerbe und ist auch keine Messestadt. Sein Handel wurde vor allem gespeist von den Produkten der fruchtbaren ländlichen Umgebung. Es wurde ferner ein großer Geldmarkt. Die Besonderheit des Metzer Handels verschränkt sich mit der besonderen sozialen Struktur des Metzer Patriziats. Die großen Metzer Familien ererbten früh Landbesitz vor den Toren der Stadt, den sie im 13. und 14. Jahrhundert zu ländlichen Herrschaften ausbauten, hier hatten sie ihre Landsitze, in der Stadt ihre Wohntürme — wir werden an italienische Verhältnisse erinnert. Der Rückhalt im Pays messin ermöglichte es dem Metzer Patriziat, das in den fünf paraiges, Familienverbänden, fest institutionalisiert war, seine Herrschaft zu behaupten, als ringsum an Schelde, Maas und Rhein die Patrizierherrschaft abgelöst wurde.

Die Reichsstadt Köln hat sich kein Territorium geschaffen. Die Stadt-Landbeziehungen an Niederrhein, Maas und Schelde sind anderer Art als in Italien und auch in Metz und in Oberdeutschland. Wirtschaftlich zeigt sich der Einfluß der Stadt auf das Land in einer Intensivierung der Landwirtschaft. Verbesserungen der landwirtschaftlichen Betriebsweise — Besömmerung der Brache, vermehrter Anbau von Industriepflanzen, z. B. Flachs, vermehrte Viehzucht — zeigen sich im 13. Jahrhundert auf „Intensitätsinseln" in der Nachbarschaft von Gent[191] und Köln[192]. Die Forschung beginnt allerdings erst, diesem Fragenkomplex ihre Aufmerksamkeit zu widmen.

Politisch bringen sich die Städte seit dem 13. Jahrhundert in Städtebünden zur Geltung. Ziel dieser Städtebünde ist die Sicherung des Friedens, besonders auch des Handels, und Schutz vor aufkommenden Bedrückungen durch die Territorialherren. In der unsicheren Lage des „Interregnums", also in der 2. Hälfte des 13. Jahrhunderts, entsteht eine Kette von Städtebündnissen vom Oberrhein bis Westfalen[193]. Der bekannteste, der Rheinische Bund von 1254[194], ist zwar auf die Städte Mainz, Worms, Oppenheim zurückzuführen und der Mainzer Bürger und Fernkaufmann Arnold Walpot ist sein Initiator, aber er erfährt eine so große und auch wesensfremde Ausweitung — nach dem Beitritt Kölns umfaßt er die Städte bis hinauf nach Bremen, es treten ihm auch Territorialherren bei —, daß „hier aus städtischem Geist und den besonderen Verhältnissen des Interregnums heraus eine völlig eigne und neue Form des Landfriedens entstanden ist" (Angermeier). Dieser Bund ist politisch gescheitert, dokumentiert aber dennoch die politische Bedeutung der Städte

Westdeutschlands. In der königlichen und fürstlichen Landfriedenspolitik des 14. Jahrhunderts spielen die großen Städte weiterhin eine Rolle, die Wetteraustädte Frankfurt, Gelnhausen, Friedberg und Wetzlar, Dortmund, Soest, Osnabrück, Münster in Westfalen und Köln und Aachen in den kurkölnisch-brabantischen Landfrieden für die Lande zwischen Maas und Rhein von Andernach bis Xanten von 1351 ff. In Süddeutschland kam es in der zweiten Hälfte des 14. Jahrhunderts zur Errichtung mächtiger Städtebünde. Bei den Landfriedensbünden ließen die Herzöge von Brabant und die Erzbischöfe von Köln ihre Landstädte mitsiegeln und brachten sie so in den Bund ein. 1302 war es zu dem die Städte verschiedener Territorialstaaten vereinigenden mittelrheinischen Städtebund zwischen Koblenz, Boppard, Oberwesel, Andernach und Bonn gekommen, dem später auch Köln beitrat. Aber 1365 schlossen sich die kurkölnischen Städte Andernach, Ahrweiler, Bonn, Neuß und Linz zu einem Bündnis zusammen, das Keime einer landständischen Entwicklung in sich trug.

In Flandern[195] vertraten die Städte bereits im 12. Jahrhundert die terra Flandriae gegenüber dem Grafen. Der Einfluß der von Brügge, Douai, Gent, Ypern und Lille im 13. Jahrhundert entsandten scabini Flandriae — Arras und St. Omer waren an die Krondomäne gefallen — kannte Schwankungen, die der wechselnden Stetigkeit der Zentrale entsprachen. Immerhin schlossen die Städte 1208 ohne den Grafen autonom einen für die ganze Grafschaft verbindlichen Vertrag mit dem englischen König Johann ohne Land. 1312 bleiben nur noch Gent, Brügge und Ypern übrig, die großen „leden", die Versammlungen abhalten, „parlementen", an denen gelegentlich auch die kleinen Städte und Kastellaneien teilnehmen („vulle parlementen"). Schließlich bilden die „drie prinzipale pilare" von Flandern Gent, Brügge, Ypern mit dem „Brugse Vrije" — einem ländlichen Kommunalverband — die „Vier Leden", les „quatre membres de nostre dit pays de Flandres". Der politische Aktionsradius der Leden war im 14. Jahrhundert noch erheblich weiter als im 13. Die Verteidigung des Rechtes, der Privilegien gegenüber dem Fürsten ist der eine Quellgrund der Ständerechte; der zweite ist die Steuerbewilligung, auch sie ist in den südlichen Niederlanden früh bezeugt: 1203 wird in Lüttich die „firmitas" beschlossen „assensu clericorum et civium et militum exteriorum", d. h. die Steuer wird von den drei Ständen — Geistlichkeit, Bürgerschaft,

Landadel — bewilligt. Es wäre reizvoll, führt aber zu weit, die Anfänge des Ständestaats weiter zu verfolgen[196]. So ist der Wesensunterschied der oberitalienischen und der kontinentalen nordwesteuropäischen Entwicklung in der politischen Rolle der Städte, wie sie sich im 14. Jahrhundert herauskristallisiert, pointiert zu erkennen: Stadtstaat dort, Ständestaat hier. Flandern, das nur kommunal verfaßte Stände hat, könnte als Mittelding erscheinen, aber auch hier steht neben den drei großen Städten das Brügger Freie als ländlicher Kommunalverband. Sei es in kommunaler, landgemeindlicher, sei es in adlig-herrschaftlicher Form, das Land bleibt in Nordwesteuropa als politischer Faktor immer neben der Stadt bestehen.

In England, wo starke soziale Verflechtungen alle Schichten verbanden, gibt es keine schroffe Eximierung der Stadt. Wie zu einer gilda mercatoria die homines civitatis und die alii mercatores comitatus gehören — so bestätigt es z. B. Heinrich II. seiner Stadt Lincoln[197] —, so finden sich in der Grafschaftsversammlung vor dem königlichen Reiserichter Grundherren, Klerus, Vertreter der Städte und ländlichen Gemeinden zusammen. Die königliche Justiz begann die Standesunterschiede einzuebnen. Autonome Städte gab es in England nicht.

Im gleichen 14. Jahrhundert, in dem in Nordwesteuropa der Ständestaat sich zu konsolidieren beginnt, wandelt sich die Deutsche Hanse von einer Kaufmannshanse zur Städtehanse um; das sind voneinander unabhängige Anzeichen der Bedeutung der Städte.

Nach dem Erliegen des Friesenhandels waren die Skandinavier die eigentlichen Träger des Ost-Westverkehrs auf der Ostsee. Dabei konnten nach dem letzten Aufbäumen des Heidentums 1066 die vom Sveakönig tatsächlich unabhängigen christlichen Gotländer die Vorhand gewinnen[198]. Neben ihnen behaupteten die Russen einen nicht unbedeutenden Platz. Die sächsischen Kaufleute waren am Ostseeraum stark interessiert, hatten hier aber keine eigenen Schiffe, sondern waren auf schwedische und gotländische Schiffe angewiesen. Um 1090 bahnt sich die Wende an; die heidnisch-wendische Gefahr wurde für Dänen wie für Sachsen gebannt. Der Kaufmann brauchte auf der westlichen Ostsee wenig mehr zu fürchten und konnte unbehelligt wieder von der Elbe an die Schlei, nach Schleswig, ziehen und bald auch schon an die Trave, wo der christliche Nakonidenherrscher

Heinrich in der Burg Alt-Lübeck (bei Schwartau) residierte. Westfalen — Soester und Dortmunder —, aber auch Kölner werden im 12. Jahrhundert gern gesehene Gäste in Schleswig, sächsische Kaufleute besuchten von Bardowiek aus die Burg an der Trave. Drei Faktoren haben diese Situation entscheidend zugunsten der deutschen Kaufleute geändert und bewirkt, daß die Ostsee ein von der deutschen Hanse beherrschtes Meer wurde: die deutsche Ostbewegung, die von den Schauenburgern, den Askaniern und den Welfen wesentlich gefördert wurde, die Gründung Lübecks als abendländische Rechtsstadt und die technische Neuerung auf dem Gebiet des Schiffsbaus: der Koggen[199]. „Das ganze Gebiet der Slawen, anfangend von der Eider als der Grenze des dänischen Reiches und wie es sich zwischen Ostsee und Elbe durch weite Landstriche bis nach Schwerin erstreckt, einst von Hinterhalt starrend und fast ganz verödet, ist nun durch Gottes Gnade vollständig verwandelt worden gleichsam in ein einziges Siedlungsland der Sachsen; da werden Städte und Dörfer angelegt, da vervielfältigt sich die Zahl der Kirchen und der Diener Christi", heißt es im Schlußwort der Slawenchronik Helmolds von Bosau[200] um 1172. Davon ist sicher richtig, daß dieses Gebiet nun befriedet deutscher Oberhoheit unterstand. In diesen großen Zusammenhang gehört die — doppelte — Gründung Lübecks; den Bürgern wurde Zollfreiheit im ganzen Lande Sachsen und die persönliche Freiheit zugestanden, die sie, wenn sie binnen Jahr und Tag erworben war, allein durch ihren Eid ohne Zeugenbeweis sicherten, wie sie im Bereich des Herzogtums überhaupt sich nach dem Recht ihrer Stadt überall verteidigen konnten; in dieser bürgerlichen Freiheit lag der große Vorteil der deutsch-rechtlichen Stadt gegenüber den slawischen Burgstädten. Helmold bezeugt uns auch die planmäßige Förderung des Fernhandels in Lübeck durch Heinrich den Löwen, der Boten zu den Städten und Reichen des Nordens, nach Dänemark, Schweden, Norwegen und Rußland schickte und ihnen Frieden antrug, so daß sie zu seiner Stadt Lübeck freien Zugang und Verkehr hätten. Er schloß Handelsverträge mit König Knud Erikson und Herzog Birger von Schweden und wohl auch mit den Fürsten von Nowgorod. Er machte den Gotländern den Besuch des Lübecker Hafens zur Pflicht. Daß er 1160 Lübeck zum Sitz des Bistums für Wagrien machte, wirkte sich ebenfalls günstig für die Stadt aus. Ganz anders als von Schleswig aus — das zudem im Winter 1156/1157 samt der in der Schlei ankernden Nowgoroder Handelsflotte von König Svend Grate geplündert worden war — konnten von Lübeck aus die Kaufleute aus Friesland, Flandern, vom Niederrhein, aus Westfalen, Sachsen unmittelbar, ohne die Vermittlung der seefahrenden Skandinavier und Slawen über die Ostsee in die Ursprungsgebiete der nordischen und östlichen Waren vordringen und die westlichen Waren dorthin bringen. Erst der Hafen von Lübeck bot den Kaufmannsgenossenschaften die Möglichkeit, hier die breitbäuchigen Koggen zu bauen, die mehr laden konnten als die nordischen und slawischen Ruderschiffe. Von Lübeck aus wollten die Kaufleute den russischen Markt, also Nowgorod, erreichen; das konnten sie noch nicht in direkter Fahrt. Als Zwischenhandelsplatz bot sich die Insel Gotland an, die schon lange der Mittelpunkt des älteren Ostseehandelssystems war. Heinrich der Löwe stiftete 1161 Frieden zwischen den Deutschen und den Gotländern durch Eidschwur. In Gotland konstituierte sich die Genossenschaft der deutschen Kaufleute, der „universi mercatores imperii Romani Gotlandiam frequentantes", die nicht nur Lübecker, sondern auch westfälische und sächsische Kaufleute umfaßte, der Kern der „Deutschen Hanse". Im 13. Jahrhundert stehen vier Aldermänner an der Spitze der Gotlandgenossenschaft, gewählt von den Kaufleuten Lübecks, Wisbys, Soests und Dortmunds. Sie hatten dieselben Vollmachten wie später die Vorsteher der Hansekontore: sie übten eine Gerichtsbarkeit über ihre Genossen aus und vertraten sie gegenüber fremden Gewalten. Die Genossenschaft führte auch ihr eigenes Siegel. Sie verdrängte bzw. sog weitgehend in sich auf die vorgefundenen Kaufmannsgilden. Ja, in zunehmender Stärke ließen sich die Kaufleute in Gotland selbst nieder, und zwar in Wisby, wo sich schon eine Niederlassung befand, die seit der Mitte des 12. Jahrhunderts mehrere Kirchen besaß. Hier entstand eine deutsche Stadt — wir wissen nicht genau wann und wie — mit einem Siegel, das dem der Fahrergenossenschaft ähnelte, aber die Inschrift trug: „Sigillum Theutonicorum in Gutlandia manentium". Wir müssen also die mercatores frequentantes und manentes unterscheiden. So wurde Wisby eine Doppelstadt mit zwei Ratskollegien, die aber bald zusammengelegt wurden; ihm gehörten Deutsche und Gotländer an. Wisby entwickelte sich außerordentlich. In der Mitte des 13. Jahrhunderts entstand die große Mauer; noch jetzt bestehen dort die Ruinen von achtzehn mittelalterlichen Kirchen, die größte, St. Marien der Deutschen, wurde von

1190 bis 1225 erbaut. Wisby strebte darnach, sich an die Stelle der Gotlandfahrergenossenschaft zu setzen. Von Gotland aus wird in hansischen Angelegenheiten Recht gesprochen. Den Hansen gelang — woran die Wikinger gescheitert waren —, die Süd- und Ostküsten der Ostsee zu befrieden und die Handelswege nach Pommern, Preußen, Kurland, nach der Düna und schließlich nach Finnland und Nowgorod dauernd gesichert und dem Handel offen zu halten. Kirche und Adel Niederdeutschlands haben ihnen dabei geholfen. Im Zug der christlichen Mission, unterstützt von den Kaufleuten, wird 1201 Riga gegründet, es erhält das Recht von Wisby, später das vom Lübecker Recht abgeleitete Recht von Hamburg. Seit 1213 ist Riga Sitz eines Erzbischofs. 1202 wird der Schwertbrüderorden gegründet, dem auch Kaufleute angehören können, das ältere Dorpat wird 1224 Bistum, und in Reval lassen sich 1230 200 deutsche Kaufleute neben den dänischen und schwedischen nieder. Die vernichtende Niederlage des Schwertbrüderordens 1236 bringt einen Rückschlag, den die bald darauf einsetzende Eroberung Preußens durch den Deutschen Orden wieder wettmacht. Der Deutsche Orden wird Hansemitglied. — Allerdings trennt das lange noch heidnische Litauen das Ordensland Preußen von den baltischen Gebieten. — Auf dem Wasserweg — vom Finnischen Meerbusen in die Neva zum Ladoga-See, dann auf dem Wolchow, aber auch per Schlitten von der Düna aus — kamen die Hansen nach Nowgorod, zuerst als Gäste der Gotländer; aber bald schlossen sie eigene Verträge mit Nowgorod ab und erwarben den St. Peterhof.

Nowgorod[201] war damals Mittelpunkt eines riesigen, wenn auch locker gefügten, durch Handelsbeziehungen und Tributpflicht zusammengehaltenen Reiches zwischen Ostsee, Nordmeer, Ural und Waldaihöhen. Schon im 11. Jahrhundert drangen Nowgoroder Kaufleute und Bojaren weit über das alte Kolonisationsgebiet des Ladoga- und Onegasees hinaus in das Norddwinabecken, das die Pelztier-, Fisch- und Vogelfanggebiete mit Zentral- und Nordostrußland verband. Im Nordural beuteten sie die reichen Silbervorkommen aus. — Nowgorod heißt Neustadt; wo aber sein Vorläufer lag, ist ebenso umstritten wie die Anfänge Nowgorods überhaupt, die wohl ins 9. Jahrhundert zurückreichen. Die mittelalterliche Stadt liegt auf beiden Seiten des Wolchow; auf dem linken, westlichen Ufer liegt die „Sophien-", auf dem rechten, östlichen Ufer die „Handelsseite". Die Sophien-

WELIKI NOVOGOROD. ODER GROS NAVGARD

Abb. 10a. Ansicht von Nowgorod.

seite trägt ihren Namen von der Sophienkathedrale; sie war seit etwa 1000 der Sitz des Bischofs, seit 1165 Erzbischofs, und von einer mächtigen Burg, dem Kreml oder „Djetinec" geschützt. Hier lag das geistige Zentrum der Nowgoroder Stadtrepublik; der Erzbischof war auch ein wichtiger politischer Faktor und die Kirche sehr reich. Seit 1158 wählte die Volksversammlung, das Wetsche, den Bischof aus der Stadtgeistlichkeit, was in ganz Europa ziemlich einzigartig dasteht. Um den Kreml legte sich in einem weiten Bogen, die drei Stadtfünftel der Sophienseite umfassend, die Stadtmauer — landeinwärts, aber auch noch am Wolchowufer verlaufend. Zu den Fünfteln gehörten das Leute- oder Töpferfünftel; auch die Schmiedehandwerker wohnten hier in den Straßen, deren Kirchen Kosmas und Damian geweiht waren, und die Silberarbeiter, die einen vorzüglichen Ruf hatten. Von hier ging die Wotische und die Tschuden- oder Estenstraße nach Narwa, die Karelische zur Nevamündung und die schon um 1250 bezeugte Preußenstraße nach Riga. Im Schutz der Burg, vor allem an der Preußenstraße, lagen die Bojarenhöfe. Die Bojaren waren Großgrundbesitzer, erzielten reiche Gewinne durch den Verkauf der Naturalabgaben von Pelzen, Wachs usw. Sie waren „de heren", ein grundbesitzender stadtsässiger Adel; die Kaufleute bildeten eine mittlere Schicht, darunter stand die „schwarze Masse", niederdeutsch „de lude", Arbeiter und Handwerker. Es gab auch zahlreiche Sklaven. Das ist grob umrissen die Sozialstruktur des 14./15. Jahrhunderts. Die Sophienseite und die Handelsseite verband die in einer chronikalischen Notiz zuerst 1133 erwähnte Wolchowbrücke. Alter Mittelpunkt der Handelsseite war das Fürstenschloß, der Hof des Jaroslaw, des Sohnes Wladimirs des Heiligen, unter dem Kiew christlich wurde. Jaroslaw gewann 1019 die Herrschaft in Kiew. Nach seinem Tod (1056) bildete Nowgorod als Nebenland des Großfürstentums Kiew eine Art von Familiengemeinschaftsbesitz der Nachkommen Jaroslaws, der Jaroslawitsche. Es wurde erst spät ein eigenes Fürstentum, als die Machtstellung der Fürsten schon sehr geschwächt war. Nach dem Tod des letzten mächtigen Großfürsten Wladimir Monomach (1125) riß die Volksversammlung, das Wetsche, immer mehr Rechte an sich. Der Fürst mußte den Hof des Jaroslaw aufgeben, er wurde entfestet, hier tagte nun das Wetsche, hier befanden sich seine Kanzlei und die des possadnik, niederdeutsch borchgreve. Der Hof des Jaroslaw lag am Marktplatz mitten im pulsierenden Leben der Torgovaja

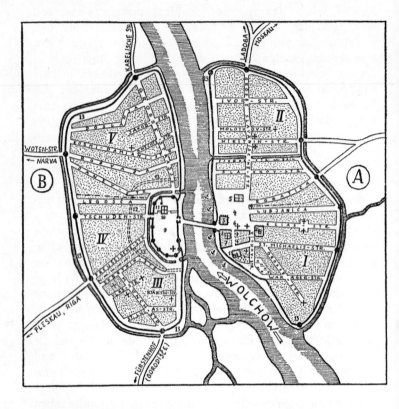

Abb. 10b. Stadtplan von Nowgorod zur Zeit der Hanse.
Schematischer Rekonstruktionsversuch nach Vorarbeiten von Tolstoj, Ni-
kitskij und dem „Russkij istoričeskij atlas" von K. V. Kudrjašov. – Zeichen-
erklärung: A. Handels-Seite, B. Sophien-Seite. I Slavno-, II Zimmermanns-,
III Leute- oder Töpfer-, IV Hinter-der-Burg-, V Nerevsches Stadtfünftel
(konec). 1. Gotenhof mit Olafskirche, Kirchhof, Wiese und Anlegestelle.
2. St. Peterhof der Deutschen. 3. Pleskauer Hof, vielleicht ehemals gotlän-
discher Gildenhof. 4. Markt. 5. St. Johanniskirche der russ. Kaufmannschaft. 6. Heil. Freitagskirche der russ. Fernhändler. 7. Fürstenhof „Jaroslaws
des Weisen", entfestet. 8. St. Nikolaikirche. 9. Djetinec, die Burg. 10. Sophienkathedrale. 11. Schloß des Erzbischofs. 12. Burggraben. 13. Stadtwall
oder Mauer mit Türmen.

storona. Nur wenige Schritte von ihm entfernt traf man die Anlegestellen für die Schiffe, auch die „Deutsche Mole". Der Gotenhof mit der Olafskirche und der hansische St. Peterhof lagen in unmittelbarer Nähe. Die Hansekaufleute hatten seit 1205/07 das freie Durchgangsrecht über den alten Fürstenhof, der von den Russen nicht verbaut werden durfte, denn die Verbindung zum Marktplatz und zwischen den beiden Höfen, Peter- und Gotenhof, mußte erhalten bleiben. Auf dem Markt erbaute 1156 die Genossenschaft der Überseehandel treibenden russischen Kaufleute die Kirche des hl. Freitag, die Pjatniza-Kirche; am Markt lag die 1127 errichtete Kirche Johannes des Vorläufers, deren Kaufleutegilde einen Handelshof in Kiew besaß. An der Johanneskirche tagte das Gastgericht. Einen großen Teil der Handelsseite nahm das Zimmermannsfünftel ein. Die russische Holzbaukunst besaß hier ein berühmtes Zentrum. Auch große Kirchen Nordrußlands wurden in Holz gebaut, in Nowgorod die Sophienkirche selbst aus Eichenholz; sie brannte 1049 ab, als allerdings der Grundstein für einen Steinbau schon gelegt war. Die Handelsseite besaß im Slavnofünftel den ältesten Stadtteil überhaupt. Von ihr gingen die Wege nach Ladoga und ins russische Hinterland; ein toter Wolchowarm sicherte sie nach der Landseite.

Die kleinste Verwaltungseinheit der Stadt war die Straße. Jede größere Straße (ulica) hatte ihren olderman oder starosta, ihr Wetsche und ihre Kirche; das Straßenwetsche wählte Priester und Diakon. Die Straßen waren zu Sotnien, Hundertschaften, zusammengefaßt; je zwei Sotnien bildeten ein Fünftel. Die Fünftel erstreckten sich in das koloniale Herrschaftsgebiet der Stadt hinaus. „Beistädte" (prigoroda) waren Alt-Ladoga mit einer alten Nikolauskirche der warägischen Kaufleute, Pskow (Pleskau), Staraja Russa und eine Reihe kleinerer Städte. Die zehn Hundertschaften waren zugleich militärische Einheit, zusammengefaßt als Tausendschaft, der militärischen Organisation der Gesamtstadt, unter dem Tausendschaftsführer, den die deutschen Quellen Herzog nennen. Erzbischof, Tausendschaftsführer und Possadnik wurden vom Stadtwetsche gewählt, „de gantze gemeine Grote Nougarden, dat gemene ding", in das Straßengemeinschaften, Hundertschaften und Stadtteile ziemlich willkürlich Vertreter entsandten, das praktisch Kaufleute und Bojaren beherrschten. Es wurde durch die Wetscheglocke zusammenberufen, die im Jaroslawhof hing, Symbol der Nowgoroder Unabhängigkeit. Iwan III. ließ sie 1478 nach Moskau bringen. — Das Wetsche war das oberste Organ der Stadt. Die Regierung übte der Herrenrat aus. Ihm gehörten der Possadnik, der Tausendschaftsführer und ihre Vorgänger und die Starosten der Fünftel und Hundertschaften an. Den Vorsitz führte zunächst der Fürst, nach 1136 der Erzbischof, während der Fürst einen Vertreter entsandte. Von 1136 bis 1238 hatte Nowgorod 38 Fürsten; sehr oft „zeigten die Nowgoroder ihnen den Weg". „Aber nun, Fürst", hieß es dann etwa, „können wir deine Gewalttätigkeit nicht länger ertragen, geh fort von uns, und wir wollen uns einen anderen Fürsten suchen." Die Mitglieder des Herrenrates hießen Bojaren. Die Kirchensatzung (Cerkovnyj ustav) von 1137 übereignete dem Haus der hl. Sophia ergiebige Pelztierjagd- und Fischfanggebiete. Der Grundbesitz des Erzbischofs, der Klöster und Kirchengemeinden machte im 14./15. Jahrhundert 21,7 Prozent des Nowgoroder Landes aus. Auch die Klöster spielten eine wichtige Rolle. Sie waren auch nicht ohne militärischen Wert; sie verfügten über eigene Befestigungen. Ende des 14. Jahrhunderts umgaben ungefähr 24 Klöster die Stadtbefestigung in drei konzentrischen Kreisen. So waren ja auch Susdal und Moskau durch befestigte Klöster geschützt. — Es war von großer Bedeutung, daß Nowgorod nicht von den Mongolen erobert wurde, denen Kiew 1240 zum Opfer fiel. Die Stadt blieb frei von mongolischen Steuereinnehmern. Allerdings stieß das Fürstentum Wladimir-Susdal immer stärker an die Grenzen des Nowgoroder Reiches. Zum Verhängnis wurde der Stadtrepublik der Aufstieg des Moskauer Großfürstentums. Die weiten Räume zur Ostsee, zur Wolga und zum Eismeer waren ursprünglich „politisch gewissermaßen ,leer'" (Onasch). Sie wurden von der 2. Hälfte des 13. Jahrhunderts ab aufgefüllt, zuerst durch das Land „jenseits der Wälder" Wladimir-Susdal, dann durch Moskau. Ein Charakteristikum Nowgorods ist auch seine hochentwickelte und weit verbreitete Schriftlichkeit; Hunderte von Urkunden des Geschäfts- und Alltagslebens, die auf Birkenrinde geschrieben sind, wurden gefunden, letzhin auch solche in lateinischer Schrift. Sie entstammen dem späteren Mittelalter.

Nowgorod teilt Wesensmerkmale mit den Städten des übrigen Europa: die dualistische Gestaltung des Stadtgrundrisses in die Sophienseite mit dem Kreml, der Burg, und die Handelsseite mit dem Torg, dem Markt; die bischöfliche Stadtherrschaft; das Ver-

hältnis von kirchlichem und weltlichem Bezirk in der inneren Gliederung der Stadt, die Funktion der Stadt, Sitz des Handels und bedeutender Gewerbe zu sein. Die Institution der Kaufmannskirchen ist ganz Nordeuropa gemeinsam. Die große Bedeutung des kirchlichen Elements findet sich in den anderen altrussischen Städten, in Kiew, Wladimir-Susdal und Moskau in gleicher Weise; es erscheint noch gesteigert im Vergleich zu Mitteleuropa. Was nur in der ungeheuren Weite des russischen Raumes und seiner Siedlungsleere möglich war, die Herrschaft einer Stadt über ein riesiges Gebiet, eine sehr stark durch Handelsbeziehungen repräsentierte Herrschaft, die ganz unerschlossene Räume einbezog, das allerdings ist einzigartig an diesem Stadttyp. Die jeweilige Hauptstadt mit Kreml, Kirchen und Klöstern ist Symbol und Mitte aller dieser Reiche: Wladimir-Susdals ebensosehr wie Moskaus. In Nowgorod weht zudem ein Hauch abendländischer Freiheit — vor der Eroberung durch Moskau. Es war in der Hansezeit Rußlands Tor zum Westen. Nicht nur westeuropäische Gewerbeprodukte, nicht nur flandrisches Tuch und weißes Lüneburger Salz kamen vom Westen her über Nowgorod nach Rußland, auch kulturelle Einflüsse breiteten sich auf diesem Wege aus[202]. Ein bedeutendes romanisches Kunstdenkmal sind die Bronzetüren der vom romanischen Stil beeinflußten Sophienkathedrale, die in den Jahren 1152—1156 in Magdeburg gegossen wurden und im 12. (?) Jahrhundert auf unbekannte Weise nach Nowgorod kamen, ohne indessen die in Stein und Holz arbeitenden Nowgoroder Künstler zu inspirieren. Wir ermessen jetzt, was der direkte Zugang zu Nowgorod für die Hansen bedeutete. Der Nowgoroder Eigenhandel richtete sich sehr stark nach dem sog. Unterland, dem Stromgebiet der oberen Wolga mit den neuen Reichen Wladimir-Susdal und schließlich Moskau. Nowgorod war für seine zahlreiche Bevölkerung — über 20 000 in der Blütezeit — auf Getreideimport angewiesen; dieses Getreide konnte die fruchtbare Umgebung von Susdal liefern. Das Unterland war aber auch der Weg zum Orient, besonders als der alte Dnjepr-Weg nach Byzanz durch Mongolen und Tataren versperrt wurde: Der russische Aktivhandel in der Ostsee trat demgegenüber zurück und kam infolge der hansischen Wirtschaftstätigkeit fast zum Erliegen.
Nowgorod war für die Hansen der Zugang zu dem reichen Pelzmarkt Nordrußlands, vom kostbaren Zobel- bis zum Eichhörn-

chenfell. Pelz war im Mittelalter Standessymbol, der Bedarf groß. Der zweite Haupthandelsartikel war das Wachs, das von Nischni-Nowgorod und Karelien nach Nowgorod kam und von Smolensk und aus den litauischen Wäldern nach Polotsk. Aber auch Seide aus Bagdad, chinesisches Seidenzeug, Gewürze und andere Orientwaren kamen auf den Nowgoroder Markt. Die Hansen gingen in der Frühzeit ihres Rußlandhandels weit über Nowgorod hinaus. Im 13. Jahrhundert suchen sie regelmäßig Smolensk und Witebsk auf. 1229 schließen sie in Riga einen Vertrag mit dem Fürsten von Smolensk, der auch für seine Mit-fürsten von Polotsk und Witebsk handelt; Zeugen der Vertragsurkunde sind u. a. drei Bürger aus Gotland, drei aus Lübeck, zwei aus Soest, zwei aus Münster, zwei aus Groningen, zwei aus Dortmund, einer aus Bremen und drei aus Riga. Das beweist nun nicht, daß Kaufleute aus all diesen Städten bis Smolensk gezogen sind; für Groningen z. B. ist es sehr unwahr-scheinlich; es beweist aber ihr Interesse am Rußlandhandel und daß sie mindestens bis Riga auf ihren Handelsreisen vorstie-ßen. Kaufleute aus Riga sind bis nach Susdal gereist und haben von dort „bulgersche" Waren (der Wolgabulgaren) in ihre Heimatstadt geschickt — allerdings nur bis zur Mongolen-herrschaft. Seit dem Beginn des 14. Jahrhunderts gehen die Hansen über Nowgorod und Polotsk nicht mehr hinaus. Die Gründe sind mehrfacher Natur: einmal die Intoleranz und Ab-sperrung gegen alles Westliche, die sich in Rußland heraus-bildet; die westlichen Tuche sind nicht mehr gefragt; auch im Rußlandhandel wird die Bilanz Europas passiv. Dann wirkt sich auch hier der politische Aufstieg des Moskauer Großfürstentums störend aus.

Das Leben der Hansekaufleute in Nowgorod schildern u. a. sehr anschaulich die Schragen, die Satzungen des Kontors, die in ihrem ältesten Teil aus der Mitte des 13. Jahrhunderts stammen. Sein Mittelpunkt ist die steinerne Peterskirche. Die Kirche, eine echte „Kaufmannskirche", war offensichtlich recht geräumig und besaß eine Art Kreuzgang mit Gewölben. Die Kaufleute benutzten sie nämlich auch als Warenmagazin und Archiv; die St.-Peters-Kiste stand darin mit den Pergamenturkunden und dem Schatz des Kontors, sogar die Gewichte und die Waage wurden über Nacht hier aufbewahrt.

Jeden Abend begab sich ein Kaufmann in die Kirche, um dort zu schlafen bzw. zu wachen. Bei Abreise der Kaufleute wurden die Kirchenschlüssel den russischen Würdenträgern von Nowgorod zur Aufbewahrung in einem versiegelten Behältnis übergeben. Handeln und Kaufschlagen in der Kirche war untersagt. Kein Russe durfte ihr Inneres betreten. Man wollte dem Handelspartner keinen Einblick in das Warenlager des deutschen Handelshofes geben, der die Preisbildung ungünstig hätte beeinflussen können. Vom Olderman des Hofes wurden zwei Kaufleute zu Kirchenvorstehern ernannt. Sie mußten die Kirchenkasse verwalten und für die Bewachung und den Bau der Kirche sorgen. Das Geld für die Unterhaltung der Kirche kam durch eine schon genannte Umsatzsteuer zusammen. Von den Winterfahrern wurde sie in Höhe von 0,25 Prozent erhoben. Die Sommerfahrer bezahlten weniger. Andere Einnahmen kamen hinzu. Wenn ein Kaufmann in Not geriet oder erkrankte, zahlte man auch aus der Kiste für ihn. Überschüsse nahmen die Winterfahrer mit nach Gotland und deponierten sie in der deutschen Marienkirche, wo es auch eine St.-Peters-Kiste der Nowgorodfahrer gab. Die St. Peterskirche hatte einen eigenen Friedhof, das Recht des Holzfällens, eigene Wiesen in Ladoga für die Pferde der Kaufleute. Die Priester kamen und gingen mit den Kaufleuten, deren Schreibgeschäfte sie auch besorgten. Der wandernde Priester als Begleiter der Kaufleute ist eine vertraute Erscheinung im Ostseebereich.

Fast gleichzeitig mit dem russischen entstand für den hansischen Kaufmann der nordische Markt mit den Messen auf Schonen, das damals zu Dänemark gehörte. Zur Heringsfangzeit von August bis Oktober wurden hier die von dänischen Fischern gefangenen Heringe mit dem Lüneburger Salz eingesalzen, das die Lübecker heranbrachten — erst dadurch konnte man die reichen Heringsschwärme voll nutzen. In Schonen also dominiert Lübeck. Nach Norwegen richtet sich die lübische Expansion wohl auch seit Ende des 12. Jahrhunderts. In Bergen holen die Hansen den getrockneten Kabeljau, den Stockfisch, auch Fischöl, Butter, Felle, und bringen Roggen, Mehl und Malz. Norwegen wird von der hansischen Getreidezufuhr abhängig; diese Abhängigkeit wird gelegentlich drückend empfunden, hat aber auch eine Zunahme der Fischerbevölkerung in den Lofoten ermöglicht. In Schweden wurden die Hansen stärker integriert als in Norwegen, wo sie in Bergen an der deutschen Brücke (= Anlegestelle) saßen. Sie nahmen an der Gründung Stockholms 1252 teil; Lübecker Kaufleute als Geldgeber und Bergleute aus dem Harz waren an der Erschließung der Kupferminen von Falun beteiligt. Die Hansen saßen im Rat der schwedischen Städte; 1345 wurde bestimmt, daß die Stadträte zur Hälfte aus Schweden und Deutschen bestehen sollten. Die schwedische Wirtschaft geriet aber nicht in eine so drückende Abhängigkeit von der Hanse wie Norwegen. Schweden hatte selbst eine blühende Landwirtschaft.

Vom 13. Jahrhundert ab dringen die niederdeutschen Kaufleute auch in die Nordsee gen England und nach den Niederlanden vor; letztere wurden zunächst vor allem auf dem Landweg erreicht. Hier trafen die Hansen auf eine entwickelte städtische Wirtschaft und auf ältere kölnische, auch bremische Beziehungen. In England waren die deutschen Kaufleute keineswegs konkurrenzlos. 1277 z. B. führen die Italiener 29 Prozent der englischen Wolle aus, die Franzosen 21, Holland 20 und die deutschen Kaufleute 11 Prozent. — Zu den hansischen Kontoren von Bergen und Nowgorod kommen die in London und Brügge. Zwischen diesen Außenkontoren spannt sich das große Netz, das den Ostseeraum auf eine neue Art in „das abendländische Wirtschafts- und Kulturgebiet einspannt" (A. v. Brandt). Zur Hanse gehören die Städte, deren Kaufleute in den Kontoren, im Außenhandel die hansischen Privilegien genießen — eine wenig präzise Bestimmung der Mitgliedschaft. Der staatsrechtliche Charakter der Hanse hat viel Kopfzerbrechen bereitet; im großen Streit mit England im 15. Jahrhundert wehren sich die Hansen gegen die Behauptung des englischen Kronrats, eine societas, ein collegium und eine universitas zu sein, und bezeichnen sich selbst als eine firma confoederatio von Städten. In der Mitte des 14. Jahrhunderts hatten sich die Städte in spektakulärer Weise zunächst in Brügge die Außenkontore endgültig untergeordnet. Schon im ausgehenden 13. Jahrhundert begann Lübeck, die Führung der Hanse zu übernehmen. 1293 hatte es einen Beschluß rheinischer, westfälischer, sächsischer und preußischer Städte zuwegegebracht, der den Rechtszug von Nowgorod statt nach Wisby nach Lübeck leitete. 1299 beschlossen dann in Lübeck wendische und westfälische Städte, das Siegel des gemeinen Kaufmanns auf Gotland abzuschaffen und durch die Siegel der dort Handel treibenden Städte zu ersetzen — ein erster Schritt zur Städtehanse; aber erst 1347/1356 erfolgte der entscheidende Durchbruch. 1347 gliederten sich die „ghemenen koplude uten Romeschen rike van Alemannien" in Brügge in ein wendisch-sächsisches, ein westfälisch-preußisches und ein gotländisch-schwedisch-livländisches Drittel; noch waren diese Drittel nicht Teile eines Städtebundes, sondern die Gliederung einer Hanse der deutschen Flandernfahrer, aber schon eine Gliederung nach den Heimatstädten der Kaufleute, die im Brügger Rezeß von 1356, der als Beschluß der von den Städten ermächtigten Gesandten zustandekam, sich das Kontor unterordneten. Zwar blieb der Übergang von Kaufmannshanse und Städtehanse fließend; vor allem in Westfalen blieb der Charakter der Kaufmannshanse noch lange erhalten. — Die Hanse lebte von der Vermittlung zwischen sehr unterschiedlich strukturierten Wirtschaftsräumen. Im Hanseraum spielten die stadteigenen Exportgewerbe eine zweitrangige Rolle, abgesehen vom Bier — Travebier, Hamburger Bier, Wismarer Bier — und vom Braunschweiger Messing — dank seiner besseren Handelswege hatte Braunschweig die in Kupfer arbeitenden Exportgewerbe der Bergbaustadt Goslar an sich gezogen. Niederrhein, Südersee, Yssel bildeten die Westgrenze der Hanse.

Die Yssel- und Süderseestädte[203] — Deventer, Zwolle, Kampen — waren eng mit Westfalen und dem unteren Rhein, Köln besonders, verflochten und erhielten durch ihre Bergen- und Ostseefahrt ihre spezifisch hansische Rolle. Sie waren darin die Erben der Friesen. Am frühesten trat Groningen im Ostseeraum auf; wir trafen es in Riga. Auf den Schonenschen Messen sind Harderwijk, Kampen, Zutphen, Stavoren, Elburg, Deventer, Zwolle nachzuweisen. Der Gotlandhandel Zwolles und Kampens ist für das späte 13. Jahrhundert bezeugt. Im Englandhandel sind Groninger und Stavorer noch früher anzutreffen als in der Ostsee. Ihren Flandernhandel versuchten die Grafen von Holland vergeblich nach Dordrecht abzuziehen. In der Seeschiffahrt der Ostniederlande führte Kampen, das seine Gewinne aus der Frachtschiffahrt — die für die nördlichen Niederlande überhaupt entscheidend wichtig wurde — fast noch mehr zog als aus der Fischerei. Am Niederrhein sind Köln und Emmerich die ältesten Hansestädte; Wesel und Duisburg kommen u. a. im 15. Jahrhundert hinzu. An der Kölner Konföderation im November 1367, die dem großen Sieg der Hanse im Krieg gegen Dänemark in Stralsund 1370 vorausging, hatten sich auch holländische und seeländische Städte beteiligt, die im übrigen nicht als Hanseglieder anzusehen sind. Während Köln hier mitmachte, hielt es sich aus dem englischen Krieg heraus und wurde 1471 verhanst. Das hatte auch den Zusammenbruch seines Hansedrittels zur Folge; seit 1418 war nämlich das westfälische Drittel des Brügger Kontors nicht mehr durch Dortmund, sondern durch Kölner vertreten worden. Erst um 1500 bildete sich endgültig das Kölner Drittel heraus, das in die vier Quartiere der westfälischen Städte unter Münster und Paderborn, der klevischen unter Wesel, der geldrischen unter Nijmegen und der süderseeischen unter Deventer gegliedert war.

Verzahnen sich am unteren Niederrhein der hansische und der südniederländisch-maasländisch-rheinische Raum und gehen Kölns Interessen viel stärker als die gemeinhansischen nach Süden, sind wir hier also in einer Randzone des Hanseraumes, so bildet das Kerngebiet der Hanse die wendische Städtegruppe mit dem Haupt der Hanse Lübeck, mit Kiel, Hamburg, seit 1358 auch Bremen, Wismar, Rostock, Stralsund und Lüneburg, das sowohl zur wendischen wie zur sächsischen Gruppe gehörte. Auf den Salinen Lüneburgs, der treuen Freundin Lübecks, beruhte das Salzmonopol, das die Hansen wenigstens bis in die Mitte des 14. Jahrhunderts innehatten. Durch die Stecknitzfahrt — der Stecknitzkanal verband Lübeck und Hamburg und war wohl das bedeutendste Wasserbauunternehmen der Hanse — konnten Lüneburger Salzschiffe nach Lübeck fahren. Der von Lüneburg unternommene Versuch einer Verbindung Elbe—Ostsee bei Wismar hat sich nur teilweise — als Zufahrtsstraße für den gewaltigen Holzbedarf der Saline — bewährt.

Haupt des sächsischen Quartiers war Braunschweig in Konkurrenz mit Magdeburg. Als Stationsort zwischen Elbe und Rhein reicht Braunschweig bis ins Frühmittelalter zurück, verfügte früh über Handelsbeziehungen bis England und Dänemark, entwickelte ein Textilgewerbe von einiger Bedeutung und, wie schon gesagt, ein bedeutendes Messingexportgewerbe. Die Braunschweiger Beckenwerkergilde ist ein Beispiel für große Vermögensunterschiede in einer gewerblichen Korporation: ihr gehörten Verleger neben den noch selbst mit ihren Gesellen arbeitenden Meistern an. — Magdeburg, dessen Ausfuhr besonders in Getreide und Salz bestand, war das Verbindungsglied der Hanse zu den südlicheren und zu den brandenburgischen Städten. Unter letzteren spielte Berlin, das 1230 zur Stadt erhoben worden war, eine gewisse Rolle. Berliner Kaufleute brachten um 1300 „Berliner Roggen" und „Wagenschott", d. h. zu Brettern zersägtes Eichenholz, auf den Hamburger Markt und handelten dort Tuche von Genter Kaufleuten ein.

Die Getreideüberschüsse des gesamten Elbhinterlandes waren wichtig für den Aufstieg Lübecks und Hamburgs, vor allem aber auch für die mecklenburgischen, pommerschen, brandenburgischen und preußischen Städte. Die dem Großmeister des Deutschordens bis 1466 unterworfenen Städte Danzig, Elbing, Braunsberg, Königsberg, Kulm und Thorn waren für ihre gewichtigen Güter — Holz und Getreide — besonders an der Umlandfahrt durch Sund und Kattegatt interessiert zum Nachteil der Linie Lübeck–Hamburg. Diese Spannungen zwischen den wendischen und den preußisch-livländischen Städten machten sich oft unliebsam geltend. An die preußische Gruppe schlossen sich die beiden sehr exzentrisch gelegenen Städte Krakau und Breslau an. Die alte Aktivität ihrer Kaufleute im Westen, in Flandern, die Bedeutung des weichselabwärts gehenden slowakischen Kupfers für die Hanse und das wirtschaftliche Übergewicht, das mindestens zunächst die deutsche Bevölkerung in diesen Städten hatte, erklärt ihre Hansezugehörigkeit. In Krakau konnten nur Deutsche das Bürgerrecht erwerben. Die Verstärkung des polnischen Elements, die zunehmenden Verbindungen zum Osten über Leipzig und Nürnberg zum Nachteil des Weichselhandels schwächten den hansischen Charakter Krakaus, das im letzten Drittel des 15. Jahrhunderts aus der Hanse austrat. Breslau erwuchs seit dem späten 13. Jahrhundert zu einer großen Handelsstadt, die seit 1274 über das Stapelrecht verfügte, besaß ein blühendes Gewerbeleben (30 Zünfte) und hatte in Schlesien mit seinen gewerbereichen Städten ein Umland, das es zu einem zentralen Ort höchster Stufe machte.

Mit Duderstadt, Erfurt, Göttingen, Halle, Merseburg, Mühlhausen, Naumburg, Nordhausen, Northeim, Osterode und Uslar stieß die Hanse tief ins mittlere Deutschland vor. Das am Schnittpunkt wichtiger Straßen, inmitten eines fruchtbaren, auf den Waidanbau spezialisierten Gebietes gelegene Erfurt war der wirtschaftlich bedeutendste Platz dieser Städtegruppe. Erfurts Waidhandel ist sei dem 12. Jahrhundert belegt.

Die Sozialstruktur der Hansestädte ist sehr unterschiedlich. In den Seestädten überwiegt das händlerische Element. Die Hamburger Vereidigungsliste von 1376 — der Rat ließ damals nach einem mißglückten Handwerkeraufstand die gesamte Bürgerschaft neu in Eid nehmen — ergab folgendes Bild[204]: Von den

1175 registermäßig erfaßten Personen waren mindestens 178, also gut 15,1 Prozent selbständige Fernkaufleute, nämlich 84 Flandernfahrer, 35 Englandfahrer, 40 Lübeckfahrer und 19 Gewandschneider. Dazu kommen 31 Detaillisten, nämlich 21 Krämer und 10 Höker = 2,7 Prozent. 457 Brauer machen 38,8 Prozent der Bürger aus, darunter sind aber Exportkaufleute, nämlich 126 Exportbrauer nach Amsterdam und 55 Exportbrauer nach Friesland. Auf das Handwerk ohne Brauer entfallen 43,3 Prozent. Müssen wir insgesamt etwa 37,5 Prozent selbständige Kaufleute, 19,2 Prozent kleinere Brauer für den lokalen Bedarf und 43,3 Handwerker annehmen, so ist zu berücksichtigen, daß von den Handwerkern die Böttcher einem reinen Hilfsgewerbe des Handels angehören, sie hielten sich bei den Unruhen 1376 auch zur Kaufmannschaft. Auch sind die Grapen- und Kannengießer zu den kommerzierenden Handwerkern zu rechnen. Ebenso stehen die Gewerbe der Goldschmiede mit dem Juwelenhandel, der Knochenhauer mit dem Viehhandel, der Gerber und Schuhmacher mit dem Lederhandel in Beziehung. Verfassungsmäßig und im Konnubium sind Handel und Handwerk geschieden, aber wirtschaftlich gibt es keine starre Grenze, ein Übergang von einem zum andern bleibt möglich, und die Klasse der Wohlhabenden erstreckt sich bis in das Handwerk hinein. Nach den Forschungen Reinckes für Hamburg und A. v. Brandts für Lübeck[205] haben wir eine ausgeglichene und gesunde vermögensmäßige Gliederung der Bürgerschaft Ende des 14. Jahrhunderts. Sie verschlechtert sich im Laufe der 2. Hälfte des 15. Jahrhunderts, nimmt aber nicht krisenmäßige Züge an wie etwa in Augsburg. Für die soziale Gliederung der Bevölkerung Revals liegt eine neuere Untersuchung vor[206], die stärker die Unterschichten berücksichtigt, die auch Stadteinwohner ohne Bürgerrecht umfaßten. Reval lebte vorwiegend vom Fernhandel, nennenswerte soziale Unterschiede im Kaufmannsstand gab es nicht. Handwerk und Handel waren sozial differenziert. Das Handwerk mit seinen überwiegend deutschen Meistern war von nicht allzu großer Bedeutung. Die Mittelschicht wurde in der Hauptsache von verschiedenen Zweigen des zünftigen, in sog. Ämtern zusammengeschlossenen Handwerks gebildet. Zu ihr rechnen aber auch Barbiere, Schiffer, Krämer oder Höker, die estnischen Hanfspinner und die sog. Pustemaker = Gürtler und zugleich Höker. Zur Unterschicht zu rechnen sind die Brauknechte der mit Braurecht privilegierten Bürger, die Steinwerter und Zimmerleute, die Flickschuster, Flickschneider und die von den Knochenhauern unterschiedenen einfachen Schlachter, die Hausknechte der Kaufleute, die Hilfsgewerbe des Fernhandels: die Mündriche, die Führer der Leichter, der sog. Mündrichsboote, die Fuhrleute, die Träger, Salzträger, Bierträger, Auflader, Zuschläger, für das Salz, einen wichtigen Einfuhrartikel, auch die Sackbinder und Salzstößer — das Baiensalz kam in großen unförmigen Klumpen an und mußte vor dem Weitertransport zerschlagen werden —, Arbeiter, die den russischen oder livländischen Flachs in Fässer zu pressen hatten u. ä. Die soziale Schichtung spiegelte sich in der Wohnweise. Gegenüber den sehr geräumigen Bürgerhäusern der Kaufleute und Handwerker, die infolge des Fehlens von Gasthöfen in Reval außer den Wohnräumen für die eigene Familie stets auch ein Gastzimmer enthielten, ferner Geschäfts- und Lagerräume oder eine Werkstatt, Wohnung für Gesellen und Lehrlinge und sonstiges Dienstpersonal nahmen sich die Behausungen der kleinen Leute recht bescheiden aus. Da die Häuser meist klein waren, oft aber fünf bis sechs, ja bis zu neun Familien auf einem Grundstücke untergebracht waren, können diese Leute nur sehr gedrängt gewohnt haben, oft auch in Kellern, Bodenräumen, Verschlägen.

Die Hanse machte ein patrizisches Regiment zur Voraussetzung der Mitgliedschaft. Als in Braunschweig, wo die reine Geschlechterherrschaft, die bezeichnenderweise eine umfangreiche Landgebiets- und Burgenpolitik trieb, nach langen Unruhen durch den blutigen Aufstand von 1374 beseitigt wurde und an die Stelle der Selbstergänzung des Rates seine Wahl durch 19 Körperschaften trat, 14 bevorrechtete Gilden und je eine Gemeinde für die in diesen Gilden nicht erfaßte Bürgerschaft der fünf Weichbilde, wonach den Beckenwerkern ein volles Drittel der Ratssitze zustand, da wurde Braunschweig auf fünf Jahre aus der Hanse ausgeschlossen.

So führte in den Hansestädten eine im späteren Mittelalter nicht streng nach unten abgeschlossene kaufmännische Oberschicht, die nicht nur innerhalb einer Stadt, sondern innerhalb des ganzen Hanseraumes vielfach miteinander versippt war.

Nicht zur Hanse gehörten die Städte der Markgrafschaft Meißen und des Pleißenlandes. Die Besonderheit der sächsischen Städte liegt in der Bedeutung des Bergbaus, der dazu führt, daß es hier nach 1400 zu einer Städtegründungswelle kommt, als im übrigen Deutschland die Gründungen selten werden. Die große alte Bergbaustadt dieses Reviers ist Freiberg; die bergmännische Siedlung beginnt um 1170; die Fernhandelsbeziehungen Freibergs umspannen im 13./14. Jahrhundert ganz Mitteleuropa[207].

Der oberdeutsche Raum stellt sich dar als eine Fülle aktiver Städtelandschaften: das Bodenseegebiet und Oberschwaben mit Konstanz, Ulm und Augsburg — Altbayern mit dem alten Regensburg und dem jungen München — Innerschwaben mit Esslingen — schließlich der wunderbare Aufstieg Nürnbergs.
Oberdeutschland ist das Land der Reichsstädte im strikten Sinn des Wortes, d. h. der Städte auf Reichsgrund, deren „echter und alleiniger Stadtherr der König bzw. Kaiser" (Sydow)[208] ist; wir sollten sie unterscheiden von den freien Städten; solche sind im 14. Jahrhundert Mainz, Worms, Speyer, Köln, Straßburg, Basel, Regensburg, die in der Lage waren, ihren Stadtherrn auszuschalten. Diese Freiheit errangen die Reichsstädte durch den Rückzug der Zentralgewalt aus allen lokalen Machtpositionen. Nur in Oberdeutschland finden wir Städte, die einen Anlauf zum Stadtstaat nahmen. Wie sehr die Etablierung einer wirklichen Herrschaft über ein Landgebiet auf den Süden des Reiches beschränkt war, hat eine vergleichende Untersuchung der städtischen Territorialpolitik Zürichs und Lübecks[209] gezeigt: Lübecks durchgehendes Motiv seiner Landerwerbspolitik war der Straßenschutz, während Zürich eine finanzielle und wirtschaftliche Nutzung und echte Beherrschung seines Landgebietes erstrebte und erreichte. Das lag nicht nur am schützenden Rahmen der Eidgenossenschaft, wenn auch auf die Dauer Zürich und Bern eine andere politische Kraft darstellten als die deutschen Reichsstädte. Immerhin konnten Nürnberg, Schwäbisch-Hall, Ulm, Straßburg, Rottweil, Überlingen große Landgebiete erwerben und behaupten. Das Territorium der Stadt Ulm umfaßte ein Gebiet von rund 15 Quadratmeilen, das eine Obere und Untere Herrschaft mit insgesamt 13 Oberämtern und Ämtern und 30 Gemeinden bildete. Bei der Territorialbildung spielen oft die reichen Spitalsgüter eine wesentliche Rolle, so bei Überlingen, Ravensburg, Memmingen, Biberach, Reutlingen, Schwäbisch-Gmünd, Esslingen[210]. Schließlich ist Oberdeutschland das Land bündischer Zusammenschlüsse[211] und der großen Handelsgesellschaften. Dabei hebt sich der oberdeutsche Raum klar ab vom

niederrheinisch-westfälischen mit seinen von den Großen bestimmten und beherrschten Landfriedenseinungen, seinen territorialen Bündnissen und Kurfürstenbünden, in denen immer ein oder mehrere große Herren — ein Erzbischof, Herzog, große Städte wie Köln — den Ton angeben und die kleinen Herren und kleineren Städte nur als Gefolge erscheinen. Der oberdeutsche Raum ist politisch anders aufgebaut: eine Vielzahl großer, mittlerer und oft sehr kleiner Reichsstädte, eine Vielzahl aber auch von Herren, die den Aufstieg in die Landesherrschaft nicht gefunden haben und als reichsunmittelbare Ritterschaft erscheinen. Nur im bündischen Zusammenschluß können diese Reichsstädte und Reichsritter eine politische Macht darstellen; sie bringen auch in der 2. Hälfte des 14. Jahrhunderts große Verbände zusammen. Die großen Abgaben, die Karl IV. 1371 und 1373 von den schwäbischen Reichsstädten forderte, die Aufforderung, die 1373/74 an die Städte Nördlingen, Donauwörth, Dinkelsbühl und Bopfingen erging, ihrer Verpfändung an Bayern zuzustimmen, waren der Anlaß, daß sich 1376 Ulm, Konstanz, Überlingen, Ravensburg, Lindau, St. Gallen, Wangen, Buchhorn, Reutlingen, Rottweil, Memmingen, Biberach, Isny und Leutkirch verbündeten. Die Hälfte der Mitglieder dieses Bundes stellten die Bodenseestädte, die seit 1312 in wechselnder Zusammensetzung Bündnisse geschlossen hatten. Die Bundesstädte von 1376 wurden geächtet und vom Kaiser selbst bekriegt, doch ohne Erfolg. Der Bund griff weiter um sich. Sein Machtzuwachs wirkte sich zuungunsten der schwäbischen Herren und Ritter aus. Die Ritter schlossen sich ihrerseits zu durchweg antistädtischen Gesellschaften zusammen. Als 1380 der besonders städtefeindliche Löwenbund der Stadt Frankfurt Fehde ansagte, schloß Frankfurt 1381 mit Mainz, Worms, Speyer, Straßburg, Pfeddersheim sowie mit einem Teil der elsässischen Reichsstädte den Rheinischen Städtebund. Noch im gleichen Jahr vereinigten sich Schwäbischer und Rheinischer Städtebund in Speyer zu einem militärischen Bündnis. Dem Schwäbischen Bund trat 1381 Regensburg und 1384 Nürnberg bei. 1382 schlossen sich eine Reihe niedersächsischer Städte zum Sächsischen Städtebund zusammen. Pfalzgraf Ruprecht II. besiegte 1388 das rheinische Aufgebot, nachdem einige Monate vorher Graf Eberhard von Württemberg das Städteheer bei Döffingen südwestlich Stuttgart entscheidend geschlagen hatte. Der Schwäbische Städtebund löste sich auf und die Städte traten nach und nach dem Egerer Landfrieden bei; nur die Bodenseestädte hielten ihr engeres Bündnis noch aufrecht; insgesamt war aber eine städtebündische Politik großen Ausmaßes damit endgültig gescheitert.

Wirtschaftlich gehört das Bodenseegebiet und Oberschwaben noch zu dem großen Textilgebiet des Rheinlandes; hier dominiert die Leinwanderzeugung, der sich im Lauf des 14. Jahrhunderts die Barchentweberei zugesellt. Konstanz, dessen Kaufmannschaft schon im 11. Jahrhundert bezeugt ist, bringt seine Leinwand bereits zu Beginn des 13. Jahrhunderts nach Genua. Ein Lindauer verkauft 1224 seine tele de Alamania in Genua; Ravensburger kaufen 1214 dort Seide ein, St. Galler kaufen 1262 in Genua Pfeffer und verkaufen oberdeutsche Leinwand. Ammann bringt die Fülle der Belege für das Auftreten der oberdeutschen Leinwand im ganzen Mittelmeerraum, wo sie dann von Marseille, Genua und Venedig aus den Weg nach Asien und Nordafrika findet. Sie gelangt aber ebensosehr nach Nordwesten teils über die Frankfurter Messen, teils im Außenhandel der Leinwandstädte selbst: nach Köln, Brügge, Antwerpen und England. Sie geht in den Ostseeraum bis Reval, in den Nordosten bis weit nach Polen, in den Südosten bis Ungarn. So treffen wir auch hier die gegenseitige Durchdringung von Handel und Exportgewerbe. Der Handel organisiert sich in den großen, für Oberdeutschland typischen Handelsgesellschaften[212]. Im Jahre 1909 fand der badische Archivdirektor Karl Obser in einer Kammer des Schlosses und früheren Zisterzienserklosters Salem in einer Schublade den Packen „Unnützliche Handelssachen", Geschäftspapiere der Großen Ravensburger Gesellschaft, die ein Enkel des Alexius Hilleson, der bei der Auflösung der Gesellschaft ihr Rechnungsführer war, als Mönch in das Salemer Klosterarchiv gebracht hatte. Sie hat Aloys Schulte gesichtet, ergänzt und der Wissenschaft zugänglich gemacht. Ende des 14. Jahrhunderts taten sich die Humpis aus Ravensburg, die Muntprat aus Konstanz und die Mötteli, die aus Buchhorn stammten, zusammen und gründeten die Gesellschaft zu dem Zweck, die gegenseitige Konkurrenz auszuschließen und die Unkosten durch gemeinsame Führung der Geschäfte in den Städten, in denen man Vertreter unterhielt, zu verringern. Das Gesellschaftskapital bestand aus Einzahlungen der Genossen, die Bürger einer Reichsstadt sein mußten, nicht aus fremden Einlagen. Sitz der Gesellschaft war Ravensburg, sie hatte bevollmächtigte Gesellen in Konstanz, St. Gallen und Memmingen.

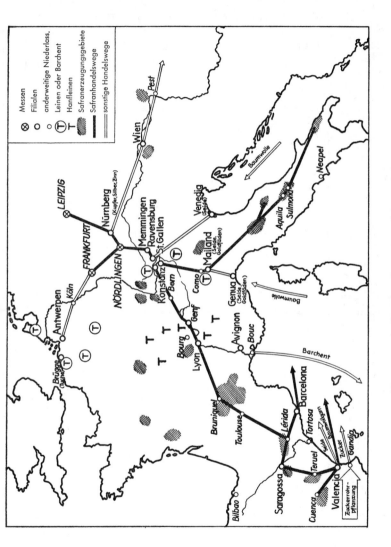

Abb. 11. Die große Ravensburger Handelsgesellschaft.

195

Gelieger — Filialen — befanden sich in Venedig, Mailand, Genua, Genf, Lyon, Avignon, Barcelona, Saragossa, Valencia, in Brügge und späterhin in Antwerpen, endlich in Nürnberg, Köln und Wien. Wichtigste Ausfuhrartikel waren Leinen und Barchent Oberdeutschlands, importiert wurde u. a. Zucker aus Spanien und vor allem Safran. Das Warensortiment war sehr breit und der ganze Warenhandel der Gesellschaft, die bis 1530 bestand, bei aller Initiative und allem Unternehmungsgeist mittelalterlichen Traditionen verhaftet. — Eine Spezialuntersuchung Ammanns galt der Diesbach-Watt-Gesellschaft, die im ersten Drittel des 15. Jahrhunderts von Niklaus von Diesbach in Bern und den Brüdern Watt in St. Gallen begründet wurde. Ihr Handelsgebiet reichte von Saragossa, Valencia, Barcelona im Westen bis Prag, Krakau, Warschau, Posen und Danzig im Osten. Hauptausfuhrartikel war Leinen, Importgut vor allem spanischer Safran, Pelzwerk und Wachs. Lange schon bekannt sind die Meuting-Gesellschaft aus Augsburg mit Niederlagen in London, Wien und Venedig, die Imhof-Gesellschaft aus Nürnberg mit Faktoreien in Messina, Venedig, Lissabon, Lyon, Leipzig, Antwerpen u. a.; sie stammen aus der Mitte des 15. Jahrhunderts. Aber in Nürnberg hat von Stromer bedeutend ältere Gesellschaften entdeckt, die seit dem letzten Viertel des 14. Jahrhunderts in das Montanwesen des Karpathenraumes und wirtschaftliche Machtpositionen Ungarns eindrangen: die der Flexdorfer-Kegler-Zenner und die der Ammann-Kamerer-Grau-Seiler. Ihre Handelswege umspannen Mitteleuropa: Von den Erzlagern des Karpathenraumes ab Krakau weichselabwärts bis Danzig, von den Seehäfen wieder über Schelde, Maas und Rhein nach Lüttich, Dinant, Köln, Frankfurt, Straßburg, Basel, oder über Land nach Eger und Prag oder zu den Bodenseestädten über die Alpen in die Lombardei oder über Freiburg zur Genfer Messe. Die beiden Firmen arbeiteten eng zusammen und waren anderen bedeutenden Nürnbergern, den Stromer, Eisvogel u. a. verwandtschaftlich verbunden. Ihre Kupfertransporte über die Ostsee durch den Sund nach Flandern 1399 auf eigenen oder von ihnen gecharterten Schiffen forderten den lauten Protest der Hanse heraus, die sich auch durch ihre Silbergeschäfte in Livland beunruhigt fühlte. Der Bruch der hansischen Flandern-Blockade von 1358/60 durch den Nürnberger Eisvogel entsprang offensichtlich bereits einer gleichen Konzeption. Es ist ein Vorspiel zu der Konkurrenz, die später die Fugger der Hanse machten. Diese Großunternehmen hatten eine starke Position im Geldwesen und eine große Vertrautheit mit Buchführung und Wechseltechnik. Sie bildeten in den Karpathenländern um 1405 ein Buntmetall-Oligopol. Sie erstrebten also eine marktbeherrschende Stellung in der Gewinnung und im Handel der Buntmetalle an.

Damit sind wir bei dem Wirtschaftsplatz angelangt, an den man vor allem denkt, wenn man vom Aufstieg Oberdeutschlands im 14. Jahrhundert spricht: Nürnberg[213]. Die salische Reichsburg auf dem steilen Sandsteinblock über dem Pegnitzufer wurde trotz der waldreichen, kargen Umgebung, ziemlicher Entfernung von den großen mitteleuropäischen Flußsystemen, allerdings in günstiger Lage für den Landstraßenverkehr, ohne alten kirchlichen Mittelpunkt und alten Markt — der lag bei Fürth an der Einmündung der Pegnitz in die Regnitz — im 13. und frühen 14. Jahrhundert zu einem Transithandelsplatz von europäischer Bedeutung und zum Sitz von Exportgewerben. Auf das Gewerbe wies die karge Natur die Bewohner frühzeitig hin. Der erste Aufstieg war den Staufern zu danken, die Nürnberg zum städtischen Mittelpunkt eines geplanten großen Reichslandes im mitteldeutschen Osten machten und privilegierten. Vor allem an Hand der Zollprivilegien läßt sich dann der Aufstieg Nürnbergs verfolgen. 1332 läßt sich Nürnberg von Ludwig dem Bayern eine Gesamtbestätigung seiner Zollfreiheiten geben, in der 69 Städte, in denen Nürnberg Zollfreiheit genoß, in einer gewissen geographischen Ordnung genannt sind; vielleicht sind aber nicht einmal alle Nürnberger Zollfreiheiten von 1332 erfaßt. Dazu kamen weitere Sicherheits- und Geleitsverträge, die den Nürnberger Kaufmann schützten. „Schon Wilhelm Roscher", schrieb H. Ammann, „hat 1881 in seinem System der Volkswirtschaft das Gebäude der Zollfreiheiten von 1332 mit dem System der Hanse verglichen und Inama-Sternegg beurteilte 1901 in seiner Deutschen Wirtschaftsgeschichte die Urkunde Ludwigs d. Bayern als vielleicht die größte handelspolitische Tat des Reiches. Man sieht also, daß die Nürnberger Zollfreiheiten schon früh in ihrer Bedeutung erkannt worden sind. Nur hat man nach meiner Überzeugung die Leistung, soweit sie das Reich betrifft, in erheblich früherer Zeit, eben bei den Staufern, zu suchen. Die Gesamtheit aber der handelspolitischen Leistung ist das Werk einer Stadt, die in Jahrhunderten zäher und erfolgreicher Politik trotz der größten Schwierigkeiten dieses von Ungarn bis Flandern, von Polen bis zur Westgrenze des Reiches reichende Gebäude aufgerichtet hat. Noch schärfer gefaßt ist es das Werk der Nürnberger Kaufmannsaristokratie, die ja die Politik der Stadt fest in der Hand hielt, so daß auch bei den Verhandlungen um die Handelsverträge manchmal dieselben Namen vom 13. bis zum 15. Jahrhundert begegnen." Damit ist ein richtiger Zug des Nürnberger Sozial- und Verfassungslebens genannt: die Zünfte sind hier nie zu politischer Bedeutung gelangt. Daran änderte auch der Handwerkeraufstand von 1348 nichts. Im 14. und 15. Jahrhundert gab es zwar in der wirtschaftlichen Oberschicht noch Mobilität, wenn auch ein Aufstieg aus der Handwerkerschaft in den Rat kaum zu schaffen war. 1521 schlossen sich die ratsfähigen Geschlechter fest ab. Auf dem gewerblichen Sektor dominierte das Metallgewerbe. Die Nähe ausgedehnter Bergbaugebiete, die bequemen Zugänge zu den Kupfer- und Silberbergwerken Böhmens haben diese Leistung ermöglicht. „Im 15. Jahrhundert", sagte Heimpel auf der 900-Jahrfeier der Stadt am 16. Juli 1950, „schoß man in Dänemark wie in Polen mit Nürnberger Armbrüsten, kleidete man in England die Söldner in Nürnberger Harnische, klopften die Schmiede Europas auf Nürnberger Blech, in fernsten Ländern streckten die Reiter ihre Füße in Nürnberger Steigbügel, die Pilger zogen nach Rom mit Landkarten, die Nürnberger Kompaßmacher gezeichnet hatten, und die Frauen schauten in Nürnberger Spiegel". Handwerklicher Fleiß vereint mit technischer Erfindergabe und unternehmerischer Initiative schuf diese Leistung. Um 1300 drang das Verlagssystem in das Nürnberger Metallgewerbe ein. H. Ammann hat die Bedeutung der Nürnberger Textilindustrie herausgefunden; bekannt ist das frühe Auftreten der Papierindustrie. Nürnberg erscheint nicht nur als Mittelpunkt weitgespannter Fernbeziehungen, sondern auch als zentraler Ort in politischer und wirtschaftlicher Hinsicht. Die Nürnberger Vorstädte Wöhrd und Gostenhof, ja ein ganzer Gürtel von Gewerbeorten verstärkten und ergänzten das Metallgewerbe und die Tucherei Nürnbergs.

7. DAS AUSGEHENDE MITTELALTER

Das Spätmittelalter gibt uns mit seinen reichen Quellenbeständen auch die Möglichkeit statistischer Berechnungen, die notwendige Grundlage einer Bewertung der Leistungen mittelalterlicher Städte und des Stadt-Land-Verhältnisses sind. Im allgemeinen hat das Mittelalter Statistik nicht zur Information und um ihrer selbst willen getrieben; die meisten Zahlenangaben dienten ganz konkreten praktischen Zwecken. Selten können wir statistische Reihen bilden. Die Einwohnerzahlen der Städte, die wir mühsam genug errechnen, gleichen Momentaufnahmen, und wir wissen nicht immer, ob wir ein Normaljahr getroffen haben oder ein Jahr, das von der Norm abwich.

Im Vergleich zur Antike wie zur Moderne waren die mittelalterlichen Städte klein[214]. Wir unterscheiden allerdings auch im Mittelalter Groß-, Mittel- und Kleinstädte. Nur liegen die Schwellenwerte ganz anders. Eine Großstadt ist nach mittelalterlichen Maßen eine Stadt, die mehr als 10 000 Einwohner hat; die führenden Städte des Mittelalters sind die mit 20 000 und mehr Einwohnern. Zu den Mittelstädten rechnen wir die Städte, die 2000 bis 10 000 Einwohner haben, zu den Kleinstädten die Städte von wenigstens 500 bis zu 2000 Einwohnern; was noch unter 500 Einwohnern liegt, muß sich schon als Zwergstadt klassifizieren lassen.

Da Angaben in literarischen Quellen vielfach sehr unzuverlässig sind, müssen wir vor allem amtliche Listen zur Berechnung heranziehen, also Häuserlisten, Feuerstättenverzeichnisse, Listen wehrpflichtiger Bürger, Steuerlisten u. dgl. Sie bieten uns auf jeden Fall nur Zahlenangaben der bürgerlichen Häuser oder Haushaltungen. Wir müssen dann den richtigen Multiplikator finden, um zu Einwohnerzahlen zu kommen. Herdlisten sind dafür brauchbarer als Häuserlisten. Man kann gemeinhin 4 bis 5 Personen pro Haushalt rechnen; viel schwieriger ist der Rückschluß vom Haus auf die Einwohnerzahl; denn gerade in größeren Städten mehren sich im ausgehenden Mittelalter die Mietparteien. Auch die Zahl der bebauten Grundstücke ist kompliziert auszuwerten. Ein Rückschluß auf Grund der Stadtfläche ist schwierig, weil die Bebauungsdichten sehr unterschiedlich sind. Die Listen, von denen wir auszugehen pflegen, enthalten im allgemeinen nur die Vollbürger. Wir müssen uns also überlegen, welche Personengruppen der betreffenden Stadt in der Liste nicht erfaßt waren, die Bettler etwa, die zu arm waren, um Steuern zu zahlen. Die große Schwierigkeit, die Unterschichten zu fassen, bedeutet einen erheblichen Unsicherheitsfaktor bei vielen Berechnungen. Aber auch die privilegierten Schichten, die oft Steuerfreiheit genossen, Adel, Klerus, Universitätsangehörige, müssen zahlenmäßig abgeschätzt und hinzugerechnet werden, wollen wir eine Einwohnerzahl der betreffenden Stadt gewinnen.

Eine andere, allerdings nur relativ selten anwendbare Methode zur Berechnung der Einwohnerzahl basiert auf der Feststellung des Lebensmittelverbrauchs. Die Schwierigkeit dieser Methode besteht vor allem darin, daß die einer Stadt zugeführten Lebensmittel nicht alle zum Verbrauch der Stadtbevölkerung, sondern teilweise zum Export bestimmt sind; nur in besonderen Situationen, bei Belagerungen, wirtschaftlichen Blockaden u. dgl. ist diese Berechnungsart anwendbar, wobei aber auch wieder berücksichtigt werden muß, daß in Kriegszeiten Landbevölkerung den Schutz der städtischen Mauern sucht, Söldner in der Stadt sind usw.

So erhalten wir mit diesen Methoden nur Näherungswerte. Eine Kontrolle durch Vergleich der verschiedenen Angaben, die uns für eine Stadt gegeben sind, und durch die leichter zu berechnende jeweilige Stadtfläche schützt uns vor den gröbsten Irrtümern. Immerhin war es lange strittig, ob Paris zu Beginn des 14. Jahrhunderts 80 000 oder 210 000 Einwohner hatte[215]. Daß es nur 80 000 sein konnten, legte schon der Vergleich mit den übrigen Städten Nordostfrankreichs nahe, von denen sich Paris damals noch nicht so gewaltig unterschied — Amiens hatte 20—30 000 Einwohner, Reims 14 000 Einwohner —, und bewies zwingend die Tatsache, daß Paris in der damals ummauerten Stadtfläche 210 000 Einwohner nur in Hochhäusern hätte beherbergen können. Zu erklären blieb die der Berechnung der 210 000 Einwohner zugrundeliegende Feuerstättenangabe; lag ein Schreibfehler vor oder war ein über die Stadt hinausgreifender Bezirk gemeint? Man muß auch mit betrügerischen Manipulationen rechnen. So wandten sich die Schöffen der Stadt Ypern 1247 an den Papst mit der Bitte um mehr Kirchen und Kanoniker, da ihre Stadt 200 000 Einwohner zähle; die Kanoniker des dortigen St. Martinsstifts aber, die ihre Stellung bedroht glaubten, schrieben dem Papst, Ypern zähle nur 40 000 Einwohner[216], was der Wahrheit entschieden näher kam.

Im mittelalterlichen deutschen Reich war Köln die größte und volkreichste Stadt mit nahezu 40 000 Einwohnern in der Blütezeit des 13. und 14. Jahrhunderts, die im Mauerring von 1180 wohnten, der 400 ha umfaßte. Die angrenzenden südlichen Niederlande weisen damals ganze Gruppen volkreicher Großstädte auf. Tournai zählte im 14. Jahrhundert 40 000 bis 50 000 Einwohner. Der zweite Mauergürtel Gents aus dem 13. Jahrhundert umfaßte 644 ha, die Bevölkerung Gents erreichte im 14. Jahrhundert rd. 60 000 Einwohner; Brügge umfaßte 430 ha bei 50 000 Einwohnern, Löwen 410 ha bei 45 000, Brüssel 449 ha bei 30 000 Einwohnern, Antwerpen hatte 1347:5000 Einwohner, 1440:20 000 Einwohner. Das weitere Ansteigen der Einwohnerzahl Antwerpens ist bereits eine Folgeerscheinung frühneuzeitlicher Entwicklungen. Auch Lüttich, Aachen und Maastricht rechnen zu den mittelalterlichen Großstädten; Maastricht hatte im 14. Jahrhundert 10 000 Seelen. In den nördlichen Niederlanden erreichte nur Utrecht eine Bevölkerungszahl von etwa 20 000 Einwohnern. Die alten Handelsplätze an der Yssel, Deventer, Zwolle, Kampen, hatten 12 000 bis 14 000 Einwohner. Die nächste Großstadt südwestlich Kölns war Metz mit 25 000 Einwohnern um 1325; es war die einzige Großstadt des Moselraums; Trier blieb mit nicht ganz 10 000 Einwohnern im 14. Jahrhundert dicht unter der Großstadtgrenze. Straßburg hat ab dem 15. Jahrhundert etwa 18 000 Einwohner[217]. Die Messestadt Frankfurt[218], Ulm und Augsburg hatten um 1400 ca. 10 000 Einwohner. Augsburg sollte dann im 15. Jahrhundert die größte und volkreichste Stadt Schwabens werden. Basel, das mit Genf zu den volkreichsten Städten der Schweiz zählte, hatte 1495:8800 Einwohner. Nürnberg ist als führende Stadt auch durch seine Einwohnerzahl ausgewiesen: 22 800 nach dem „Grobenbuch" von 1430. Auch Würzburg dürfen wir zu den Großstädten rechnen. Erfurts Bevölkerung betrug 1493 etwa 18 500 Einwohner. Goslar, Soest und Münster haben die Zahl 10 000 knapp überschritten. Breslau hatte im 15. Jahrhundert 20 000 Einwohner. Die Einwohnerzahlen von Rostock, Braunschweig und Lüneburg lagen zwischen 10 000 und 18 000. Im

Norden führte Lübeck mit 25 000 Einwohnern um 1400, Bremen hatte wohl 20 000 Einwohner; die Berechnung der Volkszahl Hamburgs für die Mitte des 15. Jahrhunderts schwankt zwischen 16 000 und 18 000. Es geht dabei auch um die Wohndichte. Gerade in Hamburg war die Zahl der Mietwohnungen hoch. Sehr umstritten ist die Einwohnerzahl Danzigs[219] um 1500; es scheint, daß die Bevölkerungszahl damals 30 000 Einwohner erreichte. Es sind also durchweg die großen Fernhandels- und Exportgewerbestädte, die Großstadtrang besitzen. Daß die Funktion, Hauptstadt zu sein, bereits eine Rolle spielt, beweist Paris und ebensosehr London, der kosmopolitische Treffpunkt des Spätmittelalters mit einer Einwohnerzahl von rund 30 000.

Zu den bedeutenderen Mittelstädten gehören Trier, Mainz, Wesel, Osnabrück, Emden, Kassel, Görlitz, Nördlingen, Konstanz, Schaffhausen. Kleine aber wirtschaftlich rege Mittelstädte waren Düren, Essen, Marburg, Friedberg, Butzbach in Hessen. Kleinstädte mit weniger als 2000 Einwohnern machen immerhin 90 bis 95 % aller mittelalterlichen Städte aus. Kleinst- und Zwergstädte finden sich vor allem in Gebieten starker territorialer Zersplitterung, wo jeder Landesherr seine Städtchen gründete, die keinen ausreichenden Lebensraum mehr gewinnen konnten. Solche privilegierten Burgflecken sind oft keine Städte im wirtschaftlichen Sinn mehr (Schönecken in der Eifel, Blankenberg an der Sieg). Die größeren Kleinstädte aber lebten, wie H. Ammann an einer Reihe von Schweizer Beispielen[220] — Baden mit 1500 Einwohnern um 1550, Rheinfelden mit 220 bis 250 Haushaltungen in der Stadt nebst Vorstädten, darunter 150 Handwerker und 10 bis 20 Kaufleute, Aarau 1300 Einwohner um 1400 — exakt nachgewiesen hat, nicht selbstgenügsam dörflich — auch dies ist fast schon Klischee, im Spätmittelalter kann auch das Dorf marktorientiert sein. Erst recht haben die regen Kleinstädte teil an der spätmittelalterlichen Wirtschaftsverflechtung: sie importieren auch Massengüter des täglichen Bedarfs neben seltenen und Luxuswaren, sie gehen mit eigenen Gewerbeerzeugnissen in den Export, ihre Kaufleute besuchen auch entferntere Messen, ihr Handwerk erhielt durch die Gesellenwanderungen einen weiten Horizont, ihr Bürgereinzugsgebiet erreichte große Ausmaße. Ihre Bewohnerschaft war sozial differenziert; es bildeten sich größere Vermögen.

Hohe Einwohnerzahlen hatten viele italienische Städte[221]. Im Süden war vor allem die Bebauungsdichte in den Städten viel größer. Während man für Brüssel 56, für Brügge 81, Straßburg 89, Gent 100, Toulouse 138, Nürnberg 142, Wismar 150, Rostock 158, Paris 180, Lübeck 210 Einwohner pro Hektar errechnet hat, wohnten in Béziers 322, Toulon 500 und Genua 545 Personen auf einem Hektar[222].

Heers hat sehr anschaulich die dichtgedrängte Bauweise Genuas beschrieben: die engen Straßen, das Fehlen großer Plätze, die kleinen Gärten, die hohen Steinhäuser, die Palais, in denen der Stadtadel wohnt und ungeniert das Parterre einem Handwerker vermietet usw. Die Befestigung von 1155 enthielt nur 53 ha, die von 1346:110 ha. Heers rechnet innerhalb der Mauern im 15. Jahrhundert 84 000 Einwohner, für Stadt und Vorstädte 97 500, für die Bannmeile 117 000 ohne Klerus aus. Venedig hatte 1338:90 000 Einwohner, Verona 1320:30 000, Padua im gleichen Jahr 33 000 und Pavia 1250:30 000. Für Mailand gibt 1288 Bonvesin della Riva in seinem bahnbrechenden Werk De magnalibus urbis Mediolani viele statistische Angaben. Er erzählt, daß jedes gutausgestattete Haus seinen Brunnen habe, daß es insgesamt 6000 Brunnen in Mailand gäbe. Er nennt 12 500 Häuser, 200 Kirchen und Kapellen mit 480 Altären; 120 Kampanile tragen 200 Glocken. Im contado zählt man 50 bedeutende borghi, darunter Monza; 150 Dörfer haben ein der Kommune Mailand unterworfenes Schloß; im contado bestehen 2050 Kirchen. Die Stadt Mailand hat 10 Hospitäler; das älteste und reichste San Stefano nel Brolo mit 500 Betten. Bonvesin gibt 200 000 Einwohner für Mailand, 500 000 für den contado an. Die letzten globalen Zahlen scheinen überhöht. Man wird für Mailand 1288 eine Bevölkerung von mindestens 100 000 ansetzen müssen. Florenz hat um 1300:95 000 Einwohner, Lucca, Siena, Pisa ungefähr 20 000, San Gimigniano 13 000. Bologna hat um 1370:40 000 Einwohner, Orvieto 1292:11 000, Rom um 1200:35 000, Neapel um 1300:50 000 Einwohner, Palermo 44 000, Messina 27 000.

Im christlichen Spanien führte Barcelona mit 35 000 Einwohnern Ende des 14. Jahrhunderts. Sevillas Gesamteinwohnerzahl wird im 13. Jahrhundert auf 24 000 geschätzt.

Der Anteil der Stadtbewohner an der Gesamtbevölkerung des 15. Jahrhunderts lag bei 20 bis 25 %. Das bedeutet schon eine ziemliche Verstädterung. Diese Verstädterung ist u. a. besonders hoch in den südlichen Niederlanden. In Brabant, wo sich die Verhältnisse auf Grund der Herdlisten gut überblicken lassen[223], wohnte 1437 fast ein Drittel der Gesamtbevölkerung, 32,8 Prozent, in den Städten.

Im 14. Jahrhundert schlägt in Europa die Bevölkerungskurve um. Die Häufung der Wüstungen auf dem Land, der Stillstand der bäuerlichen Ostbewegung, Nachlassen der Städtegründungen und des Wachstums vieler alter Städte oder sogar erheblicher Rückgang städtischer Bevölkerungszahlen sind unbestreitbare Anzeichen dieser negativen Entwicklung. Die Pestzüge darf man nicht als auslösenden und nicht als alleinigen Faktor der Krise ansehen[224]. In vielen Einzelfällen konnte nachgewiesen werden, daß der Rückgang der Bevölkerung schon vor dem Schwarzen Tod von 1348 einsetzt. Bei der hohen Sterbequote des Mittelalters genügte dazu ein leichtes Nachlassen der Geburtlichkeit. Hier stoßen wir auf ein Phänomen, das der Vitalsphäre des Menschen angehört und auch der biologischen Überprüfung und Beurteilung bedarf. Die Pest hat dann die negativen und depressiven Tendenzen verstärkt. Zu den Pestzügen kamen die großen Hungersnöte, besonders die Hungersnot von 1315/16, die ganz Nordeuropa ergriff und vielleicht zur hohen Sterblichkeit der ersten großen Pest von 1348 beigetragen hat[225].

Es ist umstritten, ob man es im Spätmittelalter mit einer allgemeinen säkularen Wirtschaftskrise zu tun hat[226]. Die Verhältnisse in den einzelnen Wirtschaftslandschaften sind sehr unterschiedlich. Depressionserscheinungen der einen Landschaft — von Flandern oder der Provence z. B. — stehen aufsteigende Tendenzen in anderen Landschaften — Oberdeutschland[227], Nürnberg vor allem, aber auch Saar und Mosel, Holland und England — gegenüber. In Frankreich sind wirtschaftsexogene Faktoren im Spiel: der Hundertjährige Krieg. Die Chronologie der Krisen ist unterschiedlich. In Barcelona liegt der Höhepunkt der Krisenzeit von 1431 bis 1443 und trifft sowohl mit kriegerischen Unternehmen des Königs Alfons wie auch mit einer Stagnation in Genua zusammen. Der geringe Umfang aufgearbeiteten statistischen Materials macht ein Abwägen der auf- und absteigenden Tendenzen noch unmöglich. Vom Standpunkt der Stadtwirtschaft allein ist die Frage nicht zu entscheiden. Eine abschließende Antwort, ob es sich um eine Konjunktur- oder Strukturkrise handelt, ob Umformungen in der Agrarwirtschaft den entscheidenden Anstoß gaben, ist heute nicht möglich.

In Nordwesteuropa tut sich die Krisenhaftigkeit kund im raschen Auf- und Abstieg ökonomischer Landschaften, härtestem Wettkampf um die Absatzmärkte, gewaltsamem Vorgehen der Städte gegen die zunehmenden ländlichen Gewerbe, starken sozialen Spannungen, Entstehen eines städtischen Proletariats aus verlegten Handwerksmeistern und Gesellen ohne Hoffnung auf Meisterschaft, schroffen Vermögensunterschieden, Verknöcherung und Erstarrung auf wirtschaftspolitischem Gebiet.

Das Gewerbe befand sich in starker Abhängigkeit vom Handel. Die große räumliche Distanz von Produktionsgebieten und Absatzmärkten bedingte dauernde Unsicherheit und Risiken. Die Tuchgewerbe waren empfindlich abhängig von den Wollmärkten und den Alaun- und Farbstoffmärkten. Die Entdeckung der Alaunminen von Tolfa auf päpstlichem Territorium, die den Ausfall des kleinasiatischen Marktes wettmachten, wurde als ein Sieg über die Türken gefeiert. – Das 14. Jahrhundert wurde in der Tucheinfuhr aus Nordwesteuropa das Jahrhundert Brabants, dessen Tuche auf den Frankfurter Messen und in Oberdeutschland dominierten, während in Niederdeutschland das flandrische Tuch, an dem die Hansen zäh festhielten, immer noch die erste Rolle spielte. Auf den Mittelmeermärkten erlitten die niederländischen (die flandrischen und Brabanter) Tuche einen starken, z. T. eklatanten Rückgang des Exports. In Toulouse z. B. fiel ihr Anteil am Umsatz von 72 Prozent im Jahre 1379 auf 61 Prozent im Jahre 1399, auf 1,5 Prozent im Jahre 1437 und erhöhte sich auf nur 10 Prozent um 1450[228]. Im 15. Jahrhundert stieg Holland zur großen Tuchlandschaft empor; einen mächtigen Schritt vorwärts machte auch England, dessen steigende Tuchproduktion eine Verminderung seiner Wollausfuhr verursachte, die Flandern sehr traf, bis die spanische Wolle Ersatz schaffte. Die Holländer kauften einen guten Teil der Wolle und Zeuge am Stapel zu Calais auf; sie bildeten Gesellschaften der Calisvairders und organisierten den Borgkauf. Ihre Tuche erschienen zuerst auf den Märkten in Brügge und Antwerpen, dann in Delft und Bergen op Zoom und gingen auch in den Osten, nach Leipzig, Breslau, Böhmen und Polen.

Während Southampton immer noch von den Italienern kontrolliert wird, das kosmopolitische London Treffpunkt der hansischen Kaufleute und der Bankiers aus Florenz, Mailand und Lucca ist, zeigt Bristol den Aufstieg einer englischen Stadt auf Grund der eigenen Wirtschaftsenergie: gestützt auf die Flüsse

Avon und Frome holt es sich die Waren aus dem Innern: die Wolle aus Buckingham für sein eigenes Gewerbe, Eisen und Kohle aus den Wäldern von Dean, Tuche aus Coventry, für die es den Waid liefert, Tuche aus Ludlow, Alabasterstatuen aus Nottingham, die bis nach Portugal gehandelt werden. Von Irland kommen Fische, Butter, Speck, Pökelfleisch, Kupfer, Felle und das gute irische Leinen. Im 15. Jahrhundert werden die Hafenanlagen vergrößert. Bristol erobert sich die fernen Märkte. Seine Schiffe gehen nach Spanien und nach Lissabon. Die englischen Fischer erreichen seit Beginn des 15. Jahrhunderts Island, vor allem Schiffe von der Ostküste, aus Cromer oder Newcastle. Die Leute aus Bristol kommen nach, sie schaffen — wie es seinerzeit die Hansen in Bergen taten — eine feste Relation für den Salzfisch im Austausch mit Getreide, Butter, Bier, Wein, Leinen aus Irland, der Bretagne, Flandern und englischem Tuch[229].

Holland und England erkämpften sich wachsenden Raum in den nördlichen Meeren. Noch behielt die Hanse ihren Vorrang; zwar hörte das Nowgoroder Kontor praktisch 1494 auf zu bestehen, das Brügger litt unter dem Abstieg der Stadt selbst; viel zu spät, 1520, gingen die Hansen nach Antwerpen, das schon 1495 Brügges Funktion übernahm, aber diese Einbußen wurden zum mindesten wirtschaftlich in etwa durch die Westbeziehungen, die ausgebaut wurden, wettgemacht. Die wachsende Nachfrage nach Salz führte zu regelmäßigen Fahrten nach La Rochelle und schließlich Setubal und Lissabon.

Das Schwergewicht des Mittelmeerhandels verlagerte sich in das westliche Mittelmeerbecken, vor allem infolge von Genuas direkten Fahrten durch die Meerenge von Gibraltar, auf denen es Massengüter nach den Niederlanden führte, während Venedig am traditionellen Orient-(Pfeffer-)handel festhielt. — Dadurch sollte aber auch Venedig einmal die Gefangene der Adria werden wie die Hanse die Gefangene der Ostsee. — Die genuesischen Flotten mußten sich auf der Westfahrt in den großen Häfen der iberischen Halbinsel verproviantieren. So beginnt schon vor den Entdeckungen der Aufstieg des wiedergewonnenen Andalusien, der Städte Sevilla und Cadiz, natürlich auch Lissabons[230]. Man hat den Aufstieg Kastiliens dem Englands im Norden verglichen. In Frankreich, für das der Hundertjährige Krieg ein großes Handicap war, begann der Aufstieg der Normandie[231]. Alle Flotten des Nordens holten sich das Baiensalz an der französischen Atlantikküste. Marseille litt unter der katalanischen Politik; des Hafens von Aigues-Mortes versicherten sich schließlich — nach Venezianern und den Faktoren des Jacques Coeur — die Genuesen.

Für den regelmäßigen Ablauf der Wirtschaft in Handel und Produktion war der Kredit unentbehrlich. Kreditgeben und -nehmen war selbstverständlich in der ganzen Kette der Aktionen von der Rohstoffbeschaffung bis zum Verkauf an den Verbraucher[232]. Die exportgewerbliche Produktion wurde großenteils von Kredit getragen, in der Form des Verlags oder des Zunftkaufs. Kredit räumte ein Kaufmann dem anderen ein; Kreditwürdigkeit war aber auch eine unabdingbare Voraussetzung einer erfolgreichen kaufmännischen Berufstätigkeit. Mit dem Kredit wurde der Zins in irgendeiner Form unumgänglich. Und hier mußte man sich mit der Lehre der Kirche auseinandersetzen, bzw. die Lehre der Kirche mußte sich mit der Situation, wie sie nun gegeben war, auseinandersetzen. In der Tat haben die Spätscholastiker ein verfeinertes Verständnis für die Wirtschaftsprozesse bewiesen; die Risiko-Leistungstheorie des Handelsgewinns muß ihnen zugeschrieben werden; sie begannen mit der Ausarbeitung einer Zinstheorie. Auch die öffentliche Hand nahm ständig Kredit in Anspruch; die beliebteste städtische Schuldform war der Rentkauf.

Die Patrizierherrschaft wird erschüttert durch soziale und politische Unruhen. „Dit isz der herren ungevoich/kome spricht ir enich: ich han genoch." So schildert Gottfried Hagen die Kölner Patrizier. Auseinandersetzungen zwischen den Geschlechtern stehen mitunter hinter den sog. Zunftkämpfen, dem Drängen der Zünfte nach politischer Mitbestimmung. Gerade in Exportgewerbestädten — in Braunschweig, Köln, Lüttich, Gent, Florenz — kommt es zu Aufständen[233], die aber keineswegs zur Zunftherrschaft führen, deren Natur, Teilnehmerschaft und Führerschaft sehr komplex ist. Patrizische Elemente sind — mitunter sogar führend — beteiligt, aber auch nichtpatrizische Kaufleute, kleinere mittelständlerische Existenzen, Leute mit militärischer Erfahrung; sie stellen die Führer, die untersten Schichten die Masse mit oft sehr unklaren Zielvorstellungen.

Es wäre ganz falsch, von Klassenkämpfen zu sprechen. Das Gefühl, eine gemeinsame Sache zu haben, fehlt. Stadt steht gegen Stadt, Gewerk gegen Gewerk, etwa die Genter Weber gegen die Genter Walker. Aber auch da, wo es den Zünften gelingt, einige

Ratssitze oder gar die Mehrheit der Ratssitze zu gewinnen, liegt das eigentliche Stadtregiment noch nicht bei ihnen. In Ulm, Esslingen und anderen schwäbischen Städten z. B. wird das Bürgermeisteramt immer von einem Patrizier besetzt, obwohl die Verfassung die Wahl eines Handwerkers zuließ. Das schon von Max Weber erkannte Prinzip der Unabkömmlichkeit trägt, wie Maschke herausgearbeitet hat, schuld daran. Im 15. Jahrhundert besitzt das Patriziat eine führende Stellung in den Hansestädten, besonders in Lübeck, in Süddeutschland in Frankfurt und Nürnberg, in Ostdeutschland in Danzig, Thorn und Breslau; in all diesen Städten ist es nicht streng geschlossen, sondern nimmt Neureiche auf. Umgekehrt ist in den Städten, in denen die Zünfte einen Anteil am Stadtregiment errungen haben, in Straßburg, Konstanz, Basel, Augsburg, das Patriziat geschlossen; dadurch wiederum nimmt seine Zahl ständig ab. Städtische Standessymbole sind in der Tracht, in der Zulassung zu Fest und Tanz gegeben. Die standesgemäße Kleidung wird vom Rat der Stadt vorgeschrieben[234]. Das Patriziat ist in Trinkstubengesellschaften zusammengefaßt. Die Patrizierherrschaft behauptet sich ungeschmälert in Städten, die überwiegend Handelsstädte ohne große Exportgewerbe waren: in Metz z. B. Auch Genua kennt nur nobili und populari, aber nicht die Unterscheidung von popolo grasso und popolo minuto, die in Florenz so auffallend ist. Auch in Genua gibt es den albergo als gesellschaftlichen Zusammenschluß der nobili, und wie der patrizischen deutschen Trinkstube die Zunftstube entspricht, so seit dem 14. Jahrhundert den alberghi der nobili solche der Popularen. Die arti haben keinen politischen Einfluß in den zentralen Organen; sie können sich lediglich in den Distriktskompagnien und in deren Unterabteilungen, den conestagia, zur Geltung bringen.

In Mitteleuropa beherrscht Egoismus und Konservativismus die Zünfte. Die vielen, jeder Hoffnung auf Meisterschaft beraubten Gesellen werden nun auch ein Element der Unruhe und Meuterei. Sie schließen sich in Gesellenverbänden zusammen. Das Gesellenwandern nimmt immer mehr zu. Die Meister ihrerseits vereinbaren — oft schon auf regionaler Basis — gemeinsame Maßnahmen gegen ihre Gesellen. Im Jahr 1352 treffen z. B. die Bäcker von Mainz, Worms, Speyer, Oppenheim, Frankfurt, Bingen, Bacharach und Boppard eine Übereinkunft, die verhindern soll, daß ein Geselle, der in einer dieser Städte von seinem Meister vor die Tür gesetzt wurde, in einer anderen Unterkommen und Arbeit findet. Die Übereinkunft richtet sich auch gegen die verheirateten Gesellen; wenn die Ehefrau eines Bäckergesellen dann noch „zu Markte sitzet" und Mehl und Gries feilhält, soll kein Meister in den acht Städten diesen Gesellen beschäftigen[235]. Die Hausgemeinschaft zwischen Gesellen und Meistern wurde seltener. Die Solidarität der Gesellen, die sich auch äußerlich, in Trachtbestandteilen manifestierte, nahm zu. Die Meister gingen immer wieder dagegen an. 1442 z. B. sprachen in Wien versammelte Kürschner Bayerns und Österreichs den Gesellen jedes Korporationsrecht ab: In Straßburg hatten sich 1404 48 Kürschnergesellen aus Böhmen und Tirol zu einer Gesellenbruderschaft zusammengeschlossen; bei diesem kapitalintensiven Gewerbe war die Hoffnung, Meister zu werden, besonders gering. Die Meister behaupteten, die städtischen Obrigkeiten allein seien befugt, Streitigkeiten zwischen Meistern und Gesellen zu schlichten. 1465 erweiterte sich diese Vereinigung der Meister durch Einbeziehung Frankens, Schwabens und des Rheinlandes. Unruhen, Streiks, Streitigkeiten zwischen Meistern und Gesellen erfüllen das ganze 14. und 15. Jahrhundert.

In Florenz kam es 1378 zu Tumulten, die als Aufstand der ciompi, der Wollschläger, von der Geschichtsschreibung der Renaissance wie von der modernen neomarxistischen Forschung[236] sehr beachtet, aber doch wohl nicht richtig interpretiert wurden. Es handelt sich keineswegs um eine „proletarische Revolution" mit sozialrevolutionären Zielen. An der Julirevolte, die ein neues politisches Regime im Gefolge hatte, waren Personen aus allen Schichten der Florentiner Gesellschaft beteiligt: patrizische Führer — aus so berühmten Häusern wie den Strozzi, Alberti, Medici —, Angehörige der gewerblichen und kaufmännischen Mittelschichten und in Massen Lohnarbeiter, also u. a. ciompi, aber auch jene sottoposti, Färber, Walker, Appreteure, kleine Unternehmer, die aber keine Mitgliedschaft in der Arte della lana besaßen, sondern ihre „sottoposti" waren. Bezeichnenderweise wurden für sie neben den bestehenden sieben oberen und vierzehn unteren Zünften drei neue Zünfte gebildet. Die Ziele und Wünsche der sottoposti und der ciompi waren sehr verschieden. Die Enttäuschung der ciompi durch das neue durchaus konservative Regime entlud sich im August in einer weiteren Erhebung ohne klares Programm, die scheiterte. „It was", sagt Brucker[237],

„a characteristic Florentine imbroglio, neither very bloody, nor very destructive, and as strongly influenced by personal hatreds and loyalities as by any spirit or sense of class. The historical significance of the Ciompi episode was its utilization by the Florentine patriciate to justify the increasingly narrow social base of politics, and the progressive exclusion of the lower classes from office". 1382 „war die Ordnung wiederhergestellt".

Zur gleichen Zeit erhoben sich die Genter Handwerker, von Standesgenossen aus Brügge und Ypern unterstützt, gegen den Grafen; sie unterlagen ihm und den französischen Rittern bei West-Roosebeke im Jahr 1382. Der überwiegend politische Charakter der Genter Aufstände im 14. Jahrhundert ist unverkennbar. In Lüttich schieden die Patrizier 1384 aus dem Rat aus. Die Handwerkerkorporationen, die nun das Heft in die Hand bekamen, hatten aber schon begonnen, sich gegen Gesellen und Fremde abzuschließen; die Eintrittsgebühren für die Meister wurden heraufgesetzt — eine verbreitete Erscheinung —, das Regiment der Patrizier war ersetzt durch eine Herrschaft kleiner handwerklicher Unternehmer; unterhalb dieser Schicht wuchs im 15. Jahrhundert ein Proletariat heran.

Der Monopolanspruch der Städte auf gewerbliche Betätigung wird immer mehr durchlöchert; im 14. Jahrhundert wehren sich die Städte noch. Die Genter Milizen ziehen aufs Land und zerstören die Webstühle der Dörfler. Im 15. Jahrhundert beklagen sich die flandrischen Städte beim Fürsten, also dem Burgunder, über die Verletzung ihrer Monopole. Immerhin lebten in Gent und Ypern die Hälfte, in Brügge ein Drittel der Bevölkerung vom Tuchgewerbe. Die Zunftverfassung war nicht das geeignete Mittel, dem Niedergang zu begegnen. Die Zünfte haben wohl angesichts der Versuche der Händler, die Folgen der Absatzkrisen auf die Handwerker abzuwälzen, einen Minimallohn für die Handwerker durchgesetzt, aber dadurch wiederum die Anpassungsfähigkeit der städtischen Wirtschaft an die Konjunktur erschwert und die Konkurrenz der Kleinstädte und Dörfer begünstigt. Eher schon war die Spezialisierung auf die Luxus- und Halbluxusgewerbe geeignet, die wirtschaftlichen Probleme zu lösen, wie das Beispiel von Herzogenbusch und Antwerpen zeigt, wo sich das Schwergewicht von den heillos getroffenen Großexportgewerben mit ihren stark proletarisierten Arbeitskräften nach den neuen Feingewerben mit mittelständischem Charakter verlagert. In seiner tief eindringenden

Analyse der niederländischen Verhältnisse hat van Houtte[238] gezeigt, daß diese Umschichtung den starken Rückgang der kleinen Städte bewirkte, während der Großstadt die größere Fächerung der Gewerbe zugute kam. Die relative Wohlfahrt der großen Städte zeigt sich im Umfang der „Armut". Hierüber geben wiederum die Brabanter Zählungen Aufschluß. Während die Zahl der Armen in Antwerpen zwischen 1437 und 1480 von 13,5 bis zu 10,5 Prozent abnahm, stieg sie in Löwen von 7,6 bis auf 18,3, in Brüssel zwischen 1437 und 1496 von 10,5 auf 17,1 Prozent. In den kleineren Städten stieg die Zahl der Armen bis zu 36 Prozent. Diese Armut bestand aus Handwerkern der verfallenen Industrien und ungelernten Arbeitskräften, die vom Lande eingewandert waren.

Die Zeit des schweren Elends für die Arbeitermassen fällt zusammen mit dem Höhepunkt der bürgerlichen Prachtliebe in den Niederlanden. Die schönsten Prunkbauten werden von der wohlhabenden Oberschicht errichtet. Zugleich vertieft sich die Kluft zwischen der Geldaristokratie und den proletarischen Massen. Die städtischen Magistrate werden mit den Problemen der Armut nicht mehr fertig, und die Regierung muß eingreifen. Im 15. Jahrhundert treten die Fürsten bereits — wenn auch nur vereinzelt — gegen die Bettelei auf, so Philipp der Gute.

An sich hatte die Armut in der mittelalterlichen Gesellschaft ihre Funktion: dem Reichen gibt sie die Möglichkeit, gute Werke zu tun, er ist auf die Fürbitte des Armen angewiesen, der somit eine Gegengabe für das gereichte Almosen bieten kann. Auch die Armen schlossen sich zusammen: 1454 entstand in Zülpich eine Bruderschaft der Bettler, der Krüppel, Blinde und andere Arme angehörten, die Mitgliederbeiträge erhob und Krankenfürsorge trieb. Der scharfe Kampf gegen Armut und Bettelei ist ein Ausdruck neuzeitlicher Vorstellungen und neuzeitlichen Verhaltens. Die mittelalterliche Gesellschaft hat den Bettler in gewisser Weise noch integriert. Waren die mittelalterlichen Unterschichten auch politisch rechtlos und wirtschaftlich schwach, so führen doch zahlreiche Übergänge zu den höheren Schichten; Sparmöglichkeiten und damit Möglichkeiten des Aufstiegs hatten vor allem Dienstboten und Gesellen. Dienstboten und Handwerksknechte machten in Basel 17 Prozent der Bevölkerung, 29 Prozent aller Steuerpflichtigen aus. Sie bildeten wohl allgemein die obere Unterschicht, während von den Lohnempfängern die Kaufmannsgesellen eher der unteren Mittelschicht zuzuzählen sind. Unter den Gesellen und Mägden standen Tagelöhner, Arbeiter, alleinstehende Frauen, darunter die Bettler.

Außerhalb der mittelalterlichen Bürgergesellschaft bleiben die Juden und weithin auch der Klerus. Die Stellung der Juden[239] war ursprünglich nicht schlecht. Im Frühmittelalter waren sie als Händler vielfach unentbehrlich und standen als solche unter Königsschutz, genossen Zollvergünstigungen und Freiheit von anderen Verkaufsabgaben. Judengemeinden finden sich in Deutschland daher vielfach in Städten auf Reichsgrund. Sklavenhandel und Orienthandel waren der wichtigste Teil ihres Außenhandels. Im Orienthandel erwuchs ihnen früh eine überlegene Konkurrenz in den italienischen Seestädten; die Venezianer verboten 992 die Aufnahme jüdischer Kaufleute auf ihren Schiffen. Gerade in dieser Zeit erschienen die jüdischen Niederlassungen in Mainz und Augsburg, dann in Worms, Regensburg und Prag. Mainz war dabei Ausgangspunkt für Handelsreisen nach Osteuropa, auf denen Prag und Krakau wichtige Stationen blieben. Köln erhielt 1012, Worms vor 1034 eine Synagoge. 1084 emigrierten nach Speyer Juden aus Mainz, die Bischof Rüdiger geschlossen ansiedelte und privilegierte[240]. Dieses Privileg und die Privilegien Kaiser Heinrichs IV. von 1090 für Speyer und Worms umreißen die rechtliche Stellung der Juden in den rheinischen Städten: Sie durften innerhalb des Reiches frei und in Frieden umherziehen, Handel treiben, kaufen und verkaufen und genossen Zollfreiheit. Sie bedangen sich den Schutz im Trödelhandel aus, wie er durch das Pfandleihgeschäft gegeben war: Gestohlenes Pfandgut sollte dem Eigentümer zurückgegeben werden, aber gegen Erstattung des Kaufpreises. Die heidnischen Sklaven sollte man nicht durch Taufe ihrem Dienst zu entfremden suchen, christliche Sklaven durften sie nicht kaufen. Sie konnten Grundbesitz in den Städten und auf dem Land erwerben und ihn auch durch christliche Tagelöhner bewirtschaften lassen. Für Köln ist ein Judenschreinsbuch erhalten. Der Sklavenhandel kam durch die zunehmende Christianisierung der slawischen Länder zum Erliegen. Zu einer Kette furchtbarer Ausschreitungen gegen die Juden kam es in den Rheinlanden erstmals im Zusammenhang mit dem ersten Kreuzzug. Angelockt vom Reichtum der jüdischen Gemeinden plünderten und mordeten fanatisierte rheinabwärts ziehende Massen die Juden in Speyer, Worms, Mainz, Köln und auch in Trier. Erzbischof Hermann von Köln ließ die Kölner Juden aus der Stadt in sieben Orte führen, um sie zu schützen, dennoch wurden viele Juden getötet oder töteten sich selbst.

Die überwiegend religiöse Motivation dieser Verfolgung erhellt auch daraus, daß die Getauften sich rasch mit den christlichen Stadtbewohnern vermischten. So wird in Köln der Sohn eines getauften Juden unter den Zeugen des Handelsvertrages der Städte Köln — Verdun von 1178 genannt, und dessen Bruder verheiratete eine Tochter an den Ahnherrn des Kölner Patriziergeschlechts von Lyskirchen. Auch bei dem Patriziergeschlecht Jude wird jüdische Abstammung vermutet. — Die Juden zahlten gemeindeweise eine Judensteuer; sie stellt ein wichtiges Regal dar. Die bekannte Matrikel von 1241 zeigt, daß damals im deutschen Reich das Schwergewicht der Niederlassungen am mittleren Rhein lag. In Köln waren 1178 48 Häuser und Hofstätten im Besitz von Juden. 1325 waren diese auf 70 angestiegen. 1266 erneuerte Erzbischof Engelbert II. die jüdischen Privilegien, die verletzt worden waren, in der ganzen Kölner Diözese. Er ließ die Freiheit in zwei Kalksteintafeln einhauen[241]. Noch 1321 bekundete Erzbischof Heinrich II. von Köln, daß die Stadt seine in Köln wohnenden Juden auf 10 Jahre in ihren Schutz als ihre Mitbürger aufgenommen hatte. — Die Auffassungen von Lena Dasberg über die Entwertung des Judenstatus im 11. Jahrhundert bedürfen mannigfacher Korrekturen. — Eine entscheidende Verschlechterung der Stellung der Juden zeigte sich im 14. Jahrhundert. Die Ausbildung der Zünfte hatte bewirkt, daß sie vom Gewerbe nahezu ausgeschlossen wurden, denn einer mittelalterlichen Zunft konnten Nichtchristen nicht angehören. Im Handel waren sie weitgehend entbehrlich geworden, sie wurden immer stärker abgedrängt in das reine Geld- und vor allem in das Pfandleihgeschäft, das allerdings dazu angetan war, sie verhaßt zu machen. Besonders umfangreich ist die Überlieferung über ihre Tätigkeit im Geldgeschäft in der ersten Hälfte des 14. Jahrhunderts, als die Kreditwirtschaft eine Ausweitung erfuhr, so daß die oberen Schichten, aber auch das breite Volk, Kredit in einem vorher nicht bekannten Ausmaß in Anspruch nahmen. Ein im mittelalterlichen Limburger Judenviertel 1957 gefundener, 1338/42 vergrabener Münzschatz im Wert von etwa 241 Gulden ist sicher aus Furcht vor Verfolgung[242] in die Erde gelangt; denn damals wüteten in Franken, im Elsaß und im Mittelrheingebiet Judenverfolgungen, die vor allem zu Beraubungen der Juden führten. Die Pest von 1348 brachte 1349 eine Welle von Judenverfolgungen in den rheinischen Städten von Basel bis Köln, die sich wieder in einer Reihe von Münzschatzfunden dokumentieren. Die Kölner Schuldenregulierung von 1390 zeigt in einzelnen Beispielen die enorme Höhe jüdischer Vermögen. Nach dem Schwarzen Tod entfalteten die Juden zwar relativ rasch wieder eine wirtschaftliche Aktivität, aber insgesamt blieb die Situation für sie jetzt krisenhaft. In vielen Städten wurden sie ausgewiesen, aus Straßburg 1387, aus Köln 1424, aus Speyer 1435. Viele Juden wanderten nach dem Osten ab. Andere zogen sich aufs Land zurück, namentlich in die kleineren Orte des niederen Adels; der bekannte alte Judenfriedhof im kleinen Beilstein an der Mosel z. B. ist ein Zeugnis dieser Entwicklung. — Im 15. Jahrhundert gab es in den deutschen Reichsstädten 18 Judengemeinden, die größten in Worms, Frankfurt und Nürnberg. Im übrigen darf man die Bedeutung der Juden für das Kreditgeschäft auch nicht überschätzen. Gerade im Rheinland werden die Geldgeschäfte vielfach von Lombarden und Kawerschen getätigt. Eine große Stadt wie Lüttich hatte im Mittelalter außer einem 1138 genannten jüdischen Arzt keinen Juden. Die Lüttticher waren selbst im Geldhandel engagiert; sie erwirkten 1303 auch die Vertreibung der Lombarden.

Zum Klerus, der zahlenmäßig sehr ins Gewicht fiel[243], ergeben sich im Spätmittelalter Spannungen infolge des mitunter übergroßen Grundbesitzes der toten Hand in den Städten, der Steuerfreiheit des Klerus, die allerdings in den einzelnen Städten unterschiedlich gehandhabt wurde, und der wirtschaftlichen Tätigkeit der Kleriker, die vielfach ohne bürgerliche Lasten tragen zu wollen die Möglichkeiten des städtischen Marktes ausnutzten. Kanoniker, auch Klöster insgesamt mißbrauchten das Privileg, den Ertrag ihrer Landgüter zum eigenen Bedarf akzisefrei in die Stadt einbringen zu dürfen und gingen mit ihren Überschüssen an Getreide und vor allem an Wein auf den städtischen Markt. Die Zünfte mußten sich gegen die Konkurrenz der Klöster vor allem im Textilgewerbe wehren. Immer noch sind die Klöster große Wirtschaftskörper. Als solche waren sie eng mit der städtischen Wirtschaft verflochten, nicht nur als Zulieferer ihrer Überschüsse auf den städtischen Markt, sondern auch durch ihren Bedarf. H. Ammann ist der Bedarfsdeckung der Klöster auf dem städtischen Markt nachgegangen und hat an Hand von Rechnungen das Netz der Wirtschaftsbeziehungen von Schweizer und süddeutschen Klöstern und die innere Struktur ihrer Absatz- und Versorgungsgebiete untersucht und die große Mannigfaltigkeit der verbrauchten Fremdwaren hervorgehoben[244]. Nun erschöpft sich die Problematik Stadt/Kirche im Mittelalter nicht in den wirtschaftlichen Beziehungen. Das Verhältnis von Pfarrei und Sondergemeinde, das Streben des Rates bzw. der städtischen Gemeinde nach dem Pfarrerwahlrecht werfen Fragen auf, die noch nicht alle voll beantwortet sind. Die städtischen Obrigkeiten und die Bürger üben auch auf karitativem Gebiet Funktionen aus, die ursprünglich die Stifte und Klöster wahrnahmen: der ganze Komplex des Spitalwesens gehört hierhin.

Die Spannungen und Streitigkeiten zwischen Stadt und Klerus im Spätmittelalter sind aber keineswegs Ausdruck einer antikirchlichen Haltung. Im Gegenteil, das Spätmittelalter war ein sehr frommes Zeitalter; es ist geprägt von einer Frömmigkeit, die einerseits zur Massenhaftigkeit, zur Emotion, die fast hysterische Züge trägt, neigt, andererseits einen Hang zu gemütvoller Innerlichkeit und Einfachheit besitzt[245]. Die Zunahme der Meßstiftungen, der Prozessionen, der Bruderschaften, der Wallfahrten, das Anschwellen der Andachts- und Erbauungsliteratur, der Ausbau der geistlichen Spiele, die Übersteigerung im Reliquienwesen — das kennzeichnet die spätmittelalterliche Frömmigkeit in der Betonung des Quantitativen und Äußerlichen. Hamburg besaß bis zu Beginn der Reformation 99 Bruderschaften, von denen die meisten nach 1450 entstanden waren. Die vielen Meßstiftungen ließen die Zahl der Hilfsgeistlichen anschwellen. In St. Elisabeth in Breslau waren über 120 Altaristen an 47 Altären tätig, zur Goslarer Marktkirche gehörten außer dem Pleban 15 Kapläne und Altaristen. Diese Altaristen, die oft nur von einer bescheidenen Meßstiftung lebten, mußten sich notdürftig durchschlagen — auch innerhalb des Klerus gab es starke soziale Unterschiede — gerade über Bildung und Lebenswandel der armen Kleriker wird Nachteiliges berichtet. Insgesamt war der Bildungsstand der Geistlichen gar nicht so schlecht; die Bildungsmöglichkeiten waren im 15. Jahrhundert besser als früher — vermehrte Zahl der Schulen und Universitäten, Buchdruck —, aber die Anforderungen der Laien waren gewachsen; die Patrizier, die in ihrer Jugend selbst Universitäten besucht hatten, verlangten mehr von der Predigt und der Unterweisung im Glauben. Man stiftete Predigerpfründen, der Rat bemühte sich um tüchtige Prediger, beanspruchte auch wohl ein Aufsichtsrecht über die Geistlichen. Der Innerlichkeit und Vertiefung der Religiosität entsprachen die Reformbewegungen des Spätmittelalters, der neue Frömmigkeitsstil der devotio moderna. Eine in der Stadtkultur jener Zeit auffallende Erscheinung des religiösen Lebens ist das Beginentum[246]. Die Beginen und Begarden waren Religiosen, die wie Laien lebten und keine regulierte vita communis führten. Sie leisteten weder ein monastisches Gelübde noch bekannten sie sich zu einer offiziellen von der Kirche gebilligten Regel. Die Entstehung des frühen Beginentums ist mit Grundmann[247] im Zusammenhang mit der religiösen Frauenbewegung des 13. Jahrhunderts zu sehen. Schon im 12. Jahrhundert hatte sich gezeigt, daß für viele Frauen, die nach einer vita apostolica verlangten, in den Klöstern kein Raum war. Auch die Frauenklöster der Dominikaner und Franziskaner waren nicht in der Lage, alle zu einem religiösen Leben im Sinn der vita apostolica aufzunehmen; zur Gründung neuer Klöster bedurfte es der entsprechenden finanziellen Mittel. Jakob von Vitry, Regularkanoniker aus Lüttich, ließ sich von Honorius III. für die frommen Frauen im Bistum Lüttich und in ganz Frankreich und Deutschland die Erlaubnis geben, gemeinsam zusammenzuwohnen und sich durch gegenseitige Ermahnungen im rechten Tun zu bestärken. So entwickelte sich das Beginenwesen. Noch 1215 hat der Begriff Begine einen häretischen Beigeschmack, aber er verliert sich und die Bewegung breitet sich schnell aus. In der ersten Hälfte des 13. Jahrhunderts sind Beginen in Köln, Straßburg, Frankfurt und im Mainzer Raum bezeugt. Die Neigung zur Einzelrealisation steht in dieser Zeit gleichstark neben der Tendenz zur Konventsbildung. Unter dem Druck der kirchlichen Gegenmaßnahmen schwindet das frei gelebte Beginentum zunehmend, während im 15. Jahrhundert die Konventsform allein noch lebenskräftig ist und sich überall die Neigung zur Bindung an eine überkommene Ordensregel zeigt. Bei den Beginenhäusern sind zwei Typen zu unterscheiden: in Westdeutschland, Nordfrankreich und der Wallonie besteht die Form des gemeinschaftlichen Wohnens. In den eigentlichen Niederlanden, besonders in den südlichen, herrscht der Typ der kleinen aneinander angrenzenden Häuschen, die rund um eine Kirche gruppiert sind und von einem eigenen Seelsorger verwaltet werden. Hier gab es häufig

Häuschen für die reichen und gemeinschaftliche Wohnungen für die armen Beginen.

Im Spätmittelalter hat das städtische Bürgertum das Bildungsmonopol der Geistlichen gebrochen und eine bürgerliche Laienkultur geschaffen. Im 13. Jahrhundert geht der Kaufmann zur Schriftlichkeit über und rationalisiert mit ihrer Hilfe seinen Betrieb, den er nun vom Kontor, von der „skrivekamere" aus leitet[248]. In der Übergangszeit, als den Kaufleuten noch nicht genügend geschulte Kräfte für die Kontore zur Verfügung standen, kam es im Hanseraum zur Einrichtung städtischer Schuldbücher; sie enthalten nicht die Stadtschulden, sondern Schuldzeugnisse privater Schuldner; erhalten sind sie vor allem in Lübeck, Hamburg und Riga[249]. Die Gesamtzahl der in Riga erhaltenen Schuldbucheintragungen beträgt 1909, mehr als die Hälfte davon fällt auf die ersten 8 Jahre bis 1294. Bruchstücke kaufmännischer Buchführung reichen in Deutschland bis ins 13. Jahrhundert[250]. Im 14. Jahrhundert wurde die eigene schriftliche Buchführung allgemein. Die Städte selbst hatten längst ihre Kanzleien eingerichtet, ihr Archiv im Rathaus, ihre Ratsbibliothek. Sie erstellten Schulen für die Söhne der kaufmännischen Oberschicht, die wieder Kaufleute werden sollten. Sie gingen gegen das Monopol des geistlichen Schulwesens vor, war doch die Kirche der Ansicht, man sollte Gott mehr dienen als dem Mammon, und ein mittelalterlicher Kaufmann war nicht immer begeistert, wenn sein Sohn aus der Schule kam, aus der geistlichen Schule, der Stiftsschule, Domschule, und dort gelernt hatte, daß ein Kaufmann wohl kaum Gott gefallen könne. In Flandern begannen schon im 12. Jahrhundert die Kämpfe um ein Schulwesen, das den Bedürfnissen der Oberschicht der städtischen Bevölkerung entsprach und unter ihrer Kontrolle stand. In Lübeck errichtete 1262 der Rat die Lateinschule bei St. Jacobi. Durch einen glücklichen Zufall sind uns Wachstafeln mit Schreibübungen der Schüler dieser Schule aus der Zeit um 1370 erhalten[251]. Viele dieser Tafeln zeigen nun Entwürfe für Geschäftskorrespondenz; das haben also die Schüler damals regelrecht gelernt. Da schickt etwa ein Lübecker Kaufmann seinem Geschäftsfreund 31 Tonnen Wein, ein anderer bittet um Angabe eines geeigneten Gastfreundes, wenn er, wie man ihm geraten habe, selbst nach Thüringen und Frankfurt fahre, um mit Hering und Stockfisch Handel zu treiben. So lernte der Schüler dieser Jacobi-Schule, was er später in seiner „skrivekamere" praktizieren mußte. Er wurde vielleicht auch Ratsherr, auch darauf bereitete ihn die Schule vor, die Wachstafeln bringen Entwürfe politischer Korrespondenz; oder er wurde Stadtschreiber; auch Entwürfe, wie sie die städtische Kanzlei braucht, finden sich unter diesen Wachstafeln. Das ist der Einbruch des Kaufmanns und in Italien auch des Gewerbetreibenden in das Bildungsmonopol des Klerus. In Italien, wo die Schriftlichkeit der Laien nie ganz verloren gegangen war, entwickeln sich diese kaufmännischen Schulen in noch viel imposanterem Ausmaß; nach dem Rechenbrett werden sie „abacus" genannt. Das Testament eines venezianischen Arztes von 1420 befahl seinen Söhnen nach Absolvierung der Privatschule ad abacum zu gehen, ut discant ad facere mercantias. 1338 hatte Florenz sechs solcher kaufmännischer Bildungsschulen mit 1000—1200 Schülern. 1486 schuf die Arte della Lana, die Wollenzunft zu Genua, Schulen für die Handwerkersöhne. Rechenschulbücher erscheinen schon vom 13. Jahrhundert ab; im 14. und 15. Jahrhundert brauchen sie die Vulgärsprache anstelle des Lateins und ersetzen die früher üblichen theoretischen Erörterungen über die Zahlen durch praktische Beispiele. Es werden etwa Aufgaben gestellt, die sich auf Florentiner Händler bezogen, die in Genua Wolle kauften, in Pisa Tuche, wobei es auf die Preisberechnung dieser Waren beim Verkauf in Florenz ankam und der Unterschied von Münzen, Gewicht und Maßen zu berücksichtigen war[252]. Einzigartig ist in Italien das riesige Archiv des Kaufmanns Francesco Datini (gest. 1410) in Prato. Es umfaßt 574 libri contabili und 153 000 sonstige geschäftliche Schriftstücke.

Der Universitätsbesuch aus bürgerlichen Kreisen nahm im Spätmittelalter beständig zu. Es erstaunt immer wieder, daß auch aus den mittleren und kleinen Städten Deutschlands Bürgersöhne auf weit entfernte Universitäten zogen, damals eine erhebliche Strapazierung des väterlichen Geldbeutels. Italiens und Frankreichs berühmte Hochschulen hatten den Vorrang; Bologna, Padua, Perugia besaßen z. B. hochangesehene „deutsche Nationen", ebenso wie Paris und Orléans. Der Bildungsdrang entspricht in seiner Stärke der Größe und Wirtschaftsmacht einer Stadt. Man kann kaum die Matrikel einer alten Universität aufschlagen, ohne Kölner zu finden, ob es nun Krakau ist oder Orléans. Die Universitäten des Mittelalters sind in großer Anzahl Stadtuniversitäten: so fast alle oberitalienischen Universitäten; in Köln, Erfurt, Basel, Rostock, Greifswald, Lüneburg, Breslau wurden die Universitäten von den Städten oder durch die Städte und freigebige Bürger neben den Landesherren geplant, gegründet, ausgestattet und erhalten. Als erste deutsche Stadt gründete Köln eine Hochschule. Gewiß gab es in Köln vorher berühmte Kloster- und Stiftsschulen, namentlich die Studienanstalt der Dominikaner, wo Thomas von Aquin zu den Füßen seines Lehrers Albertus Magnus gesessen hatte, aber nicht aus einem Zusammenschluß dieser Einzelschulen zu einem einheitlichen Generalstudium ist die Universität Köln erwachsen, sondern sie ist als Neugründung des Rates ins Leben getreten. Der Rat der Stadt war ihr Patron, an consules, scabini, cives et commune civitatis Coloniensis wendet sich das Privileg Urbans VI. vom 21. Mai 1388 für die Universität.

Der Buchdruck ist eine städtische Erfindung. Sie geht von Mainz aus und erobert sich schnell alle bedeutenden Städte. In Nürnberg trennen sich Buchdruck und Buchverlag und der Nürnberger Verlag Koberger gewinnt internationale Bedeutung. Die Frankfurter Messe wird auch Buchmesse. Von Köln kommt die Erfindung nach England. Der Sohn eines Siegburger Webers und Humanistenfreund Johann Lair oder John Siberch begründet die heute noch bestehende University press of Cambridge. Köln ist die große deutsche Buchdruckerstadt für den Nordwesten wie Lübeck für den Ostseeraum. Straßburg wird als wichtige Buchdruckerstadt auch ein Zentrum des Humanismus. Denn die Städte werden jetzt die Brennpunkte der neuen geistigen Bewegungen, des Humanismus, der Renaissance, der Reformation. Sie sind wieder unbestritten die großen geistigen Zentren. In ihnen erblüht eine Geschichtsschreibung, deren Entwicklung eng eingebunden ist in die Entwicklung der Stadtgemeinde. Sehr oft ist sie offiziöse Geschichtsschreibung, in der Ratsstube erwachsen[253].

Der Kulturwille des Bürgertums prägt sich aus in der planerischen und baulichen Gestaltung der Stadt insgesamt, in den großen Gemeinschaftsbauten profaner und sakraler Natur, in den bürgerlichen Wohnbauten selbst. Das städtische Bürgertum hat diese Aufgaben gut gelöst. Es verstand es, Zweckmäßigkeit und Schönheit zu verbinden. Die große jeder Bürgerschaft gestellte Aufgabe war die Befestigung. — Die Abwehrkraft städtischer Mauern war im 15. Jahrhundert noch ungebrochen; widerstand ja z. B. das kleine Neuß dem gewaltigen Karl d. Kühnen! — Der Fremde betrat die Stadt durch ein Stadttor — oft ein Doppeltor —, das Torburg und schmückendes Symbol zugleich war. Gotisch gekrümmte Gassen boten ihm überraschende Ausblicke auf Häusergruppen oder Großbauten und führten ihn zum Rathaus und zu den Kirchen, deren Türme er schon von weither erblickt hatte. Er konnte sich am Stadtbrunnen erquicken und den Sinn der Brunnenfiguren und Brunnenreliefs zu enträtseln suchen; er konnte einem hübschen schmiedeeisernen Schild in eine Wirtsstube folgen. Er suchte seine Bekannten in der Stadt nicht unter einer Hausnummer, sondern er suchte das Haus zum bunten Ochsen oder zum Walfisch oder zum Mohren. Betrat er den Markt, konnte er beobachten, wie man in dieser Stadt das vielgestaltige Bauprogramm gemeistert hatte: In einer kleinen Stadt tagten Rat und Stadtgericht im gleichen Bau, in dem sich die Stadtwaage befand, aber auch Hochzeiten und Feste gefeiert wurden. In einer großen Stadt gab es besondere Gebäude oder einen schön zusammengefügten Gebäudekomplex für Rathaus, Kaufhaus und Tuchhalle, Tanz- und Hochzeithaus. — Wir müßten wieder eine Rundreise durch Europa antreten, um den Reichtum und die Differenziertheit der mittelalterlichen Stadtbaukunst zu erfassen. Dabei dürften sich viele Übereinstimmungen zu den unterschiedlichen Sozialstrukturen und wirtschaftlichen Faktoren ergeben. Noch heute — über alle Revolutionen, Kriegszerstörungen, über allen Stilwandel hinweg — können wir den großen Nord-Süd-Gegensatz mittelalterlicher Stadtkultur erleben, wenn wir uns in der steinernen, feierlichen Welt der Piazza einer alten toskanischen Stadt mit den ernsten Fassaden der turmartigen Häuser der mit spitzgiebligen Fachwerkhäusern besetzten Gasse einer alten deutschen Stadt erinnern.

SCHLUSSBETRACHTUNG

Der langjährige Oberbürgermeister von München, Hans-Jochen Vogel, sagt in einer gut und nüchtern informierenden Broschüre „Städte im Wandel"[254]: „Wichtig ist (bei der Stadtforschung) . . . die interdisziplinäre Zusammenarbeit. Ein Fach allein wird gerade in der Stadtforschung bald an seine Grenzen stoßen. Nur das Zusammenwirken des Soziologen und des Volkswirts, des Statistikers und des Geographen und vielleicht auch des Theologen kann dem vielschichtigen Phänomen Stadt gerecht werden." Vom Historiker ist nicht die Rede! Vielleicht wurde er nur vergessen, denn es fehlt in der Untersuchung nicht an Rückblicken in die Vergangenheit, es wird Einsicht in die Individualität einer Stadt gefordert, der „historische Baubestand Belastung und Verpflichtung zugleich" genannt. Die Haltung ist keineswegs antihistorisch. Aber auch der „vergessene Historiker" deutet einen Schwund an historischem Bewußtsein an. Damit konstatieren wir allerdings nichts Neues. Ich möchte mich aber jetzt nicht in allgemeine Reflexionen über „das Elend des Historizismus" verlieren, mich auch nicht aufhalten mit einer Darstellung der Unterschiede, ja Gegensätze und Widersprüche im tatsächlichen Verhalten unserer Zeit zur Geschichtlichkeit unserer Städte: minutiöse Rekonstruktion des alten Stadtbildes auf der einen Seite — in Warschau, Danzig, überhaupt in Polen, abgeschwächt in Münster in Westfalen — andererseits bewußt moderner Wiederaufbau — in Frankfurt am Main — und rücksichtslose Mißachtung erhaltungswürdiger und erhaltungsfähiger Substanz in Grundrißen, an Bauten, am Namengut in den verschiedensten Ländern und Orten — übrigens auch schon im 19. Jahrhundert —, und das mitunter auch da, wo beträchtliche öffentliche Mittel in Stadtmuseen, Ausgrabungen, historische Veröffentlichungen investiert werden und blühende Geschichtsvereine bestehen. — Die „Not" unserer Städte, die unerfreulichen Erscheinungen im Stadtbild, das Ausufern in die Landschaft, die Entleerung des Stadtkerns von Wohnbevölkerung, das — zum Teil damit zusammenhängende — Verkehrschaos, die Probleme der Wasserversorgung, des Lärms und der Luftverschmutzung, die Bodenspekulation, die Verschuldung der öffentlichen Hand — aber auch die innere Not, „die Dissoziation der Kontakte nahe benachbarter Bewohner", die einseitige Ausrichtung der Stadtplanung auf den erwerbsfähigen Erwachsenen, dieses ganze „sekundäre System aus Sachbezügen mit ausgeschalteter Menschlichkeit" — das ist alles sattsam bekannt und wird immer wieder dargestellt[255] — die Vorstellungen der Autoren über die Vergangenheit der Städte sind dabei allerdings oft sehr korrekturbedürftig.

Ich möchte ein vor allem in der Sicht des Historikers liegendes grundsätzliches Problem angehen und die Frage nach der Kontinuität, die mein erstes Kapitel für das Verhältnis Antike — Mittelalter behandelte, jetzt für das Verhältnis der Stadt des vorindustriellen Zeitalters zu der Stadt unserer Gegenwart stellen. Die Beantwortung der Kontinuitätsfrage entscheidet weitgehend darüber, ob für den Laien mittelalterliche Stadtgeschichte weiterhin interessant oder fragwürdig ist, denn wenn auch der Historiker — will er nicht irregehen — die Vergangenheit als solche und als Einheit erforschen muß, hat der Laie doch das Recht, sich vorzüglich für die Vergangenheit seiner gegenwärtigen Lebensformen, für die noch nicht abgeschlossene Vergangenheit zu erwärmen und gegenwartsbezogene Themen der Geschichte zu bevorzugen. Die Suche nach Kontinuitätsfaktoren verhilft uns außerdem zu der trostreichen Einsicht, daß der ambivalente Charakter der städtischen Hochkultur uralt ist, daß sie immer schon voller Probleme war. „Unter den vielen absurden Behauptungen, die die wissenschaftliche Analyse des Stadtproblems kennzeichnen, ist eine der oberflächlichsten, daß das Ausmaß unserer Probleme einmalig sei." (Moholy-Nagy).

Es ist ein Irrtum anzunehmen, dynamische Entwicklungen eigneten nur unserer Gegenwart und die „gute alte Zeit", die in Wirklichkeit oft eine schlechte alte Zeit war, habe sich durch Geruhsamkeit, Immobilität und Mangel an revolutionären Veränderungen ausgezeichnet. Unterschiede bestehen in der Größenordnung der Bevölkerung und der Siedlungen und im Tempo der Entwicklung, aber — um es mit einem Beispiel zu verdeutlichen — die Geschichte der Stadt Köln vor 1800 weist viel mehr revolutionäre Ereignisse, innere gewaltsame Auseinandersetzungen auf als die nach 1800; der Aufstand gegen Erzbischof Anno 1074 offenbart mindestens ebensoviel revolutionäre Kraft wie das Geschehen in Köln während der Revolution von 1848/

49. Soziale Mobilität war im Mittelalter überhaupt und besonders in der städtischen Gesellschaft gegeben; die Mobilität im Raum war — berücksichtigt man die Verkehrsverhältnisse — sogar außerordentlich groß; ich erinnere nur an die Reisen der Kaufleute und an die Zuwanderung in die Städte. Der Wandel der Lebensformen von der herrenständisch geordneten, agrarwirtschaftlich bestimmten Gesellschaft des frühen zu der Städtekultur des späten Mittelalters mit Bürgerfreiheit, autonomen Stadträten, Stadtuniversitäten, Handelskapitalismus, Wirtschaftsverflechtung war ebenso tiefgreifend wie die Umgestaltung von Gesellschaft und Wirtschaft im 19. und 20. Jahrhundert.

Der städtischen Lebensform als solcher eignet seit Anbeginn ein dynamisches Element. Die Städte waren immer „Städte im Wandel". Den Umformungen auf dem markt- und stadtwirtschaftlichen Sektor gingen in der Neuzeit ebenso wie im Mittelalter solche der ländlichen Gesellschaft und der landwirtschaftlichen Betriebsweisen voraus und parallel; wir haben im Lauf unserer Darstellung nachdrücklich darauf hingewiesen; für die Gegenwart liegt es vor Augen.

Kein der Völkerwanderungszeit vergleichbares äußeres Ereignis steht an der Wende der mittelalterlichen zur frühneuzeitlichen, der frühneuzeitlichen zur gegenwärtigen Stadtkultur. Die großen Entdeckungen, der Kolonialismus, die Dekolonisation haben handelsgeschichtliche Verlagerungen, Aufstieg und Niedergang einzelner Städte gebracht, aber keine Umformung der städtischen Lebensform bewirkt. Wie wenig Kriege ändern können, haben wir selbst erlebt. — Wir können drei Hauptantriebe des Wandels unserer Städte in der Neuzeit konstatieren: den gesteigerten Anspruch des Staates, die Industrialisierung mit ihren gesamten Folgen und die Verkehrstechnik.

Der mit modernem Beamtentum und stehendem Heer ausgerüstete, absolute Souveränität und einheitlichen Delegationszusammenhang beanspruchende zentralistisch organisierte Staat drängt in Mitteleuropa spürbar vor allem seit dem 16. Jahrhundert die Städte zurück, beschneidet in nivellierendem Eingreifen ihre Autonomie, ihre Gerichtsbarkeit, ihre politischen Rechte, ja ihre administrative Selbständigkeit. Er begreift sich nun auch als ein wirtschaftlicher Organismus, er treibt jetzt eine die Städte umgreifende Wirtschaftspolitik, er, nicht mehr die einzelne Stadt, ist jetzt die wirtschaftspolitische Einheit. Allerdings — diese

Eingliederung der Stadt in den Staat begann im Mittelalter; wir haben die Städtegründungspolitik der Könige und Landesherren dargestellt und darauf hingewiesen, wie sehr fürstliche Politik die Städte fördern konnte, wie wichtig die Hauptstadtfunktion für das Wachstum einzelner Städte — wie Neapel, Paris, Barcelona — war. Ich habe immer wieder betont, daß nördlich der Alpen das Land seine Eigenbedeutung wahrte, seine eigene adlige Führerschicht behielt; das führte zur Entwicklung des Ständestaates auf dem Kontinent und des frühen Parlamentarismus in England. Stadtstaaten waren das Charakteristikum Oberitaliens. Aber sie gingen in der Neuzeit langsam zugrunde, und nicht in Italien, sondern an den nördlichen Meeren bestehen Stadtstaaten bis in unsere Tage, wenn auch im Verband eines größeren Reiches. Grundlagen eines noch bestehenden modernen Staates wurden den oberitalienischen durchaus vergleichbare Stadtrepubliken nur — in Verbindung mit freien Bauernkommunen — in der Confoederatio Helvetica. Die volle Eingliederung in den modernen Staat, deren Höhepunkt in der Zeit des Absolutismus lag, beraubte die Städte des besonderen Stadtrechtes, das ein, aber nicht das einzige Wesensmerkmal der mittelalterlichen Stadt gebildet hatte. Im 19. Jahrhundert gewährte der Staat mitunter wieder ein erhöhtes Maß an Selbstverwaltung. In der großen deutschen Katastrophe von 1945 waren Familie und Gemeinde die einzigen noch funktionierenden Gemeinschaftsformen. Der Ersatz des mittelalterlichen Stadtrechts durch eine moderne Selbstverwaltung bedeutet m. E. keine Aushöhlung der städtischen Lebensform, zumal die bürgerlichen Revolutionen des ausgehenden 18. und des 19. Jahrhunderts die großen rechtlichen Errungenschaften der mittelalterlichen Stadt — die bürgerliche Freiheit und die Gleichheit vor Gericht — zu allgemeinen gemacht und an die Stelle freier Stadtbürger in ihren Mauern freie Staatsbürger in Stadt und Land hatten treten lassen.

Das Wachstum der Städte erreichte schon im 19. Jahrhundert ungeahnte Ausmaße. Im Gegensatz zum Mittelalter wachsen die Unterschichten jetzt schneller als die Oberschichten, und während im Mittelalter die Bevölkerungsvermehrung mit dem Landesausbau Hand in Hand ging, sind im 19. Jahrhundert Bevölkerungsvermehrung und an den Rohstoffvorkommen orientierte industrielle Expansion gekoppelt. Ohne die Freisetzung ländlicher Bevölkerung durch die liberalen Agrarreformen der ersten

Hälfte des 19. Jahrhunderts wäre allerdings ein industrielles Ballungsgebiet wie das Rhein-Ruhrrevier kaum aufzubauen gewesen. Erstaunlich ist die Konstanz des nordwesteuropäischen Raumes dichtester Besiedlung und hervorragendster wirtschaftlicher Bedeutung seit dem Mittelalter, wenn auch mit den Schwerpunktsverlagerungen nach den nördlichen Niederlanden seit dem 17., nach dem Ruhrrevier im 19. Jahrhundert; daß Belgien zum Vorreiter der Industrialisierung auf dem Kontinent wurde, bezeugt ebenfalls diese Konstanz. Daß England in der Industrialisierung dem Kontinent ein halbes Jahrhundert voraus war, ist ein komplexer Vorgang; erste Anzeichen dieses gewaltigen Aufholens konnten wir im Spätmittelalter konstatieren.

Neue Züge gewinnt das moderne Stadtbild auch in den alten großen Städten durch die Vororte, die überwiegend Wohnbezirke sind. Die industriellen Ballungen des 19. Jahrhunderts entwickeln nach dem Gesetz des doppelten Stellenwertes in der Industrie — Trennung von Heim und Arbeitsplatz — für sich, wenn sie sich nicht mit einer bestehenden Stadt verbanden, eine solche als Ergänzung; die starke Ausweitung des tertiären Sektors in der Gegenwart verstärkt den Raumbedarf in der City. Die Anziehungs- und Ausstrahlungskraft des Stadtkerns ist immer noch sehr von der Geschichte der Stadt her bestimmt; ehemalige mittelalterliche Großstädte — Mailand, Barcelona, Köln, Prag — verdanken ihr Fluidum der Geschichte und ihren alten Monumenten. Die Verstädterung des Landes setzt im Mittelalter ein; sie prägt sich aus in den vielen Zwischengliedern zwischen Stadt und Dorf: den borghi franchi, villes neuves, Freiheiten, Flecken und durch die Entstehung ländlicher Gewerbe. Diese Entwicklung gewinnt in unserer Gegenwart größte Intensität; nur in den Spitzenpositionen — Einödhof hier, Großstadt dort — bleibt der Stadt-Land Gegensatz voll erhalten. Die Großstadt-City bei Tag ist freilich ebenso unverwechselbar anders als das Land, wie die Stadt bei Nacht sich als ville lumière abhebt. Nur an ihren Rändern verschwimmen die städtischen Konturen. In ihrem Alltags- wie in ihrem Luxusangebot ist die Großstadt unübertreffbar; sie ist zentraler Ort höchster Stufe in vielen Lebensbereichen. So können wir auch hier eine durchgehende Entwicklungslinie feststellen.

„Quantitative Problematik" bot auch die mittelalterliche Stadt: die Versorgung einer Agglomeration von mehr als 30 000 Menschen mit den lebensnotwendigen Gütern war damals offensichtlich ein Problem. Die Revolutionierung des Verkehrs hat es aus der Welt geschafft; andere Versorgungsprobleme sind dafür entstanden.

Im Unterschied zum Mittelalter besitzen unsere Städte keine ausgesprochen stadtgebundenen Führungsschichten; die Überschaubarkeit der menschlichen Verhältnisse ging verloren.

Allerdings — wer heute an einem Samstagnachmittag durch die autofreie Einkaufszone einer westdeutschen Stadt bummelt, an den vielen Menschen vorbei, die an der Straße ihren Kaffee trinken, fühlt sich ein wenig — Unterschiede des Temperaments und Klimas abgerechnet — an südliche Verhältnisse erinnert, an den Korso in einer italienischen Stadt, die Boulevards von Paris, die Ramblas in Barcelona. Vielleicht erreichen wir in Deutschland jetzt erst jenen Grad von Verstädterung, der dem Mittelmeerraum lange schon eignet. Umgekehrt empfindet man bei einer längeren Fahrt über Land in Polen oder Zentralrußland, daß hier das Land noch in einer Weise wie bei uns vor 50 bis 100 Jahren Land ist. Es ist das alte West-Ost und Süd-Nord-Gefälle, das wir in der Entstehung und Entwicklung der mittelalterlichen Stadt mehrfach feststellen mußten.

So möchte ich für Europa die Frage nach der Kontinuität unserer Städte mit dem mittelalterlichen Städtewesen positiv beantworten. — Können wir etwas von der mittelalterlichen Stadt lernen? Vielleicht von ihrem Bodenrecht mit seinen Leiheformen — wobei nicht verschwiegen werden darf, daß die Bodenspekulation auch in den mittelalterlichen Kreisen sehr beliebt war; sicher vom Engagement ihrer Bürger für die Freiheit und Sicherheit, für die Ordnung und Schönheit ihres städtischen Lebensbereichs, die sie mit Opfern erkämpften und behaupteten, bzw. mit bemerkenswert gutem Geschmack gestalteten.

Die weltweite Expansionskraft des modernen europäischen Stadttypus, die ihn auch in Gebiete alter Stadtkulturen ganz anderer Prägung — Tokio, Mexiko — eindringen läßt, führt wohl unvermeidlich zur Verflachung und Uniformität. Historische Stadtkerne sind ein Kulturgut, das zu erhalten wir uns etwas anstrengen sollten. Daß die Rückwanderung in die Stadtzentren beginnt, die falsche Romantik des Häuschens im Grünen eingesehen wird, läßt hoffen. Vielleicht erlaubt der wachsende Wohlstand, daß breite Massen die toskanische mittelalterliche Lebensweise mit Stadthaus und ländlicher Villa übernehmen können.

Die Stadterweiterung des Mittelalters vollzog sich in großem Umfang durch Anlage von Neustädten mit eigenem Rathaus, Markt, Kirche. Auch da könnte eine Chance für die alten Stadtkerne liegen; keine endlos sich dehnenden langweiligen Vororte, sondern moderne Neustädte in konzentrierter Bauweise.

Die schwierigsten Probleme liegen m. E. gar nicht in den Fragen der Verkehrsbändigung und der vernünftigen Stadtplanung, sondern in der Wiedergewinnung der stadtbürgerlichen Freiheit des Mittelalters, die eine Freiheit in der Bindung an das Gemeinwohl der Stadt war, deren Bürger zu sein Last wie Vorzug bedeutete. Liebe zur Stadt, in der wir arbeiten und leben, tut uns not; Liebe erwächst auch aus einem wirklichen Begreifen unserer städtischen Welt; dazu kann historisches Verständnis wesentlich beitragen.

ANMERKUNGEN

[1] Carl Haase (350); Edith Ennen (229); Karlheinz Blaschke (86). Von geographischer Warte aus: Peter Schöller (743); Rudolf Klöpper (459); vgl. auch André Joris (428).

[2] Die Aufdeckung der steinzeitlichen Stadtanlagen am Tell es-Sultan bei Jericho und von Catal Hüyük, in der westlichen anatolischen Hochebene bei Konya, haben den Zeitpunkt der Stadtentstehung in das 7. vorchristliche Jahrtausend hinaufgerückt: Hartmut Schmökel (738); Kathleen Kenyon (443); James Mellaart (573).

[3] Fritz Dörrenhaus (185 u. 184).

[4] Sir Mortimer Wheeler (918); Fritz M. Heichelheim (365 und 366).

[5] Paul Sander (707).

[6] H. M. Jones (421, 422, 423); Friedrich Vittinghoff (873).

[7] Hermann Aubin (51, 53, 49); Harald v. Petrikovits (633); Germania Romana (315); Otto Doppelfeld (194 und 195); Fritz Fremersdorf (286, 285 und 287); Charlotte Fischer (269); W. Schleiermacher (720); A. W. Byvanck (132); J. E. Bogaers (91). Was Aubin für die Germania inferior, bedeutet der Pirenne-Schüler Fernand Vercauteren für die Belgica secunda: (851); zuletzt hat er sich zum Problem geäußert in: (849). Für den Trierer Bereich nenne ich vor allem: Josef Steinhausen (791 und 836). Vgl. auch den Sammelbericht des Trierer Landesmuseums (407). Für das Saarland und Lothringen: (300) und E. Ennen (227). Für England: Sheppard Frere (289).

[8] Joachim Werner (902); Jacques Moreau (599 und 598); Werner Krämer (472); Klaus Fehn (264).

[9] Erich Swoboda (813).

[10] Zum problematischen Zeugnis des Hieronymus vgl. Leo Weisgerber (895).

[11] Leo Weisgerber (893) und die einschlägigen Aufsätze in: (894).

[12] Rolf Hachmann, Georg Kossack, Hans Kuhn (352).

[13] Gerold Walser, Thomas Pekary (883).

[14] Joseph Bidez (82), S. 175 ff.

[15] P. A. Février (265).

[16] Herbert Nesselhauf (606), S. 93 f.

[17] Erich Gose (329).

[18] Eduard Hegel (363); Hans Eiden (213).

[19] Eine sehr gute Orientierung bieten die von Paul Egon Hübinger herausgegebenen Sammelbände: (281, 483, 62) Sämtliche Aufsätze Hermann Aubins zum Thema siehe in: (50). Ich verweise auf die schon zitierten Arbeiten von F. Vercauteren und auf die Aufsatzsammlung von Karl Friedrich Stroheker (805). Zur Araberfrage siehe auch Maurice Lombard (533). Zu Pirenne sind noch heranzuziehen (555) und Jan Dhondt (171).

[20] Stroheker (805).

[21] Ernst Levy (523 und 524) und Fr. Wieacker (922).

[22] Joh. Gustav Droysen (202), S. 12.

[23] Knut Borchardt (98), S. 357.
[24] Eduard Hlawitschka (390).
[25] Ernesto Sestan (762); Gina Fasoli (257).
[26] Ferdinand Lot (540).
[27] Gerhard Dilcher (178).
[28] Gian Piero Bognetti (94).
[29] Cincio Violante (869).
[30] Heinrich Felix Schmid (736).
[31] Dietrich Claude (147).
[32] Außer den schon zitierten Arbeiten von F. Vercauteren und den einschlägigen Aufsätzen in dem Sammelband (143) nenne ich: A. Dupont (205); Heinrich Büttner (130), Paul Albert Février (265).
[33] Joachim Werner (905).
[34] François Louis Ganshof (304).
[35] Karl Friedrich Stroheker (804 und 805).
[36] Adriaan Verhulst (856).
[37] Gregorii episcopi Turonensis (331), Vol. I, pag. 174.
[38] Dietrich Claude (148).
[39] Charles Higounet (386).
[40] Joachim Werner (901 und 904).
[41] E. Ennen, Aufsätze in: (143) und (234).
[42] Willi Weyres (916 und 917).
[43] Heinrich Büttner (125).
[44] Anton Doll (187).
[45] Heinrich Büttner (128, 122).
[46] Vgl. die einschlägigen Kapitel bei Klaus Fehn (264) und die materialreiche Arbeit von Jürgen Findeisen (268).
[47] Jean Hubert (400) und Eugen Ewig (249).
[48] H. R. Loyn (541) und Martin Biddle (81).
[49] Franz Irsigler (406).
[50] Jean Durliat (207).
[51] Angaben hierüber s. in E. Ennen (226), Exkurs: Veräußerungen grundherrlichen Streubesitzes ..., S. 270 ff.
[52] Dietrich Claude (149 und 145).
[53] Carlrichard Brühl (114 und 113).
[54] Jan Dhondt (168 und 172); Franz Petri (631); Herbert Jankuhn (408, 410); Sammelbericht (579).
[55] Wilhelm Holmquist (253); Agneta Lundström (548).
[56] H. Sweet (812); Richard Hennig (373).
[57] Hans Planitz (649).
[58] Rimberti vita Anskarii (686) cap. 26.
[59] Hans Planitz (651).
[60] Max Pappenheim (619 u. 620); Jacob Sommer (767).
[61] A. C. F. Koch (462); Franz Petri (629); Francine Deisser-Nagels (159).
[62] Werner Haarnagel (349).
[63] W. Haarnagel (348, 347).
[64] Félix Rousseau (700).
[65] Georges Despy (164).
[66] Rafael v. Uslar (842).
[67] Heinrich Büttner (121); Gerhard Baaken (56).

[68] Joachim Werner (903).
[69] Gregor von Tours (331), IX, 12.
[70] N. Wand (884).
[71] Edmund E. Stengel (792).
[72] In: (808).
[73] Reinhard Schindler (719).
[74] Rimberti vita Anskarii (686), 16.
[75] François Louis Ganshof (309). Vgl. auch Michael Mitterauer (585).
[76] Peter Schöller (559); Hertha Borchers (99); Heinrich Büttner (127); E. Ennen (227).
[77] Traute Endemann (217).
[78] Manfred Hellmann (372); Herbert Ludat (543); Aleksander Gieysztor (318, 317); Witold Hensel (374).
[79] G. Jacob (71).
[80] Witold Hensel (375), mit französischem Resumé.
[81] E. Fügedi (299), György Székely (816, 818, 819).
[82] Walter Janssen (412).
[83] Paul Johansen (416).
[84] H. R. Loyn (541); Helen Maud Cam (135); Mary D. Lobel (528).
[85] Cl. Cahen (134).
[86] Evariste Lévi-Provençal (521).
[87] Claudio Sanchez-Albornoz (705), II, S. 33 ff; José Maria Lacarra (493); José Maria Font Rius (280).
[88] Die beste Übersicht für Europa bietet Georges Duby (203); für Deutschland sind die einschlägigen Bände der von Günther Franz herausgegebenen Deutschen Agrargeschichte (1, 283 und 546) heranzuziehen; für die Technikgeschichte Lynn White jr. (920). Für den Wald: Charles Higounet (387).
[89] Luise von Winterfeld (931).
[90] Elenchus (216), textes belges Nr. 9, § 19.
[91] Elenchus (216), textes belges Nr. 21.
[92] Vita Meinwerci (870), cap. 96, 97 und 98.
[93] Heinz Stoob (799).
[94] Walter Schlesinger (725).
[95] Richard Laufner (507); siehe auch Elenchus (216), deutsche Texte Nr. 39.
[96] Henri Laurent (508); Hector Ammann (16, 10 und 9).
[97] Immer noch unentbehrlich: Adolf Schaube (711). Neuere Zusammenfassung: Yves Renouard (681).
[98] Gino Luzzatto (552).
[99] Vito Vitale (871).
[100] Ropert Lopez (536).
[101] Philippe Wolff (940).
[102] Henri Pirenne (643); Hans Planitz (654); Fritz Rörig (689); vgl. auch die Bibliographie der Arbeiten Rörigs in: (780).
[103] Marianne Schalles-Fischer (710); vgl. zu dem gesamten Fragenkomplex der Königspfalzen: Carlrichard Brühl (114, 113).
[104] Karl Bosl (107).
[105] Walter Schlesinger (728).
[106] Aloys Schulte (750); Pietro Vaccari (845); Carlo Guido Mor (597).
[107] Heinrich Sproemberg (773).

[108] H. van Werveke, A. E. Verhulst (908); François Louis Ganshof (305 und 308).

[109] Richard Laufner, Hans Eichler (506).

[110] E. Ennen (232).

[111] François Louis Ganshof (310, 307); E. Ennen (224).

[112] Charles Verlinden (860).

[113] Erich Maschke und Jürgen Sydow (776).

[114] Karlheinz Blaschke (85, 84).

[115] Jos. Schepers (714).

[116] Friedrich Metz (580).

[117] Walter Schlesinger (732); Max Pfütze (638); Hans van Werveke (907); Gerhard Köbler (464).

[118] Heinrich Büttner (130).

[119] Jan Dhondt (167); Paul Bonenfant (96).

[120] Walter Schlesinger (733); die dort aufgeführten Titel sind von mir nicht mehr zitiert.

[121] Heinz Stoob (797); Walter Schlesinger (721 u. 731).

[122] Walter Schlesinger (727).

[123] Gina Fasoli (258).

[124] E. Ennen (235).

[125] Charles Higounet (385).

[126] Es ist das Verdienst H. Ammanns, das in einer Reihe von Arbeiten herausgestellt zu haben; ich verweise dafür auf die Bibliographie seiner Arbeiten in: Festschrift (63).

[127] Einen wesentlichen Teil der einschlägigen älteren Literatur hoffe ich in meinem Aufsatz (222) erfaßt zu haben. An wichtigen Neuerscheinungen nenne ich: Bernhard Diestelkamp (176, 175); Wolfgang Heß (384); Karl Kroeschell (475); Emil Schaus (712 und 713) und den Sammelband (525).

[128] Walter Schlesinger (729).

[129] Die in den Jahren 1940 bis 1944 in drei großen Aufsätzen (651, 647, 655) gebotene Synthese von Hans Planitz habe ich in meinem 1946 niedergeschriebenen Bericht (219) gewürdigt, aber auch als „ungerechtfertigte Vereinfachung der historischen Tatbestände" kritisiert; zu der in einigen Punkten abweichenden Auffassung, die Planitz in seinem posthum erschienenen Werk (654) vertrat, habe ich in den Rhein. VjBll. (228) Stellung genommen; ich verweise ferner auf meine „Frühgeschichte" (224). Von Planitz abweichende Gesamtkonzeptionen der Entstehung der Stadtgemeinde finden sich — allerdings ebenso einseitig — bei Franz Steinbach (150) und bei Karl Kroeschell (475, 474). Für die in meiner Frühgeschichte erörterten italienischen Verhältnisse vgl. jetzt auch: Gerhard Dilcher (178). F. L. Ganshof, Heinrich Büttner und Walter Schlesinger haben in vielen Aufsätzen zu dieser Problematik Stellung genommen und wesentliche neue Erkenntnisse beigesteuert.

[130] Alpertus Mettensis (7). Vgl. zum Titel: J. F. Niermeyer (610). Zum Inhalt: J. B. Akkerman (4,3).

[131] A. Joris (427).

[132] R. C. van Caenegem (133).

[133] Heinrich v. Loesch (531).

[134] Wilhelm Ebel (209).

[135] Wilhelm Ebel (208).

[136] Robert von Keller (440).

[137] Walter Schlesinger (727).

[138] Albert Vermeesch (861).

[139] Toni Diederich (174).

[140] Heinz F. Friederichs (291); Knut Schulz (754 und 755); Tadeusz Rosłanowski (699).

[141] Eine immer noch unentbehrliche Quellenzusammenstellung bietet: R. v. Keller (440).

[142] E. Ennen (224), S. 244.

[143] Wilhelm Ebel (210).

[144] Ich bin persönlich immer noch der Ansicht, daß sich die Gründung der Marktsiedlung Freiburg in Form einer Coniuratio vollzieht, deren Mitglied der gründende Herr, der Zähringer, selbst ist. Schlesinger scheint jetzt diese Auslegung auch für möglich zu halten: (284).

[145] F. L. Ganshof (306).

[146] R. Latouche (502).

[147] Die zitierten Belegstellen bei (669).

[148] H. Stoob (798), S. 51.

[149] Max Weber (887).

[150] Gino Luzzatto (552).

[151] Vito Vitale (871).

[152] Cl. Campiche (136), S. 321.

[153] J. Gautier Dalché (313).

[154] Horst Rabe (666).

[155] H. Ammann (14).

[156] H. Ammann (28).

[157] Z. W. Sneller (766).

[158] H. Ammann (27).

[159] H. Ammann (26).

[160] Jean Schneider (742, 741).

[161] E. Maschke (566).

[162] Philippe Dollinger (190); Heinrich Sproemberg (772); Hans van Werveke (914).

[163] Elenchus fontium (216), deutsche Texte Nr. 134, § 8.

[164] Joh. Papritz (621).

[165] Ernst Pitz (645).

[166] Wolfgang Zorn (951). Zu der dort angegebenen Literatur noch H. v. Loesch (532).

[167] Elis. Nau (604 und 605).

[168] R. Lopez — J. W. Raymond (539) und die dort angegebene Literatur.

[169] Außer den genannten älteren Werken von Schaube (711); A. Doren (199) siehe A. Sapori (708); Ropert S. Lopez (537 und 538); Jacques Heers (359).

[170] R. Stadelmann (774), S. 141.

[171] Enrico Fiumi (275).

[172] Yves Renouard (679); G. Schneider (740); A. E. Sayous (709).

[173] W. Kienast, Rez. (449). Für die Beziehungen der Lombarden zu Deutschland immer noch Aloys Schulte (748).

[174] Phil. Wolff (937).

175 A. Doren (198, 200 und 201).
176 P. J. Jones (424); D. Herlihy (379).
177 E. Maschke (570).
178 Cl. Carrère (139), S. 951.
179 P. A. Février (265); Histoire du commerce de Marseille (389).
180 Phil. Wolff (939 und 938).
181 Yves Renouard (678).
182 H. Ammann (10, 16, 20, 25, 31).
183 Schaube (711), S. 449 Anm. 4.
184 Hermann Heimpel (368).
185 Bruno Kuske (489, 490, 491).
186 Hans Planitz (653); Konrad Beyerle (77); Hans Planitz (652).
187 Hans Planitz (648).
188 Fr. Blockmans (87).
189 Fr. L. Ganshof (303).
190 Jean Schneider (742).
191 A. Verhulst (855).
192 Wilhelm Abel (1).
193 Heinz Angermeier (45); Gerhard Pfeiffer (637).
194 Julius Weizsäcker (896); Erich Bielfeldt (83); H. J. Rieckenberg (682).
195 W. Prevenier (663); B. Lyon (554).
196 Jan Dhondt (166).
197 Stubbs (807), S. 166.
198 Wilhelm Koppe (468).
199 Paul Heinsius (370).
200 Helmold von Bosau (372a), S. 380 ff.
201 Konrad Onasch (616); B. Widera (921); A. V. Arcichowski (47); Paul Johansen (418); Carsten Goehrke (323).
202 V. N. Lazarev (509).
203 Franz Petri (630).
204 Heinrich Reincke (672).
205 A. v. Brandt (109).
206 Heinz v. d. Mühlen (600).
207 Manfred Unger (839).
208 Jürgen Sydow (815).
209 Elis. Raiser (667).
210 (769).
211 Karl Siegfried Bader (58); Jörg Füchtner (298; dort die weitere Literatur); H. Ammann (9).
212 Aloys Schulte (749); H. Ammann (17); W. v. Stromer (806).
213 (64); H. Ammann (33); Hermann Heimpel (367); (614).
214 Roger Mols (594); H. Ammann (37).
215 Phil. Dollinger (189).
216 J. Demey (162).
217 Phil. Dollinger (192).
218 Dietrich Andernacht (119).
219 Hugo Weczerka (888).
220 H. Ammann (11, 41, 8 und 32).
221 K. J. Beloch (65).
222 Jacques Heers (359).

223 J. Cuvelier (156); J. A. van Houtte (399).
224 Diese Ansicht vertrat besonders Friedrich Lütge (546a).
225 H. van Werveke (910).
226 Ernst Pitz (646); dort weitere Literatur.
227 Bernhard Kirchgässner (451).
228 M. Mollat, P. Johansen, M. Postan u. a. (591).
229 E. M. Carus-Wilson (928).
230 (144).
231 M. Mollat (590).
232 Br. Kuske (486); Raymond de Roover (697, 698, 696).
233 (841); Erich Maschke (569, 567); (840); F. Steinbach (787); H. van Werveke (909); F. Vercauteren (852).
234 Liselotte Const. Eisenbart (214).
235 (445), Nr. 308, S. 411 ff.
236 Ernst Werner (900).
237 Gene A. Brucker (112).
238 van Houtte (399).
239 Hermann Kellenbenz (438); Lea Dasberg (157).
240 Elenchus (216), Nr. 47, S. 75 f.
241 Regesten Eb. Köln (670), III, Nr. 1913.
242 Peter Berghaus (69).
243 Karl Frölich (295); Siegfried Reicke (671); (769); Dietrich Kurze (485).
244 H. Ammann (23 und 30).
245 Willy Andreas (44); Friedrich Wilhelm Oediger (615); Bernd Möller (587).
246 E. G. Neumann (607); Günter Peters (626); Otto Nübel (613); in allen Schriften findet man ältere Literatur.
247 Herbert Grundmann (340 und 341).
248 Fritz Rörig (693); Henri Pirenne (641); E. Ennen (230).
249 Erich von Lehe (512).
250 Vgl. die Zusammenstellung veröffentlichter mittelalterlicher Handlungsbücher bei: Ludwig Beutin (73), S. 19 f. Außerdem sind erschienen: Gustav Korlén (470); Ferd. Tremel (835); Othmar Pickl (639); Chiaudano Mario (558); A. v. Brandt (110); C. Wehmer (892; vgl. dazu Hans. Gesch. Bll. 83, 1965, S. 129); Federigo Melis (572).
251 Joh. Warncke (885).
252 Amintore Fanfani (255); Armando Sapori (708), Bibliographie S. 5.
253 Joh. Bernhard Menke (575); Heinrich Schmidt (737).
254 Hans-Jochen Vogel (874).
255 Alexander Mitscherlich (582); Sibyl Moholy-Nagy (588); Rudolf Hillebrecht (388); Hans Güldner (342); (237); Lewis Mumford (601).

LITERATURVERZEICHNIS

VORBEMERKUNGEN

Eine Reihe von Arbeitskreisen beschäftigt sich mit stadtgeschichtlichen Fragen. Im Rahmen des internationalen Historikerverbandes besteht die *Commission Internationale pour l'Histoire des Villes*. Sie widmet sich drei wissenschaftlichen Vorhaben: **1.** Sie gibt eine Bibliographie zum Städtewesen in länderweisen Lieferungen heraus. Erschienen sind: International bibliography of urban history, Denmark, Finland, Norway, Sweden. Univ. of Stockholm, Swedish Institute for urban history. 1960 — *Charles Gross*, A bibliography of British municipal history. [2]1966. — *Paul Guyer*, Bibliographie der Städtegeschichte der Schweiz. 1960. — *Phil. Dollinger, Phil. Wolff, Simonne Guenée*, Bibliographie d'histoire des villes de France. 1967. — *Erich Keyser*, Bibliographie zur Städtegeschichte Deutschlands. 1969. **2.** Ein Quellenwerk soll die wichtigsten Urkunden zur Frühgeschichte der mittelalterlichen europäischen Stadt bis rd. 1250 zusammenstellen. Erschienen ist der Band mit den Urkunden für Belgien, Deutschland, die Niederlande, Skandinavien unter dem Titel: Elenchus fontium historiae urbanae, quem edendum curaverunt *C. van de Kieft* et *J. F. Niermeyer*. Leiden 1967. Für Deutschland ist als Urkundensammlung außerdem immer noch heranzuziehen: *Friedrich Keutgen*, Urkunden zur städtischen Verfassungsgeschichte. Berlin 1899. Nachdruck Aalen 1965. Eine gute Zusammenstellung für die Mittelmeerländer bietet: *Robert S. Lopez* und *Irving W. Raymond*, Medieval trade in the mediterranean world. Illustrative Documents, translated with introductions and notes. New York u. London 1955. **3.** Sie will einen Atlas typischer Stadtpläne im Maßstab 1:2 500 herausgeben. Dieses Unternehmen ist noch in der Planung. Regionale Unternehmen u. a. in den Niederlanden, Rheinland und Westfalen bereiten es vor. Erschienen ist: *Historic Towns*. Maps and Plans of towns and cities in the British Isles, with Historical Commentaries, from Earliest Times to circa 1800. Oxford-London 1969 ff.
Protokolle der jährlichen Arbeitstagungen mit laufender Bibliographie erscheinen in den „Cahiers bruxellois".
Mit stadtgeschichtlichen Fragen in globalem Rahmen befaßt sich die *Société Jean Bodin*. An einschlägigen Publikationen erschienen in den „Recueils de la Société Jean Bodin": Tome V La foire. 1953. T. VI La ville. Institutions administratives et judiciaires. 1954. T. VII La ville. Institutions économiques et sociales. 1955. T. VIII La ville. Le droit privé. 1957.
Das von Fernand Vercauteren geleitete Zentrum *Pro Civitate* gab heraus: V. 7 Finances et comptabilités urbaines du XIIIe au XVIe siècle. Colloque international Blankenberge 1962, 1964. Nr. 13 L'impôt dans le cadre de la Ville et de l'Etat. Colloque international Spa 1964, 1966. Les libertés urbaines et rurales du XIe au XIVe siècle. Colloque international Spa 1966, 1968.

Der mediaevistische *Arbeitskreis in Spoleto* publizierte: La città nell'alto medioevo. Settimane di studio del centro italiano di studi sull'alto medioevo VI, 1959. Moneta e scambi nell'alto medioevo. Settimane... VIII, 1961.

Der *Reichenauer Arbeitskreis* hat sich mehrfach mit stadtgeschichtlichen Fragen befaßt. Erschienen sind: Studien zu den Anfängen des europäischen Städtewesens. Reichenau-Vorträge 1955–1956 (Vorträge und Forschungen IV), 1958. – Untersuchungen zur gesellschaftlichen Struktur der mittelalterlichen Städte in Europa. Reichenau-Vorträge 1963–1964 (Vorträge und Forschungen XI), 1966.

Seit 1956 besteht der von W. Schlesinger und E. Ennen geleitete *Arbeitskreis für landschaftliche deutsche Städteforschung;* seine Tagungsprotokolle erscheinen in den „Westfälischen Forschungen, Mitteilungen des Provinzialinstituts für westfälische Landes- und Volkskunde" und geben kurze Zusammenfassungen des Forschungsstandes: Archäologische Methoden und Quellen zur Stadtkernforschung und ihr Verhältnis zu den historischen Quellen und Methoden (Westfäl. F. 13), 1960. Das Marktproblem im Mittelalter (Westfäl. F. 15), 1962. Die Frage der Kontinuität in den Städten an Mosel und Rhein im Frühmittelalter (Westfäl. F. 16), 1963. Diskussion um die frühen Gründungsstädte in Deutschland (Westfäl. F. 17), 1964. Territorien und Städtewesen (Westfäl. F. 19), 1966. Landes- und stadtgeschichtliche Grundfragen im Raum von Maas, Mosel, Saar und Mittelrhein (Westfäl. F. 22), 1969/70.

Der von Erich Maschke und Jürgen Sydow geleitete *Arbeitskreis für südwestdeutsche Stadtgeschichtsforschung* gab u. a. folgende Protokolle im Druck heraus: Gesellschaftliche Unterschichten in den südwestdeutschen Städten (Veröffentlichungen der Kommission für geschichtliche Landeskunde in Baden-Württemberg 41), 1967. Stadterweiterung und Vorstadt (Veröffentlichungen ... 51), 1969.

Die Ergebnisse eines *Pariser Colloquiums über die polnischen Städte* wurden veröffentlicht in: Les origines des villes polonaises. Ecole pratique des Hautes Etudes. Sixième section. Congrès et Colloques II. Paris, La Haye 1960.

Ein wichtiges Hilfsmittel für Deutschland ist das von Erich Keyser begründete und bis zu seinem Tode 1968 herausgegebene *Deutsche Städtebuch.* Es bringt, nach Ländern gegliedert, innerhalb jedes Bandes in A-B-C-Folge, nach einem feststehenden Stichwortschema Abhandlungen über alle heutigen deutschen Städte. Die „Blätter für deutsche Landesgeschichte" veröffentlichen Sammelberichte über Neuerscheinungen zum Städtewesen, die „Hansischen Geschichtsblätter" berichten umfassend über alle – auch die nichtdeutschen – Hansestädte und Städte des hansischen Wirtschaftsraumes betr. Neuerscheinungen.

Das folgende Verzeichnis ist keine Bibliographie, sondern stellt eine Auswahl der von mir gelesenen einschlägigen Literatur dar und nennt die Schriften, die mir bei der Abfassung dieser Studie dienlich waren. Von den älteren Arbeiten sind vor allem die großen klassischen Werke aufgeführt, die auch mein Geschichtsbild noch stark geformt haben und heute noch mehr als wissenschaftsgeschichtlichen Wert besitzen. Die angegebene Literatur genügt zur umfassenden Orientierung, da sie ihrerseits reiche weiterführende bibliographische Angaben bietet.

1 Wilhelm Abel, Geschichte der deutschen Landwirtschaft vom frühen Mittelalter bis zum 19. Jahrhundert, Stuttgart 1962; [2]1967 = Deutsche Agrargeschichte, hrsg. von Günther Franz, Bd. 2.

2 Joseph Ahlhaus, Civitas und Diözese, in: Aus Politik und Geschichte. Gedächtnisschrift für Georg v. Below, Berlin 1928.

3 J. B. Akkerman, De vroeg-middeleeuwse emporia, in: Tijdschrift voor Rechtsgeschiedenis 35, 1967.

4 J. B. Akkerman, Het koopmansgilde van Tiel omstreeks het jaar 1000, in: Tijdschrift voor Rechtsgeschiedenis 30, 1962.

5 W. Jappe Alberts, De middeleeuwse stad, Bussum [2]1968 = Fibulareeks 6.

6 Günther Albrecht, Das Münzwesen im niederlothringischen und friesischen Raum vom 10. bis beginnenden 12. Jahrhundert, in: Numismatische Studien 6, 1959.

7 Alpertus Mettensis, De diversitate temporum, hrsg. von A. Hulshof, Amsterdam 1916.

8 Hector Ammann, Alt-Aarau, Aarau [2]1944.

9 Hector Ammann, Die Anfänge der Leinenindustrie des Bodenseegebietes und der Ostschweiz, in: Alemannisches Jahrbuch 1, 1953.

10 Hector Ammann, Die Anfänge des Aktivhandels und der Tucheinfuhr aus Nordwesteuropa nach dem Mittelmeergebiet, in: Studi in onore di Armando Sapori, 2 Bde., Mailand 1957.

11 Hector Ammann, Die Stadt Baden in der mittelalterlichen Wirtschaft, in: Argovia 63, 1951.

12 Hector Ammann, Die Bevölkerung von Stadt und Landschaft Basel am Ausgang des Mittelalters, in: Basler Zeitschrift für Geschichte 49, 1950.

13 Hector Ammann, Die Deutschen auf den Messen von Chalon, in: Deutsches Archiv für Landes- und Volksforschung 5, 1941.

14 Hector Ammann, Die Deutschen in Saint-Gilles im 12. Jahrhundert, in: Festschrift Hermann Aubin zum 80. Geburtstag, hrsg. von Hermann Kellenbenz, Erich Maschke, Wolfgang Zorn, Bd. 1, Wiesbaden 1965.

15 Hector Ammann, Deutschland und die Messen der Champagne, in: Deutsches Archiv für Landes- und Volksforschung 3, 1939.

16 Hector Ammann, Deutschland und die Tuchindustrie Nordwesteuropas im Mittelalter, in: Hans. Geschbll. 72, 1954.

17 Hector Ammann, Die Diesbach-Watt-Gesellschaft, St. Gallen 1928.

18 Hector Ammann, Freiburg als Wirtschaftsplatz im Mittelalter, in: Fribourg — Freiburg 1157–1957, Fribourg 1957.

19 Hector Ammann, Die Froburger und ihre Städtegründungen, in: Festschrift Hans Nabholz zum 60. Geburtstag, Zürich 1934.

20 Hector Ammann, Huy an der Maas in der mittelalterlichen Wirtschaft, in: Städtewesen und Bürgertum als geschichtliche Kräfte. Gedächtnisschrift Fritz Rörig, hrsg. von Ahasver v. Brandt und W. Koppe, Lübeck 1953.

21 Hector Ammann, Die Judengeschäfte im Konstanzer Ammann-Gerichtsbuch, in: Schriften d. Vereins f. Gesch. des Bodensees 71, 1952.

22 Hector Ammann, Die schweizerische Kleinstadt, in: Festschrift für W. Merz, Aarau 1928.

23 Hector Ammann, Klöster in der städtischen Wirtschaft des ausgehen-

den Mittelalters, in: Festgabe Otto Mittler, hrsg. von Georg Bauer und Heinrich Meng, Aarau 1960 = Argovia 72.

24 Hector Ammann, Vom Lebensraum der mittelalterlichen Stadt. Eine Untersuchung an schwäbischen Beispielen, in: Berichte zur deutschen Landeskunde 31, 1963.

25 Hector Ammann, Maastricht in der mittelalterlichen Wirtschaft, in: Mélanges Félix Rousseau. Etudes sur l'histoire du Pays Mosan au Moyen Age, Brüssel 1958.

26 Hector Ammann, Die Nördlinger Messe im Mittelalter, in: Aus Verfassungs- und Landesgeschichte. Festschrift zum 70. Geburtstag von Theodor Mayer, hrsg. von Freunden und Schülern, Bd. 2, Lindau, Konstanz 1955.

27 Hector Ammann, Die Zurzacher Messen im Mittelalter, Aarau 1923 = Taschenbuch der Aargauer Historischen Gesellschaft.

28 Hector Ammann, Die Friedberger Messen, in: RhVjbll. 15/16, 1950/51.

29 Hector Ammann, Der hessische Raum in der mittelalterlichen Wirtschaft, in: Hess. Jb. f. Landesgesch. 8, 1958.

30 Hector Ammann, Das Kloster Salem in der Wirtschaft des ausgehenden Mittelalters, in: Zschr. f. Gesch. d. Oberrheins 110, 1962.

31 Hector Ammann, Sankt Trauten (= St. Trond), in: VSWG 54, 1967.

32 Hector Ammann, Über das waadtländische Städtewesen und über landschaftliches Städtewesen im allgemeinen, in: Schweizerische Zschr. f. Gesch. 4, 1954.

33 Hector Ammann, Die wirtschaftliche Stellung der Reichsstadt Nürnberg im Spätmittelalter, Nürnberg 1970 = Nürnberger Forschungen Bd. 13.

34 Hector Ammann, Die französische Südostwanderung im Rahmen der mittelalterlichen französischen Wanderungen, in: Festgabe Harold Steinacker, München 1957.

35 Hector Ammann, Die Talschaftshauptorte der Innerschweiz in der mittelalterlichen Wirtschaft, in: Geschichtsfreund 102, 1949.

36 Hector Ammann, Untersuchungen über die Wirtschaftsstellung Zürichs im ausgehenden Mittelalter, in: Zschr. f. Schweizerische Gesch. 29, 1949; 30, 1950; und in: Schweizerische Zschr. f. Gesch. 2, 1952.

37 Hector Ammann, Wie groß war die mittelalterliche Stadt?, in: Studium Generale 9, 1956.

38 Hector Ammann, Mittelalterliche Wirtschaft im Alltag. Quellen zur Geschichte von Gewerbe, Industrie und Handel des 14. und 15. Jhds. aus den Notariatsregistern von Freiburg i. Ue., Bd. 1, Aarau 1942/44, 1950, 1955.

39 Hector Ammann, Wirtschaft und Lebensraum einer aargauischen Kleinstadt (Brugg) im Mittelalter, in: Beiträge zur Kulturgeschichte. Festschrift Reinhold Bosch zum 60. Geburtstag, Aarau 1947.

40 Hector Ammann, Schaffhauser Wirtschaft im Mittelalter, Thayngen 1949.

41 Hector Ammann, Wirtschaft und Lebensraum der mittelalterlichen Kleinstadt, Bd. 1, Rheinfelden 1950.

42 Hector Ammann, Von der Wirtschaftsgeltung des Elsaß im Mittelalter, in: Alemannisches Jahrbuch 3, 1955.

43 Die Amtleutebücher der kölnischen Sondergemeinden, hrsg. von Thea

Buyken und Hermann Conrad, Weimar 1936 = Publikationen d. Ges. f. Rhein. Geschichtskunde 45.

(119) Dietrich Andernacht, Otto Stamm, Hrsg., siehe unter Bürgerbücher der Reichsstadt... (Nr. 119),

44 Willy Andreas, Deutschland vor der Reformation. Eine Zeitenwende, Stuttgart, Berlin 1932; ²1934; ⁵1948; ⁶1959.

45 Heinz Angermeier, Königtum und Landfriede im deutschen Spätmittelalter, München 1966.

46 Annali di Caffaro, hrsg. von Luigi Tom. Belgrano und Ces. Imperiale, Rom 1901, 1923 = Fonti per la storia d'Italia. Scrittores sec. 12 e 13.

47 A. V. Arcichowski, La ville de Nowgorod le Grand du XIe au XVe siècle, in: XIe Congrès International des Sciences Historiques. Stockholm 1960. Communications.

48 Gustav Aubin, Arno Kunze, Leinenerzeugung und Leinenabsatz im östlichen Mitteldeutschland zur Zeit der Zunftkämpfe, Stuttgart 1940.

49 Hermann Aubin, Die wirtschaftliche Entwicklung des römischen Deutschlands, in: HZ 141, 1929; auch in: ders., Grundlagen und Perspektiven...

50 Hermann Aubin, Grundlagen und Perspektiven geschichtlicher Kulturraumforschung und Kulturmorphologie, Bonn 1965.

51 Hermann Aubin, Küsten- und Binnenkultur im Altertum. Ein Beitrag zur Wirtschaftsgeschichte Galliens und Germaniens, in: SchmJb. 49, 1925; auch in: ders., Grundlagen und Perspektiven...

52 Hermann Aubin, Maß und Bedeutung der römisch-germanischen Kulturzusammenhänge im Rheinland, in: Berichte der Römisch-germanischen Kommission 13, 1921; auch in: ders., Vom Altertum zum Mittelalter, München 1949; auch in: ders., Grundlagen und Perspektiven...

53 Hermann Aubin, Der Rheinhandel in römischer Zeit, in: Bonner Jahrbücher 130, 1926; auch in: ders., Grundlagen und Perspektiven...

54 Hermann Aubin, Stufen und Triebkräfte der abendländischen Wirtschaftsentwicklung im frühen Mittelalter, in: VSWG 42, 1955; auch in: ders., Grundlagen und Perspektiven...

55 Hermann Aubin, Zum Übergang von der Römerzeit zum Mittelalter auf deutschem Boden. Siedlungsgeschichtliche Erörterungen über das Städteproblem, in: Historische Aufsätze Aloys Schulte zum 70. Geburtstag gewidmet, Düsseldorf 1927; auch in: ders., Grundlagen und Perspektiven...

56 Gerhard Baaken, Königtum, Burgen und Königsfreie, Konstanz, Stuttgart 1961 = Vorträge und Forschungen Bd. 6.

57 Friedrich Bachmann, Die alte deutsche Stadt. Ein Bilderatlas der Städteansichten bis zum Ende des 30jährigen Krieges, 3 Bde., Leipzig 1941–1949. Bd. 4, hrsg. von Max Schefold, Stuttgart 1961.

58 Karl Siegfried Bader, Der deutsche Südwesten in seiner territorialstaatlichen Entwicklung, Stuttgart 1950.

59 Walter Bader, Die christliche Archäologie in Deutschland nach den jüngsten Entdeckungen an Rhein und Mosel, in: AnnNdrh. 144/145, 1946/47.

60 Joh. Bärmann, Die Städtegründungen Heinrichs des Löwen und die Stadtverfassung des 12. Jahrhunderts, Köln 1961 = Forschungen zur deutschen Rechtsgeschichte Bd. 1.

61 Adolphus Ballard, British Borough Charters 1042—1216, Cambridge 1913.

62 Bedeutung und Rolle des Islam beim Übergang vom Altertum zum Mittelalter, hrsg. von Paul Egon Hübinger, Darmstadt 1968 = Wege der Forschung Bd. 202.

63 Beiträge zur Wirtschafts- und Stadtgeschichte. Festschrift für Hector Ammann, hrsg. von Hermann Aubin, Edith Ennen u. a., Wiesbaden 1965.

64 Beiträge zur Wirtschaftsgeschichte Nürnbergs, hrsg. vom Stadtarchiv Nürnberg, 2 Bde., Nürnberg 1967.

(46) Luigi Tom. Belgrano, Ces. Imperiale, Hrsg., siehe unter Annali di Caffaro ... (Nr. 46)

65 Karl Julius Beloch, Bevölkerungsgeschichte Italiens, 3 Bde., Berlin, Leipzig 1937—1961. Bd. II ²1965.

66 Georg v. Below, Probleme der Wirtschaftsgeschichte, Tübingen ²1926.

67 F. Benoit, P. A. Février, J. Formigé, H. Rolland, Villes épiscopales de Provence (Aix, Arles, Fréjus, Marseille et Riez) de l'époque gallo-romaine au moyen-âge, Paris 1954.

68 Maurice Beresford, New Towns of the Middle Ages: Town Plantation in England, Wales and Gascony, London 1967.

69 Peter Berghaus, Der mittelalterliche Goldschatzfund aus Limburg/Lahn, in: Nassauische Annalen 72, 1961.

70 Peter Berghaus, Der Kölner Pfennig in Westfalen. Zwei neue westfälische Schatzfunde des 12. und 13. Jhds., in: Dona numismatica. Walter Hävernick zum 23. Januar 1965 dargebracht, hrsg. von Peter Berghaus u. a., Hamburg 1965.

71 Arabische Berichte von Gesandten an germanische Fürstenhöfe aus dem 9. und 10. Jahrhundert, hrsg. von G. Jacob, Berlin 1927.

72 Chanoine Paul Bertin, Une commune flamande-artésienne: Aire-sur-la-Lys des origines au XVIe siècle, Arras 1946.

73 Ludwig Beutin, Einführung in die Wirtschaftsgeschichte, Köln, Graz 1958.

74 Franz Beyerle, Das mittelalterliche Konstanz. Verkehrslage und wirtschaftliche Entwicklung, in: Syntagma Friburgense. Historische Studien. Hermann Aubin dargebracht zum 70. Geburtstag, Lindau, Konstanz 1956.

75 Franz Beyerle, Zur Typenfrage in der Stadtverfassung, in: ZRG Germ. Abt. 50, 1930.

76 Franz Beyerle, Zur Wehrverfassung des Hochmittelalters, in: Festschrift Ernst Mayer zum 70. Geburtstag, Weimar 1932.

77 Konrad Beyerle, Die Anfänge des Kölner Schreinswesens, in: ZRG Germ. Abt. 51, 1931.

78 Konrad Beyerle, Die Entstehung der Stadtgemeinde Köln, in: ZRG Germ. Abt. 31, 1910.

79 Bibliographie zur Städtegeschichte Deutschlands, hrsg. von Erich Keyser, Köln, Wien 1969 = Veröffentlichung d. internat. Komm. f. Städtegeschichte.

80 International Bibliography of Urban History. Denmark, Finland, Norway, Sweden, Stockholm: Swedish Institute for Urban History 1960.

81 Martin Biddle, Archaeology and the History of British Towns, in: Antiquity 42, 1968.

82 Joseph Bidez, Julian der Abtrünnige, München 1947.

83 Erich Bielfeldt, Der rheinische Bund von 1254. Ein erster Versuch einer Reichsreform, Berlin 1937.

84 Karlheinz Blaschke, Nikolaikirchen und Stadtentstehung im pommerschen Raum, in: Greifswald-Stralsunder Jahrbuch 9, 1970/71.

85 Karlheinz Blaschke, Nikolauspatrozinien und städtische Frühgeschichte, in: ZRG Kan. Abt. 84, 1967.

86 Karlheinz Blaschke, Qualität, Quantität und Raumfunktion der Stadt vom Mittelalter bis zur Gegenwart, in: Jahrbuch für Regionalgeschichte 3, 1968.

87 Fr. Blockmans, Het Gentsche stadspatriciaat tot omstreeks 1302, Antwerpen, 's Gravenhage 1938.

88 W. Blockmans, I. de Meyer, J. Mertens, C. Pauwelyn, W. Vanderpyren, Studien betreffende de sociale strukturen te Brugge, Kortrijk en Gent in de 14e en 15e eeuw, Heule 1971 = Anciens Pays et Assemblées d'Etats 54 = Studia Hist. Gandensia 139.

89 Kurt Böhner, Die fränkischen Altertümer des Trierer Landes, Berlin 1958 = Germanische Denkmäler der Völkerwanderungszeit. Serie B: Die Fränkischen Altertümer des Rheinlandes Bd. 1.

90 Kurt Böhner, Die Frage der Kontinuität zwischen Altertum und Mittelalter im Spiegel der fränkischen Funde des Rheinlandes, in: Trierer Zeitschrift 19, 1950.

91 J. E. Bogaers, Civitas en stad van de Bataven en Canninefaten, Nijmegen, Utrecht 1960.

92 Gian Piero Bognetti, Arimannie nella città di Milano, in: Rendiconti. Istituto lombardo di scienze e lettere. Classe di lettere e scienze morali e storiche 3. Ser. 72, 1938/39; auch in: ders., L' età longobarda . . .

93 Gian Piero Bognetti, L' età longobarda, 4 Bde., Mailand 1966–68.

94 Gian Piero Bognetti, S. Maria foris portas di Castelseprio e la storia religiosa dei Longobardi, in: Gian Piero Bognetti, Gino Chierici, Alberto de Capitani d'Arzago, Santa Maria di Castelseprio, Mailand 1948; auch in: L' età longobarda . . . II (Nr. 93).

95 Luigi Bonazzi, Storia di Perugia, 2 Bde., Perugia 1875–79. Unveränderter Neudruck: Città di Castello 1959–60.

96 Paul Bonenfant, La fondation de „villes neuves" en Brabant au moyenâge, in: VSWG 49, 1962.

97 Paul Bonenfant, L' origine des villes brabançonnes et la „route" de Bruges à Cologne, in: Revue belge de phil. et d'hist. 31, 1953.

98 Knut Borchardt, Grundriß der deutschen Wirtschaftsgeschichte, in: Kompendium der Volkswirtschaftslehre, hrsg. von Werner Ehrlicher, Ingeborg Esenwein-Rothe u. a., Bd. 1, Göttingen 1967.

99 Hertha Borchers, Beiträge zur rheinischen Wirtschaftsgeschichte, in: Hess. Jb. f. Landesgesch. 4, 1954.

100 Hertha Borchers, Untersuchungen zur Geschichte des Marktwesens im Bodenseeraum, in: Zschr. f. Gesch. d. Oberrheins 104, 1956.

101 Hugo Borger, Die Ausgrabungen an St. Quirin zu Neuß in den Jahren 1959–1964, in: Beiträge zur Archäologie des Mittelalters, Köln,

Graz 1968 = Rheinische Ausgrabungen 1 = Beihefte der Bonner Jahrbücher Bd. 28.

102 Hugo Borger, Friedrich Wilhelm Oediger, Beiträge zur Frühgeschichte des Xantener Viktorstifts, Köln, Graz 1969 = Rheinische Ausgrabungen 6.

103 Hugo Borger, Bemerkungen zu den „Wachstumsstufen" einiger mittelalterlicher Städte im Rheinland, in: Landschaft und Geschichte. Festschrift für Franz Petri, hrsg. von Georg Droege, Peter Schöller u. a., Bonn 1970.

104 Hugo Borger, Xanten. Entstehung und Geschichte der mittelalterlichen Stadt, in: Beiträge zur Gesch. d. Kreises Dinslaken am Niederrhein Beiheft 2, Xanten 1960.

105 Otto Borst, Esslingen am Neckar, Esslingen ²1967.

106 Karl Bosl, Frühgeschichte und Typus der Reichsstadt in Franken und Oberschwaben mit besonderer Berücksichtigung Rothenburgs o. d. T., Nördlingens und Dinkelsbühls, in: Esslinger Studien (Jb. f. Gesch. d. oberdt. Reichsstädte) 14, 1968.

(355) Karl Bosl, Hrsg., siehe unter Handbuch der Geschichte der böhmischen Länder (Nr. 355).

107 Karl Bosl, Die Sozialstruktur der mittelalterlichen Residenz- und Fernhandelsstadt Regensburg, München 1966 = Abhh. d. Bayerischen Akad. d. Wiss., Phil.-hist. Kl. N. F. 63.

108 Ahasver v. Brandt, Rezension zu Carl Wehmer, Mainzer Probedrucke in der Type des sog. Astronomischen Kalenders für 1448, München 1948, in: Hans. Geschbll. 83, 1965.

109 Ahasver v. Brandt, Die gesellschaftliche Struktur des spätmittelalterlichen Lübeck, in: Untersuchungen zur gesellschaftlichen Struktur der mittelalterlichen Städte in Europa. Reichenau-Vorträge 1963–1964, Konstanz, Stuttgart 1966 = Vorträge und Forschungen Bd. 11.

110 Ahasver v. Brandt, Ein Stück kaufmännischer Buchführung aus dem letzten Viertel des 13. Jhds., in: Zschr. d. Ver. f. Lübeck. Gesch. u. Altertumskunde 44, 1964.

(356) Leo Brandt, Hrsg., siehe unter Die Deutsche Hanse . . . (Nr. 356).

111 Wolfgang Braunfels, Mittelalterliche Stadtbaukunst in der Toskana, Berlin 1953.

112 Gene A. Brucker, The Ciompi Revolution, in: Florentine Studies, hrsg. von Nicolai Rubinstein, London ²1968.

113 Carlrichard Brühl, Fodrum, gistum, servitium regis. Studien zu den wirtschaftlichen Grundlagen des Königtums im Frankenreich und in den fränkischen Nachfolgestaaten Deutschland, Frankreich und Italien vom 6. bis zur Mitte des 14. Jahrhunderts, 2 Bde., Köln, Graz 1968 =Kölner historische Abhandlungen Bd. 14.

114 Carlrichard Brühl, Königspfalz und Bischofsstadt in fränkischer Zeit, in: RhVjbll. 23, 1958.

115 Otto Brunner, Europäisches und russisches Bürgertum, in: VSWG 40, 1953.

116 Otto Brunner, Hamburg und Wien. Versuch einer sozialgeschichtlichen Konfrontation. 1200–1800, in: Festschrift Hermann Aubin zum 80. Geburtstag, hrsg. von Otto Brunner, Wiesbaden 1965.

117 Otto Brunner, Neue Wege der Sozialgeschichte. Vorträge und Aufsätze, Göttingen 1956.

118 Friedrich Bruns, Hugo Weczerka, Hansische Handelsstraßen. Atlas, Köln 1962 = Quellen und Darstellungen zur Hansischen Geschichte N. F. XIII, 1.

119 Bürgerbücher der Reichsstadt Frankfurt 1311–1400, hrsg. von Dietrich Andernacht und Otto Stamm, Frankfurt 1955.

120 Heinrich Büttner, Die Anfänge der Stadt Kreuznach und der Grafen von Sponheim, in: Zschr. f. Gesch. d. Oberrheins 100, 1952.

121 Heinrich Büttner, Zur Burgenbauordnung Heinrichs I., in: Bll. f. dt. Landesgesch. 92, 1956.

122 Heinrich Büttner, Frühes fränkisches Christentum am Mittelrhein, in: AMrhKG 3, 1951.

123 Heinrich Büttner, Das Diplom Heinrichs III. für Fulda von 1049 und die Anfänge der Stadt Fulda, in: Archiv für Diplomatik 4, 1958.

124 Heinrich Büttner, Freiburg und das Kölner Recht, in: Schau-ins-Land 72, 1954.

125 Heinrich Büttner, Das fränkische Mainz. Ein Beitrag zum Kontinuitätsproblem und zur fränkischen mittelalterlichen Stadtgeschichte, in: Aus Verfassungs- und Landesgeschichte. Festschrift zum 70. Geburtstag von Theodor Mayer, hrsg. von Freunden und Schülern, Bd. 2, Lindau, Konstanz 1955.

126 Heinrich Büttner, Markt und Stadt zwischen Waadtland und Bodensee bis zum Anfang des 12. Jahrhunderts, in: Schweizerische Zschr. f. Gesch. 11, 1961.

127 Heinrich Büttner, Die Bremer Markturkunden von 888 und 965 und die ottonische Marktrechtsentwicklung, in: Bremisches Jahrbuch 50, 1965.

128 Heinrich Büttner, Zur Stadtentwicklung von Worms im Früh- und Hochmittelalter, in: Aus Geschichte und Landeskunde. Forschungen und Darstellungen. Franz Steinbach zum 65. Geburtstag gewidmet von Freunden und Schülern, Bonn 1960.

129 Heinrich Büttner, zum Städtewesen der Zähringer und Staufer am Oberrhein während des 12. Jahrhunderts, in: Zschr. f. Gesch. d. Oberrheins 105, 1957.

130 Heinrich Büttner, Studien zum frühmittelalterlichen Städtewesen in Frankreich, vornehmlich im Loire- und Rhonegebiet, in: Studien zu den Anfängen des europäischen Städtewesens. Reichenau-Vorträge 1955–1956, Lindau, Konstanz 1958 = Vorträge und Forschungen Bd. 4.

131 Alexander Bugge, Altschwedische Gilden, in: VSWG 11, 1913.

(43) Thea Buyken, Hermann Conrad, Hrsg., siehe unter Die Amtleutebücher . . . (Nr. 43).

132 A. W. Byvanck, Nederland in den Romeinschen tijd, Leiden 1943.

133 R. C. van Caenegem, La preuve dans le droit du moyen-âge occidental, Gent 1965 = Studia Hist. Gandensia 23.

134 Claude Cahen, Zur Geschichte der städtischen Gesellschaft im islamischen Orient des Mittelalters, in: Saeculum 9, 1958.

135 Helen Maud Cam, The Origin of the Borough of Cambridge. Proceedings of the Cambridgeshire Antiquarian Society 1935.

136 Claude Campiche, Die Kommunalverfassung von Como im 12. und 13. Jahrhundert, Zürich 1929 = Schweizer Studien zur Geschichtswissenschaft XV, 2.

137 Bart. Capasso, Monumenta ad Neapolitani ducatus historiam pertinentia, 2 Bde., Neapel 1881–92.

138 E. Carpentier, Autour de la peste noire: Famines et épidémies au XIVe siècle, in: Annales. Economies, sociétés, civilisations 17, 1962.

139 Claude Carrère, Barcelone, centre économique à l'époque des difficultés 1380–1462, 2 Bde., Paris 1967 = EPHE VIe sec. Sér. Civilisations et sociétés 5.

140 J. L. Charles, La ville de Saint-Trond au moyen-âge. Des origines à la fin du XIVe siècle, Paris 1965 = Bibliothèque de la Faculté de Philosophie et Lettres de l'Université de Liège Fasc. 173.

141 Luigi Chiapelli, La formazione storica del commune cittadino in Italia, in: Archivio storico italiano 84, 1926; 85, 1927; 86, 1928; 88, 1930.

142 E. Christiani, Nobilità e popolo nel commune di Pisa dalle origini del podestoriato alla signoria dei Donoratico, Neapel 1962.

143 La città nell'alto medioevo, Spoleto 1959 = Settimane di studio del centro Ital. di studi sull'alto medioevo 6.

144 Città, mercanti e dottrine nell' economia europea. Dal IV al XVIII secolo. Saggi in memoria di Gino Luzzatto, hrsg. von Amintore Fanfani, Mailand 1964.

145 Dietrich Claude, Zu Fragen frühfränkischer Verfassungsgeschichte, in: ZRG Germ. Abt. 83, 1966.

146 Dietrich Claude, Die byzantinische Stadt im 6. Jahrhundert, München 1969.

147 Dietrich Claude, Studien zu Reccopolis, in: Madrider Mitteilungen 6, 1965.

148 Dietrich Claude, Topographie und Verfassung der Städte Bourges und Poitiers bis in das 11. Jhd., Lübeck, Hamburg 1960 = Historische Studien 380.

149 Dietrich Claude, Untersuchungen zum frühfränkischen Comitat, in: ZRG Germ. Abt. 81, 1964.

150 Collectanea Franz Steinbach, hrsg. von Franz Petri und Georg Droege, Bonn 1967.

151 Hermann Conrad, Stadtgemeinde und Stadtfrieden in Koblenz während des 13. und 14. Jahrhunderts, in: ZRG Germ. Abt. 58, 1938.

152 Emile Coornaert, Le commerce de la Lorraine vue d'Anvers à la fin du XVe et au XVIe siècle, in: Annales de l'Est 1, 1950.

153 Emile Coornaert, Les ghildes médiévales, in: Revue hist. 199, 1948.

154 Jan Craeybeckx, Un grand commerce d'importation: les vins de France aux anciens Pays-Bas (XIIIe – XVIe siècles), Paris 1958.

155 René Crozet, Villes d'entre Loire et Gironde, Paris 1949.

156 Joseph Cuvelier, Les dénombrements de foyers en Brabant (XIVe – XVIe siècle), 2 Bde., Brüssel 1912–1913.

157 Lea Dasberg, Untersuchungen über die Entwertung des Judenstatus im 11. Jhd., Paris 1965.

158 Jos. Déer, Aachen und die Herrschersitze der Arpaden, in: MIÖG 79, 1971.

159 Francine Deisser-Nagels, Valenciennes, ville Carolingienne, in: Le Moyen Age 68, 1962.

(669) H. François Delaborde, Ch. Petit-Dutaillis, Hrsg., siehe unter Recueil des actes . . . (Nr. 669).

160 Karl E. Demandt, Das Fritzlarer Patriziat im Mittelalter, in: Zschr. d. Ver. f. hess. Gesch. u. Altertumskunde 68, 1957.

161 Karl E. Demandt, Quellen zur Rechtsgeschichte der Stadt Fritzlar im Mittelalter, Marburg 1939 = Veröffentlichungen d. Hist. Komm. für Hessen und Waldeck 13,3 = Quellen zur Rechtsgeschichte der hessischen Städte Bd. 3.

162 J. Demey, Proeve tot raming van de bevolking en de weefgetouwen te Jeper van de XIII tot de XVII eeuw, in: Revue belge de phil. et d'hist. 28, 1950.

163 Guillaume Des Marez, Etudes inédites, Brüssel 1936.

164 Georges Despy, Villes et campagnes aux IXe et Xe siècles: L'exemple du pays mosan, in: Revue du Nord 50, 1968.

165 Luc Devliegher, De huizen te Brugge, 2 Bde., Tielt o. J. (1968).

166 Jan Dhondt, Les assemblées d'Etats en Belgique avant 1795, in: Standen en Landen 33, 1965.

167 Jan Dhondt, Développement urbain et initiative comtal, in: Revue du Nord 30, 1948.

168 Jan Dhondt, L'essor urbain entre Meuse et Mer du nord à l'époque mérovingienne, in: Studi in onore di Armando Sapori, Bd. 1, Mailand 1957.

169 Jan Dhondt, Une mentalité du XIIe siècle: Galbert de Bruges, in: Revue du Nord 39, 1957.

170 Jan Dhondt, Het ontstaan van Oudenaarde, in: Handelingen van de Geschied- en Oudheidkundig Kring van Oudenaarde 10, 1952.

171 Jan Dhondt, Henri Pirenne: historien des institutions urbaines, in: Annali della Fondazione italiana per la storia amministrativa 3, 1966.

172 Jan Dhondt, Les problèmes de Quentovic, in: Studi in onore di Amintore Fanfani, Bd. 1, Mailand 1962.

173 Jan Dhondt, De vroege topographie van Brugge, in: Handelingen d. Maatschappij v. Geschiedenis en Oudheidkunde te Gent N. R. 11, 1957.

174 Toni Diederich, Das älteste Kölner Stadtsiegel, in: Aus kölnischer und rheinischer Geschichte. Festgabe Arnold Güttsches zum 65. Geburtstag gewidmet, hrsg. von Hans Blum, Köln 1969 = Veröffentlichungen des Kölnischen Geschichtsvereins 29.

175 Bernhard Diestelkamp, Welfische Stadtgründungen und Stadtrechte des 12. Jahrhunderts, in: ZRG Germ. Abt. 81, 1964.

176 Bernhard Diestelkamp, Die Städteprivilegien Herzog Ottos d. Kindes, ersten Herzogs von Braunschweig-Lüneburg (1204–1252), Hildesheim 1961 = Quellen und Darstellungen zur Geschichte Niedersachsens Bd. 59.

177 Gerhard Dilcher, Bischof und Stadtverfassung in Oberitalien, in: ZRG Germ. Abt. 81, 1964.

178 Gerhard Dilcher, Die Entstehung der lombardischen Stadtkommune, Aalen 1967 = Untersuchungen zur deutschen Staats- und Rechtsgeschichte N. F. Bd. 7.

179 Diskussion um die frühen Gründungsstädte in Deutschland. Fragen und Ergebnisse des fünften Kolloquiums des Arbeitskreises für landschaftliche deutsche Städteforschung 1963 in Freiburg/Br., hrsg. von Peter Schöller, in: Westfälische Forschungen 17, 1964.

180 Renée Doehaerd, Etudes anversoises, 3 Bde., Paris 1962—63.

181 Renée Doehaerd, Le Haut Moyen Age occidental. Economies et sociétés, Paris 1971 = Nouvelle Clio 14.

182 Renée Doehaerd, Notes sur l'histoire d'un ancien impôt. Le tonlieu d'Arras, Arras 1946. Extrait du Bulletin de l'Académie d'Arras 1943/44; 1945/46.

183 Renée Doehaerd, Les relations commerciales entre Gênes, la Belgique et l'Outremont d'après les archives notariales génoises 1400—1440, Brüssel 1952 = Institut historique belge de Rome. Etudes d'histoire économique et sociale Vol. 5.

184 Fritz Dörrenhaus, Urbanität und gentile Lebensform. Der europäische Dualismus mediterraner und indoeuropäischer Verhaltensweisen, entwickelt aus einer Diskussion um den Tiroler Einzelhof, Wiesbaden 1971 = Erdkundliches Wissen 25.

185 Fritz Dörrenhaus, Wo der Norden dem Süden begegnet: Südtirol. Ein geographischer Vergleich, Bozen 1959.

186 Anton Doll, Historisch-archäologische Fragen der Speyerer Stadtentwicklung im Mittelalter, in: Pfälzer Heimat 11, 1960.

187 Anton Doll, Zur Frühgeschichte der Stadt Speyer, in: Mitteilungen des Hist. Vereins der Pfalz 52, 1954.

188 Phil. Dollinger, Phil. Wolff, Simonne Guenée, Bibliographie d'histoire des Villes de France, Paris 1967 = Publ. de la Commission internationale pour l'histoire des villes.

189 Phil. Dollinger, Le chiffre de la population de Paris au XIVe siécle 210 000 ou 80 000 habitants? in: Revue hist. 216, 1956.

190 Phil. Dollinger, La Hanse (XIIe — XVIIe siècles), Paris 1964. Deutsch: Die Hanse, Stuttgart 1966 = Kröners Taschenausgabe Bd. 371.

191 Phil. Dollinger, Le patriciat des villes du Rhin supérieur et ses dissensions internes dans la première moitié du XIVe siècle, in: Schweizerische Zschr. f. Gesch. 3, 1953.

192 Phil. Dollinger, Le premier recensement et le chiffre de population de Strasbourg en 1444, in: Revue d'Alsace 94, 1955.

193 Otto Doppelfeld, Römisches und fränkisches Glas in Köln, Köln 1966 = Schriftenreihe der archäologischen Gesellschaft Köln Nr. 13.

194 Otto Doppelfeld, Quellen zur Geschichte Kölns in römischer und fränkischer Zeit, Köln 1958 = Ausgewählte Quellen zur Kölner Stadtgeschichte Bd. 1.

195 Otto Doppelfeld, Heinz Held, Der Rhein und die Römer, Köln 1970.

196 Alfons Dopsch, Beiträge zur Sozial- und Wirtschaftsgeschichte. Gesammelte Aufsätze 2. Reihe, Wien 1938.

197 Alfons Dopsch, Wirtschaftliche und soziale Grundlagen der europäischen Kulturentwicklung von Cäsar bis auf Karl den Großen, Wien ²1923—24.

(759) Alfons Dopsch, Ausgewählte Urkunden zur Verfassungsgeschichte ... siehe unter Ernst Frh. v. Schwind (Nr. 759).

198 Alfred Doren, Entwicklung und Organisation der Florentiner Zünfte im 13. und 14. Jahrhundert, Leipzig 1897.

199 Alfred Doren, Italienische Wirtschaftsgeschichte, Jena 1934.

200 Alfred Doren, Die Florentiner Wollentuchindustrie vom 14. bis zum 16. Jahrhundert, Stuttgart 1901.

201 Alfred Doren, Das Florentiner Zunftwesen vom 14. bis zum 16. Jahrhundert, Stuttgart, Berlin 1908.

202 Joh. Gustav Droysen, Historik, hrsg. von Rudolf Hübner, München ⁴1960.

203 Georges Duby, L'économie rurale et la vie des campagnes dans l'occident médiéval, Paris 1962.

204 Düren, bearb. von August Schoop, Bonn 1920 = Quellen zur Rechts- und Wirtschaftsgeschichte der rheinischen Städte 1 = Publikationen d. Ges. f. Rhein. Geschichtskunde 29.

205 A. Dupont, Les cités de la Narbonnaise première depuis les invasions germaniques jusqu'à l'apparition du consulat, Nîmes 1942.

206 Eugenio Dupré-Theseider, Roma dal comune del popolo alla Signoria pontifica 1252–1377, Bologna 1952 = Storia di Roma 11.

207 Jean Durliat, La vigne et le vin dans la région parisienne au début du IXe siècle d'après le Polyptique d'Irminon, in: Le Moyen Age 74, 1968.

208 Wilhelm Ebel, Der Bürgereid als Geltungsgrund und Gestaltungs- prinzip des deutschen mittelalterlichen Stadtrechts, Weimar 1958.

209 Wilhelm Ebel, Bursprake, Echteding, Eddag in den niederdeutschen Stadtrechten, in: Festschrift für Hans Niedermeyer zum 70. Geburts- tag, Göttingen 1953 = Göttinger rechtswissenschaftliche Studien Bd. 10.

210 Wilhelm Ebel, Über die rechtsschöpferische Leistung des mittelalter- lichen deutschen Bürgertums, in: Untersuchungen zur gesellschaft- lichen Struktur der mittelalterlichen Städte in Europa. Reichenau- Vorträge 1963–1964, Konstanz, Stuttgart 1966 = Vorträge und For- schungen Bd. 11.

211 Wilhelm Ebel, Lübisches Recht im Ostseeraum, Köln und Opladen 1967 = Arbeitsgemeinschaft für Forschung des Landes Nordrhein- Westfalen, Geisteswissenschaften Nr. 143.

212 Rudolf Egger, Die Stadt auf dem Magdalensberg, ein Großhandels- platz. Die ältesten Aufzeichnungen des Metallwarenhandels auf dem Boden Österreichs, Graz, Wien, Köln, 1961 = Österreichische Akad. d. Wiss. Phil.-hist. Kl. Denkschriften 79.

213 Hans Eiden, Zur Siedlungs- und Kulturgeschichte der Frühzeit, in: Zwischen Rhein und Mosel. Der Kreis St. Goar, hrsg. von Franz-Josef Heyen, Boppard 1966.

214 Liselotte Constanze Eisenbart, Kleiderordnungen der deutschen Städte zwischen 1350 und 1700, Göttingen 1962.

215 Peter Eitel, Die oberschwäbischen Reichsstädte im Zeitalter der Zunft- herrschaft. Untersuchungen zu ihrer politischen und sozialen Struktur unter besonderer Berücksichtigung der Städte Lindau, Memmingen, Ravensburg und Überlingen, Stuttgart 1970 = Schriften zur süd- westdeutschen Landeskunde Bd. 8.

216 Elenchus fontium historiae urbanae, quem edendum curaverunt C. van de Kieft et J. F. Niermeyer, Bd. 1, Leiden 1967.

217 Traute Endemann, Markturkunde und Markt in Frankreich und Burgund vom 9. bis 11. Jhd., Konstanz, Stuttgart 1964.

218 Franz Engel, Stadtgeschichtsforschung mit archäologischen Methoden, ihre Probleme und Möglichkeiten, in: Bll. f. dt. Landesgesch. 88, 1951.

219 Edith Ennen, Neuere Arbeiten zur Geschichte des nordwesteuropäischen Städtewesens im Mittelalter, in: VSWG 38, 1, 1949.

220 Edith Ennen, Die Bedeutung der Kirche für den Wiederaufbau der in der Völkerwanderungszeit zerstörten Städte, in: Kölner Untersuchungen, hrsg. von Walther Zimmermann, Ratingen 1950 = Die Kunstdenkmäler des Landesteiles Nordrhein Beih. 2.

221 Edith Ennen, Einige Bemerkungen zur frühmittelalterlichen Geschichte Bonns, in: RhVjbll. 15/16, 1950/1951.

222 Edith Ennen, Burg, Stadt und Territorialstaat in ihren wechselseitigen Beziehungen, in: RhVjbll. 12, 1942.

223 Edith Ennen, Die Entwicklung des Städtewesens an Rhein und Mosel vom 6. bis 9. Jahrhundert, in: La città nell'alto medioevo, Spoleto 1959 = Settimane di studio del centro ital. di studi sull' alto medioevo 6.

224 Edith Ennen, Frühgeschichte der europäischen Stadt, Bonn 1953.

225 Edith Ennen, Dietrich Höroldt, Kleine Geschichte der Stadt Bonn, Bonn 1966.

226 Edith Ennen, Ein geschichtliches Ortsverzeichnis des Rheinlandes. Exkurs: Veräußerungen grundherrlichen Streubesitzes im 13. Jhd., in: RhVjbll. 9, 1939.

227 Edith Ennen, Stadtgeschichtliche Probleme im Saar-Mosel-Raum, in: Landschaft und Geschichte. Festschrift Franz Petri, hrsg. von Georg Droege und Peter Schöller, Bonn 1970.

228 Edith Ennen, Rezension zu Hans Planitz, Die deutsche Stadt im Mittelalter. Von der Römerzeit bis zu den Zunftkämpfen, Graz, Köln 1954, in: RhVjbll. 19, 1954.

229 Edith Ennen, Die europäische Stadt des Mittelalters als Forschungsaufgabe unserer Zeit, in: RhVjbll. 11, 1941.

230 Edith Ennen, Stadt und Schule in ihrem wechselseitigen Verhältnis vornehmlich im Mittelalter, in: RhVjbll. 22, 1957.

231 Edith Ennen, Die Stadt zwischen Mittelalter und Gegenwart, in: RhVjbll. 30, 1965; auch in: 775 a.

232 Edith Ennen, Stadt und Wallfahrt, in: Festschrift Matthias Zender, erscheint 1972.

233 Edith Ennen, Die Stadtwerdung Bonns im Spiegel der Terminologie, in: Bonner Geschichtsblätter 4, 1950.

234 Edith Ennen, Das Städtewesen Nordwestdeutschlands von der fränkischen bis zur salischen Zeit, in: Das erste Jahrtausend. Düsseldorf 1964; auch in: Die Stadt des Mittelalters, hrsg. von Carl Haase, Darmstadt 1969 = Wege der Forschung Bd. 243.

235 Edith Ennen, Ein Teilungsvertrag des Trierer Simeonsstiftes, der Herren von Berg, von Linster und des Ritters von Südlingen, in: RhVjbll. 21, 1956.

236 Edith Ennen, Zur Typologie des Stadt-Land-Verhältnisses im Mittelalter, in: Studium Generale 16, 1963.

237 Entwicklungsgesetze der Stadt. Vorträge und Berichte, Köln, Opladen 1963.

238 Martin Erbstösser, Ernst Werner, Ideologische Probleme des mittelalterlichen Plebejertums. Die freigeistige Häresie und ihre sozialen Wurzeln, Berlin 1960 = Forschungen zur mittelalterlichen Geschichte Bd. 7.

239 Adalbert Erler, Bürgerrecht und Steuerpflicht im mittelalterlichen Städtewesen mit besonderer Untersuchung des Steuereides, Frankfurt a. M. 1939; ²1963.

240 Georges Espinas, Documents relatifs à la draperie de Valenciennes au moyen-âge (1283—1403), Paris, Lille 1931 = Documents et travaux publ. par la Société d'Histoire du Droit des Pays Flamands, Picards et Wallons T. 1.

241 Georges Espinas, Les origines du capitalisme. III: Deux fondations de villes dans l'Artois et la Flandre française. Saint-Omer. Lannoy-du-Nord, Lille 1946 = Bibliothèque de la Société d'Histoire du Droit des Pays Flamands, Picards et Wallons 16.

242 Georges Espinas, Le privilège de St. Omer de 1127, in: Revue du Nord 29, 1947.

243 Georges Espinas, Charles Verlinden, J. Buntinx, Privilèges et chartes de franchises de Flandre. T. 1, Brüssel 1959. T. 2, Brüssel 1961.

244 Georges Espinas, Recueil de documents relatifs à l'histoire du droit municipal en France des origines à la Révolution, T. 1—3, Paris 1934—1943.

245 Georges Espinas, La vie urbaine de Douai au moyen-âge, Paris 1913.

246 Eugen Ewig, Die ältesten Mainzer Bischofsgräber, die Bischofsliste und die Theonestlegende, in: Universitas. Dienst an Wahrheit und Leben. Festschrift für Bischof Albert Stohr, hrsg. von Ludwig Lenhart, Bd. 2, Mainz 1960.

247 Eugen Ewig, Civitas, Gau und Territorium in den Trierischen Mosellanden, in: RhVjbll. 17, 1952.

248 Eugen Ewig, Die Civitas Ubiorum, die Francia Rinensis und das Land Ribuarien, in: RhVjbll. 19, 1954.

249 Eugen Ewig, Kirche und civitas in der Merowingerzeit, in: Le chiese nei regni dell'Europa occidentale e i loro rapporti con Roma sino all'800, Spoleto 1960 = Settimane di studio del centro ital. di studi sull'alto medioevo 7.

250 Eugen Ewig, Der Mittelrhein im Merowingerreich, in: Nassauische Annalen 82, 1971.

251 Eugen Ewig, Résidence et capitale pendant le haut Moyen Age, in: Revue hist. 230, 1963.

252 Eugen Ewig, Trier im Merowingerreich. Civitas, Stadt, Bistum, Trier 1954.

253 Excavations at Helgö, hrsg. von Wilhelm Holmquist, Bd. 1: Report for 1954—1956, Stockholm 1961; Bd. 2: Report for 1957—1959, Stockholm 1964.

254 M. L. Fanchamps, Etude sur les tonlieux de la Meuse Moyenne du VIIIe au milieu du XIVe siècle, in: Le Moyen Age 70, 1964.

255 Amintore Fanfani, La préparation intellectuelle et professionelle à

l'activité économique en Italie du XIVe au XVIe siècle, in: Le Moyen Age 57, 1951.

256 Gina Fasoli, Dalla Civitas al Comune nell'Italia settentrionale. Lezioni tenute alla Facoltà di Magistero dell'Università di Bologna, Bologna 1969.

257 Gina Fasoli, Che cosa sappiamo delle città italiane nell'alto medioevo? in: VSWG 47, 1960.

258 Gina Fasoli, Ricerche sui borghi franchi dell'alta Italia, in: Rivista di storia del diritto italiano XV, 1942.

259 R. Feenstra, Het stadrecht van Maastricht van 1220, in: Vereeniging tot uitgaaf der bronnen van het oud-vaderlandsche recht, Verslagen en mededelingen 11, 1958.

260 Otto Feger, Auf dem Weg vom Markt zur Stadt, in: Zschr. f. Gesch. d. Oberrheins 106, 1958.

261 Otto Feger, Kleine Geschichte der Stadt Konstanz, Konstanz 1957.

262 Otto Feger, Konstanzer Stadtrechtsquellen. Bd. I: Das Rote Buch, Konstanz 1949. Bd. IV: Die Statutensammlung des Stadtschreibers Jörg Vögeli, Konstanz 1951. Bd. VII: Vom Richtebrief zum Roten Buch, Konstanz 1955.

263 Otto Feger, Peter Rüster, Das Konstanzer Wirtschafts- und Gewerberecht z. Z. der Reformation, Konstanz 1961 = Konstanzer Geschichts- und Rechtsquellen. N. F. d. Konstanzer Stadtrechtsquellen Bd. 11.

264 Klaus Fehn, Die zentralörtlichen Funktionen früher Zentren in Altbayern, Wiesbaden 1970.

(63) Festschrift für Hector Ammann, siehe unter Beiträge zur Wirtschafts- und Stadtgeschichte (Nr. 63).

265 Paul Albert Février, Le développement urbain en Provence de l'époque romaine à la fin du XIVe siècle, Paris 1964 = Bibliothèque des Ecoles françaises d'Athènes et de Rome Fasc. 202.

266 Zdeněk Fiala, Die Anfänge Prags. Eine Quellenanalyse zur Ortsterminologie bis zum Jahre 1235, Wiesbaden 1967 = Gießener Abhandlungen zur Agrar- und Wirtschaftsforschung des europäischen Ostens 40.

267 Finances et comptabilités urbaines du XIIIe au XVIe siècle. Colloque international Blankenberge 6.–9. IX. 1962, Brüssel 1964 = Pro Civitate. Collection Histoire in-8o, Nr. 7.

268 Jürgen Findeisen, Spuren römerzeitlicher Siedlungsvorgänger im Dorf- und Stadtbild Süddeutschlands und seiner Nachbargebiete, Bonn 1970 (phil. Diss.).

269 Charlotte Fischer, Die Terra-Sigillata-Manufaktur von Sinzig a. Rhein, Köln, Graz 1969 = Rheinische Ausgrabungen 5.

270 Herbert Fischer, Burgbezirk und Stadtgebiet im deutschen Süden, Wien 1956.

271 Herbert Fischer, Die Siedlungsverlegung im Zeitalter der Stadtbildung. Unter bes. Berücksichtigung des österreichischen Raumes, Wien 1952 = Wiener rechtsgeschichtliche Arbeiten 1.

272 Joachim Fischer, Frankfurt und die Bürgerunruhen in Mainz (1332–1462), Mainz 1938 = Beiträge zur Geschichte der Stadt Mainz Bd. 15.

273 Enrico Fiumi, Demografia, movimento urbanistico e classi sociali in

Prato dall'età comunale ai tempi moderni, Florenz 1968 = Biblioteca storica toscana 14.

274 Enrico Fiumi, Sui rapporti economici tra città e contado nell'età comunale, in: Archivio storico italiano 114, 1956.

275 Enrico Fiumi, Storia economica e sociale di S. Gimigniano, Florenz 1961.

276 Klaus Flink, Geschichte der Burg, der Stadt und des Amtes Rheinbach, Bonn 1965 = Rheinisches Archiv 59.

277 Claude Fohlen, Histoire de Besançon. Des origines à la fin du XVIe siècle, 2 Bde., Paris 1964–65.

278 La foire, Brüssel 1953 = Recueils de la Société Jean Bodin Bd. V.

279 José Maria Font Rius, Cartas de poblacion y Franquicia de Cataluna, 2 Bde., Madrid, Barcelona 1969.

280 José Maria Font Rius, Origines del Regimen municipale de Cataluna, in: Anuario de historia del derecho Español 16, 1945; 17, 1946.

281 Zur Frage der Periodengrenze zwischen Altertum und Mittelalter, hrsg. von Paul Egon Hübinger, Darmstadt 1959 = Wege der Forschung Bd. 51.

282 Die Frage der Kontinuität in den Städten an Mosel und Rhein im Frühmittelalter. Referate und Aussprachen auf der vierten Arbeitstagung des Kreises für landschaftliche deutsche Städteforschung 1962 in Trier, hrsg. von Richard Laufner, in: Westfälische Forschungen 16, 1963.

282a Günther Franz, Hrsg., Deutsche Agrargeschichte, 5 Bde. Stuttgart 1962 ff. (siehe unter Nr. 1, 283, 546).

283 Günther Franz, Geschichte des deutschen Bauernstandes vom frühen Mittelalter bis zum 19. Jahrhundert, Stuttgart 1970 = Deutsche Agrargeschichte, hrsg. von Günther Franz, Bd. 4.

284 Freiburg im Mittelalter. Vorträge zum Stadtjubiläum 1970, hrsg. von Wolfgang Müller, Bühl/Baden 1970 = Veröffentlichungen des Alemannischen Instituts Freiburg/Br. 29.

285 Fritz Fremersdorf, Neue Beiträge zur Topographie des römischen Köln, in: Röm.-germ. Forschungen 18, 1950.

286 Fritz Fremersdorf, Die Denkmäler des römischen Köln. Bd. I: Neuerwerbungen des römisch-germanischen Museums während der Jahre 1923–1927, Köln 1928, ²1964. Bd. II: Urkunden zur Kölner Stadtgeschichte aus römischer Zeit, Köln 1950, ²1963.

287 Fritz Fremersdorf, Die römischen Inschriften Kölns als Quellen der Stadtgeschichte, in: Jb. d. Köln. Geschichtsvereins 25, 1950.

288 Ferdinand Frensdorff, Das Stadtrecht von Wisby, in: Hans. Geschbll. 22, 1916.

289 Sheppard Frere, Britannia: A History of Roman Britain, London 1967 = History of the Provinces of the Roman Empire, ed. by Donald Duddle Bd. 1.

290 Heinz F. Friederichs, Entstehung und Frühgeschichte des ältesten Friedberger Patriziats, in: Wetterauer Geschichtsblätter 10, 1961.

291 Heinz F. Friederichs, Herkunft und ständische Zuordnung des Patriziats der wetterauischen Reichsstädte bis zum Ende des Staufertums, in: Hess. Jb. f. Landesgesch. 9, 1959.

292 Birgitta Fritz, Helgö und die Vorgeschichte der Skandinavischen Stadt, in: Antikvariskt Arkiv 38, 1970 (Stockholm).

293 Konrad Fritze, Am Wendepunkt der Hanse. Untersuchungen zur Wirtschafts- und Sozialgeschichte Wendischer Hansestädte in der ersten Hälfte des 15. Jhds., Berlin 1967 = Veröffentlichungen d. Hist. Inst. d. Ernst-Moritz-Arndt-Universität Greifswald Bd. 3.

294 Karl Frölich, Kaufmannsgilde und Stadtverfassung im Mittelalter, in: Festschrift Alfred Schultze zum 70. Geburtstag, hrsg. von Walth. Merk, Weimar 1934.

295 Karl Frölich, Kirche und städtisches Verfassungsleben im Mittelalter, in: ZRG Kan. Abt. 22, 1933.

296 Karl Frölich, Das Stadtbild von Goslar im Mittelalter, Gießen 1949 = Beiträge zur Geschichte der Stadt Goslar H. 11.

297 Karl Frölich, Zur Verfassungstopographie der deutschen Städte des Mittelalters, in: ZRG Germ. Abt. 58, 1938.

298 Jörg Füchtner, Die Bündnisse der Bodenseestädte bis zum Jahre 1390, Göttingen 1970 = Veröffentlichungen des Max-Planck-Instituts für Geschichte 8.

299 E. Fügedi, Die Entstehung des Städtewesens in Ungarn, in: Alba Regia, Annales Musei Stephani Regis 10, 1969.

300 Führer zu vor- und frühgeschichtlichen Denkmälern. Bd. 5: Saarland, Mainz 1966.

301 Josianne Gaier-Lhoest, L'Evolution topographique de la ville de Dinant au moyen-âge, Brüssel 1964 = Pro Civitate. Collection Histoire. Sér. in-8⁰ Nr. 4.

302 Giuseppe Galasso, Il commercio amalfitano nel periodo normanno, in: Studi in onore di Riccardo Filangieri, Bd. 1, Neapel 1959.

303 François Louis Ganshof, Bemerkungen zu einer flandrischen Gerichtsurkunde, in: Festschrift Percy Ernst Schramm zu seinem 70. Geburtstag, hrsg. von Peter Classen und Peter Scheibert, Bd. 2, Wiesbaden 1964.

304 François Louis Ganshof, Les bureaux du tonlieu de Marseille et de Fos. Contributions à l'histoire des institutions financières de la monarchie franque, in: Etudes historiques à la mémoire de Noël Didier, Paris 1960.

305 François Louis Ganshof, Le Comté de Flandre, la ville de Bruges, Paris 1962.

306 François Louis Ganshof, Einwohnergenossenschaft und Graf in den flandrischen Städten während des 12. Jhds., in: ZRG Germ. Abt. 74, 1957.

307 François Louis Ganshof, Etude sur le développement des villes entre Loire et Rhin au Moyen Age, Paris 1943. Übersetzung von 310.

308 François Louis Ganshof, Jets over Brugge gedurende de preconstitutioneele periode van haar geschiedenis, in: Nederl. Historiebladen 1, 1938.

309 François Louis Ganshof, Note sur l'inquisitio de theloneis Raffelstettensis, in: Le Moyen Age 72, 1966.

310 François Louis Ganshof, Over stadsontwikkeling tusschen Loire en Rijn gedurende de Middeleeuwen, Antwerpen 1941 = Verhandelin-

gen v. d. Koninkl. Vlaamse Acad. v. Wetensch., Letteren en Schone Kunsten v. Belgie. Kl. d. Letteren Jg. 3, No. 1.

311 Julian Garcia Sainz de Baranda, La ciudad de Burgos y su concejo en la Edad Media, 2 Bde., Burgos 1967.

312 Fritz Gause, Die Geschichte der Stadt Königsberg in Preußen, 2 Bde., Köln, Graz 1965 u. 1968 = Ostmitteleuropa in Vergangenheit und Gegenwart 10, 1 u. 10, 2.

313 J. Gautier Dalché, Les mouvements urbains dans le nord-ouest de l'Espagne au XIIe siècle. Influences étrangères ou phénoménes originaux?, in: Cuadernos de Historia. Anexos de la revista Hispania (Madrid) 2, 1968.

(780) Gedächtnisschrift Fritz Rörig, siehe unter Städtewesen und Bürgertum . . . (Nr. 780).

314 Dietrich Gerhard, Regionalismus und ständisches Wesen als ein Grundthema europäischer Geschichte, in: HZ 174, 1952.

315 Germania Romana. Bd. I: Römerstädte in Deutschland, Heidelberg 1960 = Gymnasium Beiheft 1. Bd. II: Kunst und Kunstgewerbe im römischen Deutschland, Heidelberg 1965 = Gymnasium Beiheft 5. Bd. III: Römisches Leben auf germanischem Boden, Heidelberg 1970 = Gymnasium Beiheft 7.

316 Rafael Gibert, El Derecho municipal de León y Castilla, in: Anuario de historia del derecho Español 31, 1961.

317 Aleksander Gieysztor, Aux origines de la ville slave: ville de Grands, ville d'Etat au IXe–XIe siècle, in: Cahiers bruxellois 12, 1967.

318 Aleksander Gieysztor, Le origini delle città nella Polonia medièvale, in: Studi in onore di Armando Sapori, 2 Bde., Mailand 1957.

319 Aleksander Gieysztor, Les structures économiques en pays slaves à l'aube du moyen-âge jusqu'au XIe siècle et l'échange monétaire, in: Moneta e scambi nell'alto medioevo, Spoleto 1961 = Settimane di studio del centro ital. di studi sull'alto medioevo 8.

320 Karl Glöckner, Die Lage des Marktes im Stadtgrundriß, in: Nassauische Annalen 65, 1954.

321 Philippe Godding, La bourgeoisie foraine de Bruxelles du XIVe au XVIe siècle, in: Cahiers bruxellois 7, 1962.

322 Philippe Godding, Le droit foncier à Bruxelles au moyen-âge, Brüssel 1960 = Etudes d'histoire et d'ethnologie juridiques 1.

323 Carsten Goehrke, Die Sozialstruktur des mittelalterlichen Nowgorod, in: Untersuchungen zur gesellschaftlichen Struktur der mittelalterlichen Städte in Europa. Reichenau-Vorträge 1963–1964, Konstanz, Stuttgart 1966 = Vorträge und Forschungen Bd. 11.

324 Otto Gönnenwein, Das Stapel- und Niederlagsrecht, Weimar 1939.

325 Theodor Goerlitz, Verfassung, Verwaltung und Recht der Stadt Breslau, Würzburg 1962 = Quellen und Darstellungen zur schlesischen Geschichte Bd. 7.

326 Hans Goetting, Die Anfänge der Stadt Gandersheim. Wik, mercatus und forum als Stufen der frühstädtischen Entwicklung, in: Bll. f. dt. Landesgesch. 89, 1952.

327 Walter Goetz, Die Entstehung der italienischen Kommunen im frühen Mittelalter, München 1944 = Sbb. d. Bayerischen Akad. d. Wiss., Phil.-hist. Kl. Jg. 44, H. 1.

328 Julio González, Repartimento de Sevilla. Estudio y edición 2 Bde., Madrid 1951.
329 Erich Gose, Katalog der frühchristlichen Inschriften in Trier, Berlin 1958 = Trierer Grabungen und Forschungen Bd. 3.
330 Roger Grand, Les paix d'Aurillac, Paris 1945.
331 Gregor v. Tours, Gregorii episcopi Turonensis Historiarum libri decem, hrsg. von Rudolf Buchner, 2 Bde., Darmstadt 1959 = Ausgewählte Quellen zur deutschen Geschichte des Mittelalters. Freiherr vom Stein-Gedächtnisausgabe Bd. 2 und 3.
332 Philip Grierson, Commerce in the Dark Ages: a Critique of the Evidence, London 1959 = Transactions of the Royal Historical Society 5. Ser. Vol. 9.
333 Philip Grierson, Carolingian Europe and the Arabs: The Myth of the Mancus, in: Revue belge de phil. et d'hist. 32, 1954.
334 Paul Grimm, Archäologische Beiträge zur Lage ottonischer Marktsiedlungen in den Bezirken Halle und Magdeburg, in: Jahresschrift für mitteldeutsche Vorgeschichte 41/42, 1958.
335 Paul Grimm, Zum Stand der archäologischen Erforschung der Stadtentwicklung in der Deutschen Demokratischen Republik, in: Visbysymposiet für historika vetenskapen 1963.
336 Paul Grimm, Zum Verhältnis von Burg und Stadt nach archäologischen Beobachtungen in Mittel- und Ostdeutschland, in: Omagiu lui K. Daicoviciu cu prilejul implinerii a 60 de ani, Academia rep. pop. Romine 1960.
337 Charles Gross, A Bibliography of British Municipal History. Including Gilds and Parliamentary Representation, London ²1966.
338 Wilhelm Grotelüschen, Die Städte am Nordostrande der Eifel, Bonn, Köln 1933 = Beiträge zur Landeskunde der Rheinlande R. 2 H. 1.
339 Klaus-Detlev Grothusen, Entstehung und Geschichte Zagrebs bis zum Ausgang des 14. Jahrhunderts, Wiesbaden 1967 = Osteuropastudien der Hochschulen des Landes Hessen. Reihe 1 = Gießener Abhandlungen zur Agrar- und Wirtschaftsforschung des europäischen Ostens Bd. 37.
340 Herbert Grundmann, Religiöse Bewegungen im Mittelalter, Darmstadt ²1961.
341 Herbert Grundmann, Zur Geschichte der Beginen im 13. Jhd., in: Archiv f. Kulturgeschichte 21, 1931.
342 Hans Güldner, Unsere Stadt — Tragödie einer Spätkultur, Pinneberg b. Hamburg 1968.
343 Karl Gutkas, St. Pölten. Werden und Wesen einer österreichischen Stadt, St. Pölten 1964.
344 Paul Guyer, Bibliographie der Städtegeschichte der Schweiz, Zürich 1960 = Schweizerische Zeitschrift für Geschichte Beiheft 11.
345 J. C. de Haan, De italiaansche stadscommune van consulaat tot signorie, in: Tijdschr. v. Geschiedenis 54, 1939.
346 J. C. de Haan, De wording van de italiaansche stadscommune in de Middeleeuwen, in: Tijdschr. v. Geschiedenis 51, 1936.
347 Werner Haarnagel, Die Ergebnisse der Grabung Feddersen Wierde, in: Germania 41, 1963.
348 Werner Haarnagel, Die Grabung Feddersen Wierde und ihre Be-

deutung für die Erkenntnisse der bäuerlichen Besiedlung im Küstengebiet..., in: Zeitschrift für Agrarsoziologie 2, 1963.

349 Werner Haarnagel, Die frühgeschichtliche Handels-Siedlung Emden und ihre Entwicklung bis ins Mittelalter, in: Friesisches Jahrbuch 1955.

350 Carl Haase, Die Entstehung der westfälischen Städte, Münster ²1965.

(775a) Carl Haase, Hrsg., siehe unter Die Stadt des Mittelalters... (Nr. 775a).

351 Waldemar Haberey, Die römischen Wasserleitungen nach Köln, Düsseldorf 1971.

352 Rolf Hachmann, Georg Kossack, Hans Kuhn, Völker zwischen Germanen und Kelten, Neumünster 1962.

353 Walter Hävernick, Der Kölner Pfennig im 12. und 13. Jahrhundert, Stuttgart 1930 = VSWG Beih. 18.

354 Ernst Hamm, Die Städtegründungen der Herzöge von Zähringen in Südwestdeutschland, Freiburg/Br. 1932 = Veröffentlichungen des Alemannischen Instituts Freiburg/Br. 1.

355 Handbuch der Geschichte der böhmischen Länder, hrsg. von Karl Bosl, Stuttgart 1967.

356 Die Deutsche Hanse als Mittler zwischen Ost und West, hrsg. von Leo Brandt, Köln, Opladen 1963 = Wissenschaftliche Abhandlungen d. Arbeitsgemeinschaft f. Forschungen d. Landes Nordrhein-Westfalen 27.

357 J. Hansen, Stadterweiterung, Stadtbefestigung, Stadtfreiheit im Mittelalter, in: Mitteilungen des Rheinischen Vereins f. Denkmalpflege und Heimatschutz 5, 1911.

358 Das Hauptstadtproblem in der Geschichte. Festgabe zum 90. Geburtstag Friedrich Meineckes, Tübingen 1952 = Jahrbuch für Geschichte des deutschen Ostens Bd. 1.

359 Jacques Heers, Gênes au XVe siècle, Paris 1961 = EPHE VIe sec. Sér. Affaires et gens d'affaires 24.

360 Jacques Heers, L'occident aux XIVe et XVe siècles. Aspects économiques et sociaux, Paris 1963 = Nouvelle Clio 23.

361 Jacques Heers, Urbanisme et structure sociale à Gênes au moyen-âge, in: Studi in onore di Amintore Fanfani, Bd. 1, Mailand 1962.

362 Eduard Hegel, Die Entstehung des mittelalterlichen Pfarrsystems der Stadt Köln, in: Kölner Untersuchungen, hrsg. von Walther Zimmermann, Ratingen 1950 = Die Kunstdenkmäler im Landesteil Nordrhein Beih. 2.

363 Eduard Hegel, Die rheinische Kirche in römischer und frühfränkischer Zeit, in: Das erste Jahrtausend. Kultur und Kunst im werdenden Abendland an Rhein und Ruhr. Textband I, hrsg. von Kurt Böhner, Victor H. Elbern u. a., Düsseldorf ²1963.

364 Eduard Hegel, Kölner Kirchen und die Stadtzerstörungen von 350 und 881, in: Kölner Untersuchungen, hrsg. von Walther Zimmermann, Ratingen 1950 = Die Kunstdenkmäler im Landesteil Nordrhein Beih. 2.

365 Fritz M. Heichelheim, An Ancient Economic History from the Palaeolithic Age to the Migrations of the Germanic, Slavic and Arabic Nations, 2 vol., Leyden 1958–1964.

366 Fritz M. Heichelheim, Römische Sozial- und Wirtschaftsgeschichte. Von der Königszeit bis Byzanz, in: Historia Mundi IV, 1956.

367 Hermann Heimpel, Nürnberg und das Reich des Mittelalters, in: Zschr. f. bayer. Landesgesch. 16, 1951.

368 Hermann Heimpel, Seide aus Regensburg, in: MIÖG 62, 1954.

369 Hermann Heimpel, Auf neuen Wegen der Wirtschaftsgeschichte, in: Vergangenheit und Gegenwart 32, 1933.

370 Paul Heinsius, Das Schiff der hansischen Frühzeit, Köln, Graz, 1956.

371 Pierre Héliot, Sur les résidences princières bâties en France du Xe au XIIe siècle, in: Le Moyen Age 61, 1955.

372 Manfred Hellmann, Grundfragen slavischer Verfassungsgeschichte des frühen Mittelalters, in: Jbb. für Gesch. Osteuropas N. F. 2, 1954.

372a Helmoldi presbyteri Bozoviensis Chronica Slavorum, Berlin 1963 = Ausgewählte Quellen zur deutschen Geschichte des Mittelalters 19.

373 Richard Hennig, Terrae incognitae. Eine Zusammenstellung und kritische Bewertung der wichtigsten vorcolumbischen Entdeckungsreisen an Hand der darüber vorliegenden Originalberichte, Bd. II, Leiden ²1950; Bd. III, Leiden ²1953.

374 Witold Hensel, Anfänge der Städte bei den Ost- und Westslaven, Bautzen 1967.

375 Witold Hensel, Poznań w zaranin dziejów, Wrocław (Breslau) 1968.

376 Stanislaus Herbst, Les études polonaises d'histoire urbaine, in: Cahiers bruxellois 12, 1967.

377 David Herlihy, Pisa in the Early Renaissance. A Study of Urban Growth, New Haven, Yale 1958.

378 David Herlihy, Medieval and Renaissance Pistoia. The Social History of an Italian Town. 1200–1430, New Haven, London 1967.

379 David Herlihy, Santa Maria Impruneta: a Rural Commune in the Late Middle Ages, in: Florentine Studies, hrsg. von Nicolai Rubinstein, London ²1968.

380 Erich Herzog, Die ottonische Stadt. Die Anfänge der mittelalterlichen Stadtbaukunst in Deutschland, Berlin 1964.

381 Wolfgang Heß, Geldwirtschaft am Mittelrhein in karolingischer Zeit, in: Bll. f. dt. Landesgesch. 98, 1962.

382 Wolfgang Heß, Hersfeld, Fulda und Erfurt als frühe Handelsniederlassungen, in: Festschrift für Harald Keller zum 60. Geburtstag, hrsg. von Hans Martin Frhr. von Erffa und Elisabeth Herget, Darmstadt 1963.

383 Wolfgang Heß, Der Hersfelder Marktplatz. Ursprung und Bedeutung der Ebenheit für die Entwicklung der Stadt, in: Hess Jb. f. Landesgesch. 4, 1954.

384 Wolfgang Heß, Hessische Städtegründungen des Landgrafen von Thüringen, Marburg 1966.

385 Charles Higounet, Cisterciens et bastides, in: Le Moyen Age 56, 1950.

386 Charles Higounet, Bordeaux pendant le haut moyen-âge, Bordeaux 1963 = Histoire de Bordeaux 2.

387 Charles Higounet, Les forêts de l'Europe occidentale du Ve au XIe siècle, in: Agricultura e mondo rurale in occidente nell'alto medioevo,

Spoleto 1966 = Settimane di studio del centro ital. di studi sull'alto medioevo 13.

388 Rudolf Hillebrecht, Stadtentwicklung — wozu und wohin?, in: Bild der Wissenschaft April 1967.

389 Histoire du commerce de Marseille, 5 Bde., Paris 1949 ff. Bd. 1: hrsg. von Raoul Busquet u. Régine Pernoud, Paris 1949. Bd. 2: hrsg. von Edouard Baratier u. Félix Reynaud, Paris 1952. Bd. 3: hrsg. von Raymond Collier u. Joseph Billioud, Paris 1951. Bd. 4: hrsg. von Louis Bergasse u. Gaston Rambert, Paris 1954. Bd. 5: hrsg. von R. Paris (Index), Paris 1956.

390 Eduard Hlawitschka, Franken, Alamannen, Bayern und Burgunder in Oberitalien. Zum Verständnis der fränkischen Königsherrschaft in Italien (774—962), Freiburg 1960 = Forschungen zur oberrheinischen Landesgeschichte Bd. 8.

391 Hans Hoederath, Forensis ecclesia, in: ZRG Kan. Abt. 67, 1950.

392 Albert K. Hömberg, Zur Erforschung des westfälischen Städtewesens im Hochmittelalter, in: Westfälische Forschungen 14, 1961.

(253) Wilhelm Holmquist, Hrsg., siehe unter Excavations at Helgö . . . (Nr. 253).

393 Wilhelm Holmquist, Die Metallwerkstätten auf Helgö, in: Kölner Jahrbuch f. Vor- und Frühgesch. 9, 1967/68.

394 J. H. Holwerda, Dorestad en onse vroegste middeleeuwen, Leiden 1929.

395 J. H. Holwerda, Aus Holland, in: Berichte der Römisch-germanischen Kommission 16, 1925/26.

396 J. A. van Houtte, Die Beziehungen zwischen Köln und den Niederlanden vom Hochmittelalter bis zum Beginn des Industriezeitalters, Köln 1969 = Kölner Vorträge zur Sozial- und Wirtschaftsgeschichte H. 1.

397 J. A. van Houtte, Die Handelsbeziehungen zwischen Köln und den südlichen Niederlanden bis zum Ausgang des 15. Jahrhunderts, in: Jb. d. Köln. Geschichtsvereins 23, 1941.

398 J. A. van Houtte, Het ontstaan van de grote internationale markt van Antwerpen op het einde der Middeleeuwen, in: Econ. en Sociaal Tijdschrift 8, 1954.

399 J. A. van Houtte, Die Städte der Niederlande im Übergang vom Mittelalter zur Neuzeit, in: RhVjbll. 27, 1962.

400 Jean Hubert, Evolution de la topographie et de l'aspect des villes de Gaule du Ve au Xe sc., in: La città nell'alto medioevo, Spoleto 1959 = Settimane di studio del centro ital. di studi sull'alto medioevo 6.

(62) Paul Egon Hübinger, Hrsg., siehe unter Bedeutung und Rolle des Islam . . . (Nr. 62).

(281) Paul Egon Hübinger, Hrsg., siehe unter Zur Frage der Periodengrenze . . . (Nr. 281).

(483) Paul Egon Hübinger, Hrsg., siehe unter Kulturbruch oder Kulturkontinuität . . . (Nr. 483)

401 Paul Egon Hübinger, Spätantike und Frühes Mittelalter, in: Deutsche Vierteljahrsschrift f. Literaturwissenschaft u. Geistesgeschichte 26, 1952.

402 Arnold Hugh, Martin Jones, The Later Roman Empire. 284–602, Norman/Oklahoma 1964.

403 Lajos Huszár, Der Umlauf der Kölner Denare im mittelalterlichen Ungarn, in: Dona numismatica. Walter Hävernick zum 23. Januar 1965 dargebracht, hrsg. von Peter Berghaus u. a., Hamburg 1965.

404 Ces. Imperiale, Codice diplomatico della Repubblica di Genova, 2 Bde., Rom 1936–38.

405 L'impôt dans le cadre de la ville et de l'état. Colloque international Spa 1964, Brüssel 1966 = Pro Civitate. Collection Histoire in-8⁰, Nr. 13.

406 Franz Irsigler, Untersuchungen zur Geschichte des frühfränkischen Adels, Bonn 1969 = Rheinisches Archiv 70.

(71) G. Jacob, Hrsg., siehe unter Arabische Berichte . . . (Nr. 71).

407 Jahresberichte des Landesmuseums und des Landesdienstes für Vor- und Frühgeschichte im Regierungsbezirk Trier und im Kreis Birkenfeld 1945–1958, in: Trierer Zeitschrift 24–26, 1956–1958.

408 Herbert Jankuhn, Haithabu, ein Handelsplatz der Wikingerzeit, Neumünster ⁴1965.

409 Herbert Jankuhn, Probleme des rheinischen Handels nach Skandinavien im frühen Mittelalter, in: RhVjbll 15/16, 1950/51.

410 Herbert Jankuhn, Die frühmittelalterlichen Seehandelsplätze im Nord- und Ostseeraum, in: Studien zu den Anfängen des europäischen Städtewesens. Reichenau-Vorträge 1955–1956, Lindau, Konstanz 1958 = Vorträge und Forschungen Bd. 4.

411 Herbert Jankuhn, Die Slawen in Mitteleuropa im Spiegel neuer archäologischer Forschungsergebnisse, in: Bll. f. dt. Landesgesch. 106, 1970.

412 Walter Janssen, Mittelalterliche deutsche Keramik in Norwegen und ihre Bedeutung für die Handelsgeschichte, in: Studien zur europäischen Vor- und Frühgeschichte, hrsg. von Martin Claus, Neumünster 1968.

413 Konrad Jazdzewski, Gdansk wczesnós redniowieczny w swietle wykopalisk (Das frühmittelalterliche Danzig im Lichte der Ausgrabungen), Danzig 1961.

414 Horst Jecht, Studien zur gesellschaftlichen Struktur der mittelalterlichen Städte, in: VSWG 19, 1926.

415 W. Jecht, Neue Untersuchungen zur Gründungsgeschichte der Stadt Görlitz und zur Entstehung des Städtewesens in der Oberlausitz, in: Neues Laus. Magazin 95, 1919.

416 Paul Johansen, Die Kaufmannskirche im Ostseegebiet, in: Studien zu den Anfängen des europäischen Städtewesens. Reichenau-Vorträge 1955–1956, Lindau, Konstanz 1958 = Vorträge und Forschungen Bd. 4.

417 Paul Johansen, Nordische Mission, Revals Gründung und die Schwedensiedlung in Estland, Stockholm 1951 = Kungl. Vitterhets Historie och Antikvitets Akademiens Handlingar Del 74.

418 Paul Johansen, Nowgorod und die Hanse, in: Städtewesen und Bürgertum als geschichtliche Kräfte. Gedächtnisschrift Fritz Rörig, hrsg. von Ahasver v. Brandt und W. Koppe, Lübeck 1953.

419 Paul Johansen, Umrisse und Aufgaben der hansischen Siedlungsgeschichte und Kartographie, in: Hans. Geschbll. 73, 1955.

420 Oscar Albert Johnsen, Der deutsche Kaufmann in der Wiek in Norwegen im späteren Mittelalter, in: Hans. Geschbll. 53, 1928.

421 H. M. Jones, The Cities of the Eastern Roman Provinces, Oxford ²1971.

422 H. M. Jones, The Cities of the Roman Empire. Political, Administrative and Judicial Institutions, in: La ville. Bd. I: Institutions administratives et judiciaires, Brüssel 1954 = Recueils de la Société Jean Bodin Bd. VI.

423 H. M. Jones, The Economic Life of the Towns of the Roman Empire, in: La ville. Bd. II: Institutions économiques et sociales, Brüssel 1955 = Recueils de la Société Jean Bodin Bd. VII.

424 P. J. Jones, From Manor to Mezzadria: a Tuscan Case-study in the Medieval Origins of Modern Agrarian Society, in: Florentine Studies, hrsg. von Nicolai Rubinstein, London ²1968.

425 Karl Jordan, Die Städtepolitik Heinrichs des Löwen. Eine Forschungsbilanz, in: Hans. Geschbll. 78, 1960.

426 André Joris, Der Handel der Maasstädte im Mittelalter, in: Hans. Geschbll. 79, 1961.

427 André Joris, Huy et sa charte de franchise 1066, Brüssel 1966 = Pro Civitate. Collection Histoire. Sér. in-4⁰, Nr. 3.

428 André Joris, La notion de „ville", in: Les catégories en histoire, hrsg. von Chaim Perelman, Brüssel 1969.

429 André Joris, Un problème d'histoire mosane: la prospérité de Huy aux environs de 1300, in: Le Moyen Age 58, 1952.

430 André Joris, Quelques problèmes relatifs au patriciat hutois du XIe au XIIIe siècle, in: Annales du Congrès de la Fédération hist. et archéol. de Belgique 36, 1955.

431 André Joris, La ville de Huy au moyen âge, des origines à la fin du XIVe siècle, Paris 1959 = Bibliothèque de la Faculté de Philosophie et Lettres de l'Université de Liège Fasc. 152.

432 Paul Kaegbein, Hrsg., siehe unter Fritz Rörig, Wirtschaftskräfte im Mittelalter . . . (Nr. 694).

433 Jiři Kejř, Les privilèges des villes de Bohème depuis les origines jusqu'aux guerres hussites (1419), in: Les libertés urbaines et rurales. Pro civitate, Collection Histoire 19, 1968.

434 Jiři Kejř, Zwei Studien über die Anfänge der Städteverfassung in den böhmischen Ländern, in: Historica 16, 1969 (Prag, Akademie).

435 Hermann Kellenbenz, Der Aufstieg Kölns zur mittelalterlichen Handelsmetropole, Köln 1967 = Ges. f. Rhein. Geschichtskunde, Vorträge Nr. 17.

436 Hermann Kellenbenz, Bürgertum und Wirtschaft in der Reichsstadt Regensburg, in: Bll. f. dt. Landesgesch. 98, 1962.

437 Hermann Kellenbenz, Der italienische Großkaufmann und die Renaissance, in: VSWG 45, 1958.

438 Hermann Kellenbenz, Die Juden in der Wirtschaftsgeschichte des rheinischen Raumes, in: Monumenta Judaica. 2000 Jahre Geschichte und Kultur der Juden am Rhein, Köln 1963.

439 Hermann Kellenbenz, Bäuerliche Unternehmer im Bereich der Nord- und Ostsee vom Hochmittelalter bis zum Ausgang der neueren Zeit, in: VSWG 49, 1962.

440 Robert v. Keller, Freiheitsgarantien für Person und Eigentum im Mittelalter, Heidelberg 1933 = Deutschrechtliche Beiträge Bd. XIV H. 1.

441 Theodor Konrad Kempf, Die altchristliche Bischofsstadt Trier, in: Rheinischer Verein f. Denkmalpflege und Heimatschutz Jg. 1952.

442 Gottfried Kentenich, Geschichte der Stadt Trier von ihrer Gründung bis zur Gegenwart, Trier 1915.

443 Kathleen Kenyon, Archäologie im Heiligen Land, Neukirchen-Vluyn 1967.

444 Friedrich Keutgen, Ämter und Zünfte. Zur Entstehung des Zunft- wesens, Jena 1903. Neudruck Aalen 1965.

445 Friedrich Keutgen, Urkunden zur städtischen Verfassungsgeschichte, Berlin 1899. Neudruck Aalen 1965.

446 Erich Keyser, Die Ausbreitung der Pest in den deutschen Städten, in: Ergebnisse und Probleme moderner geographischer Forschung. Hans Mortensen zu seinem 60. Geburtstag, Bremen 1954 = Raumfor- schung und Landesplanung. Abhandlungen 28.

447 Erich Keyser, Die polnischen Ausgrabungen in Alt-Danzig, in: Zschr. f. Ostforschung 12, 1963.

(79) Erich Keyser, Hrsg., siehe unter Bibliographie zur Städtegeschichte Deutschlands (Nr. 79).

(779) Erich Keyser, Hrsg., siehe unter Deutsches Städtebuch (Nr. 779).

448 Erich Keyser, Städtegründungen und Städtebau in Nordwestdeutsch- land, 2 Bde., Remagen 1958.

(216) C. van de Kieft, J. F. Niermeyer, Hrsg., siehe unter Elenchus fon- tium . . . (Nr. 216).

449 Walther Kienast, Rezension zu Vincenz Samanek, Studien zur Ge- schichte König Adolfs, Wien 1930, in: Hz 143, 1931.

450 Bernhard Kirchgässner, Währungspolitik, Stadthaushalt und soziale Fragen südwestdeutscher Reichsstädte im Spätmittelalter, in: Esslin- ger Studien (Jb. f. Gesch. d. oberdt. Reichsstädte) 11, 1965.

451 Bernhard Kirchgässner, Wirtschaft und Bevölkerung der Reichsstadt Eßlingen im Spätmittelalter, in: Esslinger Studien 9, 1964.

(825) Karl-Heinz Kirchhoff, Bearb., siehe unter Territorien und Städte- wesen (Nr. 825).

452 Erich Kittel, Die städtischen Siegel und Wappen und der Landes- herr im Mittelalter, in: Festschrift zum hundertjährigen Bestehen des Herold zu Berlin 1869–1969, Berlin 1969.

453 Ernst Klebel, Die Städte und Märkte des baierischen Stammesgebie- tes in der Siedlungsgeschichte, in: Zschr. f. bayer. Landesgesch. 12, 1939/40.

454 Herbert Klein, Beiträge zur Geschichte der Stadt Salzburg im Mittel- alter, in: Mitteilungen d. Ges. f. Salzburger Landeskunde 107, 1967.

455 Arthur Kleinclausz, Histoire de Lyon. I. Des origines à 1595, Lyon 1939.

456 Paul Kletler, Nordwesteuropas Verkehr, Handel und Gewerbe im frühen Mittelalter, Wien 1924 = Deutsche Kulturhistorische Reihe 2.

457 Friedrich v. Klocke, Patriziat und Stadtadel im alten Soest, Lübeck 1927 = Pfingstbll. d. Hans. Geschver. 18.

458 Friedrich v. Klocke, Das Patriziatsproblem und die Werler Erbsälzer, Münster 1965 = Veröffentlichungen der Hist. Komm. Westfalens 22 = Geschichtliche Arbeiten zur westfälischen Landesforschung Bd. 7.

459 Rudolf Klöpper, Der geographische Stadtbegriff, in: Geographisches Taschenbuch, hrsg. von Emil Meynen, Stuttgart 1956/57.

460 Rudolf Klöpper, Rheinische Städte. Entwicklung und heutige Stellung, in: Beiträge zur Rheinkunde 15, 1963.

461 John Knaepen, Les anciennes foires internationales de Visé (IXe-XIIIe siècles), in: Bulletin de l'Institut archéol. liégeois 129, 1966.

(670) Richard Knipping, Hrsg., siehe unter Die Regesten der Erzbischöfe von Köln . . . (Nr. 670).

(778) Herbert Knittler, Hrsg., siehe unter Die Städte Oberösterreichs (Nr. 778).

462 A. C. F. Koch, Die Anfänge der Stadt Deventer, in: Westfälische Forschungen 10, 1957.

463 A. C. F. Koch, Brugge's topografische ontwikkeling tot in de 12e eeuw, in: Handelingen van het Genootschap „Société d'Emulation" te Brugge 94, 1962.

464 Gerhard Köbler, Zur Entstehung des mittelalterlichen Stadtrechtes, in: ZRG Germ. Abt. 86, 1969.

465 Richard Koebner, Die Anfänge des Gemeinwesens der Stadt Köln, Bonn 1922.

466 Richard Koebner, Zur ältesten Geschichte des nordholländischen Städtewesens, in: VSWG 18, 1925.

466a Köln, das Reich und Europa. Abhandlungen über weiträumige Verflechtungen der Stadt Köln in Politik, Recht und Wirtschaft im Mittelalter, Köln 1971 = Mitt. aus dem Stadtarchiv Köln 60.

(775) René König u. a., Mitarb., siehe unter Die Stadt als Lebensform (Nr. 775).

467 Rudolf Kötzschke, Markgraf Dietrich von Meißen als Förderer des Städtebaues, in: Neues Archiv f. Sächs. Gesch. u. Altertumskunde 45, 1924.

468 Wilhelm Koppe, Schleswig und die Schleswiger, in: Städtewesen und Bürgertum als geschichtliche Kräfte. Gedächtnisschrift Fritz Rörig, hrsg. von Ahasver v. Brandt und Wilhelm Koppe, Lübeck 1953.

469 Wilhelm Koppe, Das Stockholmer Testament eines deutschen Kaufgesellen, in: Zschr. d. Ver. f. Lübeck. Gesch. u. Altertumskunde 34, 1954.

470 Gustav Korlén, Kieler Bruchstücke kaufmännischer Buchführung aus dem Ende des 13. Jhds., in: Niederdeutsche Mitteilungen des Germ. Seminars zu Lund 5, 1949.

471 Gustav Korlén, Norddeutsche Stadtrechte. I. Das Stader Stadtrecht vom Jahre 1279. II. Das mittelniederdeutsche Stadtrecht von Lübeck nach seinen ältesten Formen, Lund, Kopenhagen 1950/51.

472 Werner Krämer, Manching, ein vindelikisches oppidum an der Donau, in: Neue Ausgrabungen in Deutschland, Berlin 1958.

473 Karl Kroeschell, Rodungssiedlung und Stadtgründung. Ländliches und städtisches Hagenrecht, in: Bll. f. dt. Landesgesch. 91, 1954.

474 Karl Kroeschell, Stadtgründung und Weichbildrecht in Westfalen, Münster 1960 = Schriften d. Hist. Komm. Westfalens 3.

475 Karl Kroeschell, Weichbild. Untersuchungen zur Struktur und Entstehung der mittelalterlichen Stadtgemeinde in Westfalen, Köln, Graz 1960 = Forschungen zur deutschen Rechtsgeschichte Bd. 3.

476 Erik Kroman, Hrsg., Danmarks gamle købstadlovgivning, Bd. 2, Kopenhagen 1952.

477 Bruno Krüger, Die Kietzsiedlungen im nördlichen Mitteleuropa. Beiträge der Archäologie zu ihrer Altersbestimmung, Berlin 1962.

478 H. C. Krueger, Genoese Merchants. Their Association and Investments. 1155 to 1230, in: Studi in onore di Amintore Fanfani, Bd. 1, Mailand 1962.

479 Winfried Küchler, Das Bannmeilenrecht. Ein Beitrag der mittelalterlichen Ostsiedlung zur wirtschaftlichen und rechtlichen Verschränkung von Stadt und Land, Würzburg 1964 = Marburger Ostforschungen 24.

480 Hans Kuhn, Renzension von Paul Heinsius, Das Schiff der hansischen Frühzeit, Köln, Graz 1956, in: Hans. Geschbll. 75, 1957.

481 Walter Kuhn, Die Entstehung der deutschrechtlichen Stadt Płock, in: Zschr. f. Ostforschung 13, 1964.

482 Walter Kuhn, Die Stadtdörfer der mittelalterlichen Ostsiedlung, in: Zschr. f. Ostforschung 20, 1971.

483 Kulturbruch oder Kulturkontinuität im Übergang von der Antike zum Mittelalter, hrsg. von Paul Egon Hübinger, Darmstadt 1967 = Wege der Forschung Bd. 201.

484 Godefroid Kurth, La cité de Liège au moyen-âge, 3 Bde., Brüssel 1910.

485 Dietrich Kurze, Pfarrerwahlen im Mittelalter, Köln, Graz 1966.

486 Bruno Kuske, Die Entstehung der Kreditwirtschaft und des Kapitalverkehrs, in: Die Kreditwirtschaft, Bd. 1, Leipzig 1927 = Kölner Vorträge Bd. 1 und 2; auch in: ders., Köln, der Rhein und das Reich. Beiträge aus fünf Jahrzehnten wirtschaftsgeschichtlicher Forschung, Köln, Graz, 1956.

487 Bruno Kuske, Die Handelsbeziehungen zwischen Köln und Italien im späten Mittelalter, in: Westdt. Zschr. 27, 1910.

488 Bruno Kuske, „Köln". Zur Geltung der Stadt, ihrer Waren und Maßstäbe in älterer Zeit, in: Jb. d. Köln. Geschichtsvereins 17, 1935.

489 Bruno Kuske, Die wirtschaftlichen Leistungen des Maasraumes im 12. und 13. Jahrhundert, in: Zwischen Rhein und Maas, Köln 1942.

490 Bruno Kuske, Quellen zur Geschichte des Kölner Handels und Verkehrs im Mittelalter, 4 Bde., Bonn 1917–1934 = Publikationen d. Ges. f. Rhein. Geschichtskunde 33.

491 Bruno Kuske, Die Wirtschaft der Stadt in älterer Zeit, in: Köln, hrsg. von der Stadt Köln, Köln 1948.

492 José Maria Lacarra, Es desarollo de las ciudades de Navarra y Aragón en la Edad Medià, in: Pireneos 6, 1950.

493 José Maria Lacarra, Documentos para el estudio de la reconquista y repoblación del valle del Ebro, Zaragoza 1946–48 = Estudios de Edad Media de la Corona de Aragón Bd. 2 und 3.

494 José Maria Lacarra, Estella — San Sebastián. Fueros derivados de Jaca 1. Fueros de Navarra I, Pamplona 1969.

495 José Maria Lacarra, Para el estudio del Municipio Navarro medieval, in: Principe de Viana 2, 1941.

496 Hertha Ladenbauer-Orel, Die Burganlage in der Restsiedlung des frühmittelalterlichen Wien, in: Deutsche Akad. d. Wiss. zu Berlin. Schriften d. Sektion f. Vor- und Frühgesch. 25, 1969.

497 Georges de Lagarde, La naissance de l'ésprit laigue au déclin du moyen-âge. II. Secteur social de la scolastique, Löwen, Paris 1958. IV. Guillaume d'Ockham défense de l'Empire, Löwen, Paris 1962.

498 Henning Landgraf, Bevölkerung und Wirtschaft Kiels im 15. Jahrhundert, Neumünster 1959 = Quellen und Forschungen zur Geschichte Schleswig-Holsteins Bd. 39.

499 Götz Landwehr, Die Verpfändung der deutschen Reichsstädte im Mittelalter, Köln, Graz 1967 = Forschungen zur deutschen Rechtsgeschichte Bd. 5.

500 Gioacchino Lanza Tomasi, Le ville di Palermo, Palermo 1966.

501 Joseph Lappe, Wirtschaftsgeschichte der Städte des Kreises Lippstadt. 1. Bd. Zur Geschichte der Sondergemeinde in den westfälischen Städten, in: VSWG 10, 1912.

502 Robert Latouche, La commune de Mans (1070), in: Mélanges d'histoire du moyen-âge dédiées à la mémoire de Louis Halphen, Paris 1951.

503 Robert Latouche, Histoire de Nice, 2 Bde., Nizza 1951–1955.

504 Friedrich Lau, Entwicklung der kommunalen Verfassung und Verwaltung der Stadt Köln bis zum Jahre 1396, Bonn 1898 = Preisschriften der Mevissenstiftung 1.

505 Friedrich Lau, Siegburg, Bonn 1907 = Quellen zur Rechts- und Wirtschaftsgeschichte der rheinischen Städte. Bergische Städte 1.

(282) Richard Laufner, Bearb., siehe unter Die Frage der Kontinuität . . . (Nr. 282).

506 Richard Laufner, Hans Eichler, Hauptmarkt und Marktkreuz in Trier, Trier 1958.

507 Richard Laufner, Der älteste Koblenzer Zolltarif, in: Landeskundliche Vierteljahrsbll. 10, 1964.

(579) R[ichard] Laufner, Jürgen Sydow, Bearb., siehe unter Archäologische Methoden . . . (Nr. 579).

508 Henri Laurent, Un grand commerce d'exportation au moyen-âge. La draperie des Pays Bas en France et dans les pays méditerranéens, Paris 1935.

509 Viktor Nikitich Lazarev, L'art de la Russie médiévale et l'occident XIe–XVe siècles, in: XIIIe Congrès international des sciences historiques, Moskau 1970.

510 Lech Leciejewicz, Die Anfänge und die älteste Entwicklung der westpommerschen Ostseestädte, in: Archäologia Polona 3, 1960.

511 Erich v. Lehe, Die Märkte Hamburgs von den Anfängen bis in die Neuzeit, Wiesbaden 1966 = VSWG Beih. 50.

512 Erich v. Lehe, Die Schuldbücher von Lübeck, Riga und Hamburg, in: Städtewesen und Bürgertum als geschichtliche Kräfte. Gedächtnisschrift Fritz Rörig, hrsg. von Ahasver v. Brandt und W. Koppe, Lübeck 1953.

513 Erich v. Lehe, Stade als Wikort der Frühzeit, in: Stader Jahrbuch 1948.

514 Karl Lehmann, Altnordische und hanseatische Handelsgesellschaften, in: Zschr. f. d. gesamte Handelsrecht 62, 1908.

515 François Lehoux, Le Bourg Saint-Germain-des-Prés depuis ses origines jusqu'à la fin de la Guerre de Cent Ans, Paris 1951.

516 Georges Lesage, Marseille angevine. Recherches sur son évolution administrative, économique et urbaine de la victoire de Charles d'Anjou à l'arrivée de Jeanne Ire (1264–1348), Paris 1950 = Bibliothèque des Ecoles françaises d'Athènes et de Rome Fasc. 168.

517 Chan. Jean Lestocquoy, Abbayes et origines des villes, in: Revue d'hist. de l'Eglise de France 8, 1947.

518 Chan. Jean Lestocquoy, Etudes d'histoire urbaine. Villes et abbayes. Arras au moyen-âge, Arras 1966.

519 Chan. Jean Lestocquoy, Aux origines de la bourgeoisie: Les villes de Flandre et d'Italie sous le gouvernement des patriciens. XIe–XVe siècles, Paris 1952.

520 Chan. Jean Lestocquoy, Patriciens du moyen-âge. Les dynasties bourgeoises d'Arras du XIe au XVe siècle, Arras 1945 = Mém. de la Comm. dép. des Mon. hist. du Pas-de-Calais T. 5, Fasc. 1.

521 Evariste Lévi-Provençal, Histoire de l'Espagne musulmane, Bd. 3, Paris 1953.

522 Wilhelm Levison, Die Bonner Urkunden des frühen Mittelalters, in: Bonner Jahrbücher 136/37, 1932.

523 Ernst Levy, Weströmisches Vulgarrecht. Das Obligationenrecht, Weimar 1956.

524 Ernst Levy, Römisches Vulgarrecht und Kaiserrecht, Mailand 1959.

525 Les libertés urbaines et rurales du XIe au XIVe siècle. Colloque international Spa 5.–8. IX. 1966, Brüssel 1968 = Pro Civitate. Collection Histoire in-8⁰, Nr. 19.

526 Felix Liebermann, Die Gesetze der Angelsachsen, 3 Bde., Halle 1903–1916. Neudruck Aalen 1960.

527 Folke Lindberg, Das Studium der Städtegeschichte in den skandinavischen Ländern, in: Cahiers bruxellois 12, 1967.

528 Mary D. Lobel, The Borough of Burg St. Edmund's, Oxford 1935.

529 Mary D. Lobel, Some Oxford Borough Customs, in: Miscellanea Mediaevalia in memoriam Jan Frederik Niermeyer, Groningen 1967.

(833) Mary D. Lobel, W. H. Johns, Hrsg., siehe unter Historic Towns ... (Nr. 833).

530 Heinrich v. Loesch, Die Grundlagen der ältesten Kölner Gemeindeverfassung, in: ZRG Germ. Abt. 53, 1932.

531 Heinrich v. Loesch, Die Kölner Kaufmannsgilde im 12. Jahrhundert, in: Westdt. Zschr. Ergänzungsheft 12, 1904.

532 Heinrich v. Loesch, Die Kölner Zunfturkunden nebst anderen Kölner Gewerbeurkunden bis zum Jahre 1500, 2 Bde., Bonn 1907.

533 Maurice Lombard, L'évolution urbaine au moyen-âge, in: Annales. Economies, sociétés, civilisations 12, 1957.

534 Maurice Lombard, Un problème cartographié: le bois dans la médievale musulmane VIIe–XIe sc., in: Annales. Economies, sociétés, civilisations 14, 1959.

535 Maurice Lombard, La route de la Meuse et les relations lointaines des pays mosans entre le VIIIe et le XIe siècle, in: L'art mosan, hrsg. von Pierre Francastel, Paris 1953.

536 Ropert S. Lopez, Aux origines du capitalisme Génois, in: Ann. d'hist. écon. et sociale 9, 1937.

537 Ropert S. Lopez, Le marchand génois, in: Annales. Economies, sociétés, civilisations 13, 1958.

538 Ropert S. Lopez, Storia delle colonie genovesi nel Mediterraneo, Bologna 1938.

539 Robert S. Lopez, Irving W. Raymond, Medieval Trade in the Mediterranean World. Illustrative Documents, translated with Introductions and Notes, New York, London 1955.

540 Ferdinand Lot, Recherches sur la population et la superficie des cités remontant à la période gallo-romaine, 3 Bde., Paris 1945–1953.

541 Henry Royston Loyn, Anglo-Saxon England and the Norman Conquest, London 1962.

542 Herbert Ludat, Die Bezeichnung für Stadt im Slawischen, in: Syntagma Friburgense. Historische Studien. Hermann Aubin dargebracht zum 70. Geburtstag, Lindau, Konstanz 1956.

543 Herbert Ludat, Frühformen des Städtewesens in Osteuropa, in: Studien zu den Anfängen des europäischen Städtewesens. Reichenau-Vorträge 1955–1956, Lindau, Konstanz 1958 = Vorträge und Forschungen Bd. 4.

544 Herbert Ludat, Die ostdeutschen Kietze, Bernburg 1936.

545 Herbert Ludat, Vorstufen und Entstehung des Städtewesens in Osteuropa, Köln-Braunsfeld 1955.

546 Friedrich Lütge, Geschichte der deutschen Agrarverfassung vom frühen Mittelalter bis zum 19. Jahrhundert, Stuttgart 1963 = Deutsche Agrargeschichte, hrsg. von Günther Franz, Bd. 3.

546a Friedrich Lütge, Deutsche Sozial- und Wirtschaftsgeschichte, 1952, Berlin, Göttingen, Heidelberg ³1966.

547 Friedrich Lütge, Strukturwandlung im ostdeutschen und osteuropäischen Fernhandel des 14. bis 16. Jahrhunderts, München 1964 = Sbb. d. Bayerischen Akad. d. Wiss., Phil.-hist. Kl. Jg. 64, H. 1.

548 Agneta Lundström, Helgö als frühmittelalterlicher Handelsplatz in Mittelschweden, in: Frühmittelalterliche Studien 2, 1968.

549 Gustav Luntowski, Bemerkungen zu einigen Fragen der Sozial- und Verfassungsgeschichte der Städte Dortmund und Lüneburg, in: Beiträge z. Gesch. Dortmunds u. d. Grafschaft Mark 65, 1969.

550 Gustav Luntowski, Dortmunder Kaufleute in England im 13. und 14. Jahrhundert. Ein Quellennachweis, in: Beiträge z. Gesch. Dortmunds u. d. Grafschaft Mark 66, 1970.

551 Gino Luzzatto, Les activités économiques du patriciat vénétien. (Xe–XIVe siècles), in: Ann. d'hist. écon. et sociale 9, 1937.

552 Gino Luzzatto, Storia economica di Venezia dall' XI al XVI secolo, Venedig 1961.

553 J. Lyna, Het ontstaan der steden in de maasvallei. Synthetische studie, in: Miscellanea Jan Gessler, Bd. 2, 's Gravenhage 1948.

554 Bryce Lyon, Medieval Constitutionalism: a Balance of Power, in: Album Helen Maud Cam, 2 Bde., Löwen 1960–1961 = Studies presented to the Internat. Comm. for the History of Representative and Parliamentary Institutions 23.

555 Bryce Lyon, L'oeuvre de Henri Pirenne après vingt-cinq ans, in: Le Moyen Age 66, 1960.

556 Karl Maleczynski, Die ältesten Märkte in Polen und ihr Verhältnis zu den Städten vor der Kolonisierung nach dem deutschen Recht, Breslau 1930.

557 Joseph Maréchal, La colonie espagnole de Bruges du XIVe au XVIe siècle, in: Revue du Nord 35, 1953.

558 Chiaudano Mario, Le livre rouge de la Compagnie florentine de Jacopo Girolami . . . 1332–1337, Turin 1963.

559 Das Marktproblem im Mittelalter. Referate und Aussprachen auf der dritten Arbeitstagung des Kreises für Stadtgeschichte 1960 in Konstanz, hrsg. von Peter Schöller, in: Westfälische Forschungen 15, 1962.

560 Mina Martens, Le censier ducal de Bruxelles de 1321, Brüssel 1958.

561 Mina Martens, Les survivances domaniales du castrum carolingien de Bruxelles à la fin du moyen-âge, in: Le Moyen Age 69, 1963.

562 Lauro Martines, The Social World of the Florentine Humanists 1390–1460, London 1963.

563 Erich Maschke, Das Berufsbewußtsein des mittelalterlichen Fernkaufmanns, in: Miscellanea Medievalia, hrsg. von Paul Wilpert und Willehad Eckert, Bd. III: Beiträge zum Berufsbewußtsein, Berlin 1964.

564 Erich Maschke, Continuité sociale et histoire urbaine médiévale, in: Annales. Economies, sociétés, civilisations 15, 1960.

(769) Erich Maschke, Jürgen Sydow, Hrsg., siehe unter Spital und Stadt . . . (Nr. 769).

(776) Erich Maschke, Jürgen Sydow, Hrsg., siehe unter Stadterweiterung und Vorstadt . . . (Nr. 776).

565 Erich Maschke, Deutsche Stadtgeschichtsforschung auf der Grundlage des historischen Materialismus, in: Esslinger Studien (Jb. f. Gesch. d. oberdt. Reichsstädte) 12/13, 1966/67.

566 Erich Maschke, Die Stellung der Reichsstadt Speyer in der mittelalterlichen Wirtschaft Deutschlands, in: VSWG 54, 1967.

567 Erich Maschke, Die Unterschichten der mittelalterlichen Städte Deutschlands, in: Gesellschaftliche Unterschichten in den südwestdeutschen Städten, hrsg. von Erich Maschke und Jürgen Sydow, Stuttgart 1967 = Veröffentlichungen d. Komm. f. gesch. Landeskunde in Baden-Württemberg Reihe B Forschungen Bd. 41.

(840) Erich Maschke, Jürgen Sydow, Hrsg., siehe unter Gesellschaftliche Unterschichten . . . (Nr. 840).

568 Erich Maschke, Die Verbreitung des Speyerer Stadtrechts mit besonderer Berücksichtigung von Neustadt an der Haardt, in: ders. u. Georg Friedrich Böhn, Beiträge zum Recht der Stadt Neustadt a. d. Haardt, Speyer 1962 = Veröffentlichungen zur Geschichte von Stadt und Kreis Neustadt a. d. Weinstraße 2.

569 Erich Maschke, Verfassung und soziale Kräfte in der deutschen Stadt des späten Mittelalters, vornehmlich in Oberdeutschland, in: VSWG 46, 1959.

570 Erich Maschke, Die Wirtschaftspolitik Kaiser Friedrichs II. im Königreich Sizilien, in: VSWG 53, 1966.

571 Mélanges M. N. Tichomirow. Problèmes sociopolit. de l'histoire de la Russie et des pays slaves (en russe), Moskau 1963.

572 Federigo Melis, Aspetti della vita economica medievale. Studi nell' archivio Datini di Prato, Siena 1962.

573 James Mellaart, Catal Hüyük, Stadt aus der Steinzeit, Bergisch Gladbach 1967.

574 Guido Mengozzi, La città italiana nell'alto medioevo. Il periodo longobardo-franco, Florenz ²1931.

575 Johannes Bernhard Menke, Geschichtsschreibung und Politik in deutschen Städten des Spätmittelalters, in: Jb. d. Köln. Geschichtsvereins 33, 1958; 34/35, 1959/60.

576 Margarete Merores, Gaëta im frühen Mittelalter. (8.–12. Jhd.), Gotha 1911.

577 Margarete Merores, Der große Rat von Venedig und die sog. Serrata vom Jahre 1297, in: VSWG 21, 1928.

578 Friedrich Merzbacher, Die Bischofsstadt, Köln, Opladen 1961 = Arbeitsgemeinschaft f. Forschung d. Landes Nordrhein-Westfalen. Geisteswiss. H. 93.

579 Archäologische Methoden und Quellen zur Stadtkernforschung und ihr Verhältnis zu den historischen Quellen und Methoden. Protokoll der Tagung des Arbeitskreises für Stadtforschung der Arbeitsgemeinschaft Hist. Komm. und landesgesch. Institute Deutschlands in Hamburg 1959, hrsg. von Richard Laufner und Jürgen Sydow, in: Westfälische Forschungen 13, 1960.

580 Friedrich Metz, Die Tiroler Stadt, in: Land und Leute. Gesammelte Beiträge zur deutschen Landes- und Volksforschung, hrsg. von Emil Meynen und Ruthardt Oehme, Stuttgart 1961.

581 Gunnar Mickwitz, Die Kartellfunktionen der Zünfte und ihre Bedeutung bei der Entstehung des Zunftwesens, Helsingfors, Leipzig 1936.

582 Alexander Mitscherlich, Die Unwirtlichkeit unserer Städte. Anstiftung zum Unfrieden, Frankfurt a. M. ⁷1969.

583 Heinrich Mitteis, Über den Rechtsgrund des Satzes „Stadtluft macht frei", in: Festschrift Edmund E. Stengel zum 70. Geburtstag, Münster, Köln 1952.

584 Michael Mitterauer, Jahrmärkte in Nachfolge antiker Zentralorte, in: MIÖG 75, 1967.

585 Michael Mitterauer, Zollfreiheit und Marktbereich, in: Forschungen zur Landeskunde von Niederösterreich 19, 1969.

586 Sergio Mochi-Onory, Vescovi e Città, Bologna 1933.

587 Bernd Möller, Frömmigkeit in Deutschland um 1500, in: Archiv für Reformationsgeschichte 56, 1965.

588 Sibyl Moholy-Nagy, Die Stadt als Schicksal, München 1968.

589 Michel Mollat, Les affaires de Jacques Coeur, Paris 1952–1953.

590 Michel Mollat, Le commerce de la Haute Normandie au XVe sc. et au début du XVIe sc., Paris 1953.

591 M. Mollat, P. Johansen, M. Postan, A. Sapori, Ch. Verlinden, L'économie européenne aux deux derniers siécles du moyen-âge, in: X. Congresso internaz. d. Sc. Stor. Rom 1955. Relazioni Vol. VI.

592 Michel Mollat, Rouen, avant-port de Paris à la fin du moyen-âge, in: Bull. Soc. Etudes hist., géo. et scientifiques régions parisiennes 71, 1951.

267

593 Karl Mollay, Das Ofener Stadtrecht. Eine deutschsprachige Rechtssammlung des 15. Jhds. aus Ungarn, Weimar 1959 = Monumenta hist. Budapestiensia 1.

594 Roger Mols, Introduction à la démographie historique des villes d'Europe du XIVe au XVIIIe siècle, 3 Bde., Löwen 1954—56 = Université de Louvain. Recueil de travaux d'histoire et de philologie. 4e sér. Fasc. 1, 2, 3.

595 Moneta et scambi nell'alto medioevo, Spoleto 1961 = Settimane di studio del centro ital. di studi sull'alto medioevo 8.

596 Carlo Guido Mor, Moneta publica civitatis Mantuae, in: Studi in onore di Gino Luzzatto, Mailand 1949.

597 Carlo Guido Mor, Pavia Capitale, in: Atti del 4⁰ Congresso internazionale di studi sull'alto medioevo Pavia 1967, Spoleto 1969.

598 Jacques Moreau, Die Kelten im Saarland, in: Saarbrücker Hefte 11, 1960.

599 Jacques Moreau, Die Welt der Kelten. Große Kulturen der Frühzeit, Stuttgart 1958.

600 Heinz v. d. Mühlen, Versuch einer soziologischen Erfassung der Bevölkerung Revals im Spätmittelalter, in: Hans. Geschbll. 75, 1957.

(284) Wolfgang Müller, Hrsg., siehe unter Freiburg im Mittelalter... (Nr. 284).

601 Lewis Mumford, Die Stadt. Geschichte und Ausblick, Köln, Berlin 1961.

602 Hans Nabholz, Die Anfänge der hochmittelalterlichen Stadt und ihrer Verfassung als Frage der Forschungsmethode betrachtet, in: Bericht über die konstituierende Versammlung des Verbandes österreichischer Geschichtsvereine vom 21.—24. September 1949, bearb. von Hanns Leo Mikoletzky, Wien 1950.

603 Emilio Nasalli Rocca, Palazzi e torri gentilizie nei quartieri delle città italiani medioevali. L'esempia di Piacenza, in: Contributi dell'Instituto di storia medioevale Bd. 1, Mailand 1968.

604 Elis. Nau, Stadt und Münze im frühen und hohen Mittelalter, in: Esslinger Studien 10, 1964.

605 Elis. Nau, Stadt und Münze im späten Mittelalter und beginnender Neuzeit, in: Bll. f. dt. Landesgesch. 100, 1964.

606 Herbert Nesselhauf, Die spätrömische Verwaltung der gallisch-germanischen Länder, Berlin 1938 = Abhh. d. Preußischen Akad. d. Wiss., Phil.-hist. Kl. 2.

607 Eva Gertrud Neumann, Rheinisches Beginen- und Begardenwesen, in: Mainzer Abhandlungen z. mittleren und neueren Gesch. 4, 1960.

608 David M. Nicholas, The Population of 14th Century Ghent, in: Handelingen d. Maatschappij v. Geschiedenis en Oudheidkunde te Gent N. R. 24, 1970.

609 Ernst Nickel, Der Alte Markt in Magdeburg, Berlin 1964 = Ergebnisse d. archäolog. Stadtkernforschung in Magdeburg T. 1 = Deutsche Akad. d. Wiss. zu Berlin. Schriften d. Sektion f. Vor- und Frühgeschichte Bd. 18.

610 J. F. Niermeyer, Schreef Alpertus van Metz over verscheidenheit van tijden of van zeden?, in: Jan Gessler, Miscellanea, Bd. 2, 'sGravenhage 1948.

611 John T. Noonan, The Scholastic Analysis of Usury, Cambridge/Mass. 1957.

612 Claus Nordmann, Oberdeutschland und die deutsche Hanse, Lübeck 1939 = Pfingstbll. d. Hans. Geschver. 26.

613 Otto Nübel, Mittelalterliche Beginen- und Sozialsiedlungen in den Niederlanden. Ein Beitrag zur Vorgeschichte der Fuggerei, Tübingen 1970 = Studien zur Fuggergeschichte 23.

614 Nürnberg – Geschichte einer europäischen Stadt, hrsg. von Gerhard Pfeiffer, München 1971.

615 Friedrich Wilh. Oediger, Über die Bildung der Geistlichen im späten Mittelalter, Leiden, Köln 1953.

(670) Friedrich Wilhelm Oediger, Hrsg., siehe unter Die Regesten der Erzbischöfe von Köln . . . (Nr. 670).

616 Konrad Onasch, Gross-Nowgorod. Aufstieg und Niedergang einer russischen Stadtrepublik, Wien, München, Leipzig 1969.

617 Les origines des villes polonaises, Paris 1960 = EPHE VIe sec. Sér. Congrès et colloques 2.

618 Madeleine Oursel-Quarré, Les origines de la commune de Dijon, Dijon o. J. (1947).

619 Max Pappenheim, Die altdänischen Schutzgilden, Breslau 1885.

620 Max Pappenheim, Ein altnorwegisches Schutzgildestatut, Breslau 1888.

621 Johannes Papritz, Das Handelshaus der Loitz zu Stettin, Danzig und Lüneburg, in: Baltische Studien N. F. 44, 1957.

622 Hans Patze, Recht und Verfassung Thüringischer Städte, Weimar 1955 = Thüringische Archivstudien Bd. 6.

623 I. Peri, Città e campagna in Sicilia, in: Atti della Accad. di Scienze, Lettere e Arti di Palermo ser. 4 Bd. 13, 1953.

624 Charles Edmond Perrin, Catalogue des chartes de franchises de la Lorraine. Antérieures à 1350, Metz 1924. Aus: Annuaire d'hist. et d'archéol. lorr. T. 33, 1924.

625 Charles Edmond Perrin, Chartes, franchises et rapports de droit en Lorraine, in: Le Moyen Age 42, 1946.

626 Günter Peters, Norddeutsches Beginen- und Begardenwesen im Mittelalter, in: Niedersächs. Jb. f. Landesgesch. 41/42, 1969/70.

627 Charles Petit-Dutaillis, Les communes françaises au XIIe sc. Charte de Commune et chartes de franchises, in: Revue hist. de droit français et étranger 23, 1944.

628 Charles Petit-Dutaillis, Les communes françaises, caractères et évolution des origines au XVIIIe siècle, Paris 1947.

629 Franz Petri, Die Anfänge des mittelalterlichen Städtewesens in den Niederlanden und dem angrenzenden Frankreich, in: Studien zu den Anfängen des europäischen Städtewesens. Reichenau-Vorträge 1955–1956, Lindau, Konstanz 1958 = Vorträge und Forschungen Bd. 4.

(150) Franz Petri, Georg Droege, Hrsg., siehe unter Collectanea Franz Steinbach (Nr. 150).

630 Franz Petri, Die Stellung der Südersee- und Ijsselstädte im flandrisch-hansischen Raum, in: Hans. Geschbll. 79, 1961.

631 Franz Petri, Merovingerzeitliche Voraussetzungen für die Entwicklung des Städtewesens zwischen Maas und Rhein, in: Bonner Jahrbücher 158, 1958.

632 Harald v. Petrikovits, Rezension zu Sheppard Frere, Britannia: A History of Roman Britain, London 1967, in: Bonner Jahrbücher 170, 1970.

633 Harald v. Petrikovits, Das römische Rheinland. Archäologische Forschungen seit 1945, Köln, Opladen 1960.

634 Hans Conrad Peyer, Zur Getreidepolitik oberitalienischer Städte im 13. Jahrhundert, Wien 1950 = Veröffentlichungen d. Instituts f. Österreichische Geschichtsforschung 12.

635 Hans Conrad Peyer, Stadt und Stadtpatron im mittelalterlichen Italien, Zürich 1955 = Wirtschaft, Gesellschaft, Staat. Züricher Studien zur allgemeinen Geschichte 13.

636 Hans Conrad Peyer, Zürich im Früh- und Hochmittelalter, in: Zürich von der Urzeit zum Mittelalter, Zürich 1971.

637 Gerhard Pfeiffer, Die Bündnis- und Landfriedenspolitik der Territorien zwischen Weser und Rhein im späten Mittelalter, in: Der Raum Westfalen, Bd. II, 1, hrsg. von Hermann Aubin und Franz Petri, Münster 1955.

(614) Gerhard Pfeiffer, Hrsg., siehe unter Nürnberg ... (Nr. 614).

638 Max Pfütze, Burg und Stadt in der deutschen Literatur des Mittelalters, Halle 1958.

639 Othmar Pickl, Das älteste Geschäftsbuch Österreichs. Die Gewölberegister der Wiener Neustädter Firma Alexius Funck (1516 – ca. 1538), Graz 1966 = Forschungen zur geschichtlichen Landeskunde der Steiermark 23.

640 Stanislaw Piekarczyk, Studien zur Geschichte der polnischen Städte im 13.–14. Jahrhundert, Warschau 1955.

641 Henri Pirenne, L'instruction des marchands au moyen-âge, in: Annales. Economies, sociétés, civilisations 1, 1929.

642 Henri Pirenne, Mahomet et Charlemagne, Paris 1937. Deutsch von Paul Egon Hübinger, Geburt des Abendlandes. Untergang der Antike am Mittelmeer und Aufstieg des germanischen Mittelalters, Amsterdam 1940.

643 Henri Pirenne, Les villes et les institutions urbaines, 2 Bde., Paris ⁴1939.

644 Ernst Pitz, Die Entstehung der Ratsherrschaft in Nürnberg im 13. und 14. Jhd., München 1956 = Schriftenreihe zur bayerischen Landesgeschichte Bd. 55.

645 Ernst Pitz, Schrift- und Aktenwesen der städtischen Verwaltung im Spätmittelalter, Köln 1959 = Mitteilungen aus dem Stadtarchiv Köln H. 45.

646 Ernst Pitz, Die Wirtschaftskrise des Spätmittelalters, in: VSWG 52, 1965.

647 Hans Planitz, Frühgeschichte der deutschen Stadt, in: ZRG Germ. Abt. 63, 1943.

648 Hans Planitz, Zur Geschichte des städtischen Meliorats, in: ZRG Germ. Abt. 67, 1950.

649 Hans Planitz, Handelsverkehr und Kaufmannsrecht im fränkischen Reich, in: Festschrift Ernst Heymann zum 70. Geburtstag, 2 Bde. Weimar 1940.

650 Hans Planitz, Die Handfeste von Huy von 1066, der älteste städtische Freiheitsbrief im deutschen Reich, in: Rheinische Kulturgeschichte in Querschnitten aus Mittelalter und Neuzeit, hrsg. von Gerhard Kallen, Bd. III: Zwischen Rhein und Maas, Köln 1942.

651 Hans Planitz, Kaufmannsgilde und städtische Eidgenossenschaft in niederfränkischen Städten im 11. und 12. Jahrhundert, in: ZRG Germ. Abt. 60, 1940.

652 Hans Planitz, Konstitutivakt und Eintragung in den Kölner Schreinsurkunden des 12. und 13. Jhds., in: Festschrift Alfred Schultze zum 70. Geburtstag, hrsg. von Walther Merk, Weimar 1934.

653 Hans Planitz, Das Kölner Recht und seine Verbreitung in der späteren Kaiserzeit, Weimar 1935. Auch in: ZRG Germ. Abt. 55, 1935.

654 Hans Planitz, Die deutsche Stadt im Mittelalter von der Römerzeit bis zu den Zunftkämpfen, Graz, Köln 1954.

655 Hans Planitz, Die deutsche Stadtgemeinde, in: ZRG Germ. Abt. 64, 1944.

656 Hans Planitz, Studien zur Rechtsgeschichte des städtischen Patriziats, in: MIÖG 58, 1950.

657 Henri Plotelle, La reconstruction d'une ville d'après un incendie urbain au moyen-âge, in: Album J. Balon, Namur 1968.

658 G. de Poerck, La draperie médiévale en Flandre et en Artois, Brügge 1951 = Rijksuniversiteit te Gent. Werken . . . Afl. 110.

659 Marcel Poëte, Une vie de cité, Paris, dès sa naissance à nos jours, Paris 1924.

660 Austin Lane Poole, Medieval England, Oxford 1958.

661 M. M. Postan, Die wirtschaftlichen Grundlagen der mittelalterlichen Gesellschaft, in: Jahrbücher f. Nationalökonomie u. Statistik 166, 1954.

662 Eileen Power, Medieval English Wool Trade, London 1941.

663 W. Prevenier, De Leden en de Staaten van Vlaanderen (1384–1405), Brüssel 1961 = Verhandelingen v. d. Koninkl. Vlaamse Acad. v. Wetensch., Letteren en Schone Kunsten v. Belgie. Kl. d. Letteren Jg. 23, No. 43.

664 C. W. Prévité-Orton, The Italien Cities till c. 1200, in: The Cambridge Medieval History V, Cambridge 1926.

665 Joseph Prinz, Mimigernaford – Münster. Die Entstehungsgeschichte einer Stadt, Münster 1960 = Geschichtl. Arbeiten zur westfäl. Landesforschung 4 = Veröffentlichungen d. Hist. Komm. Westfalens 22.

666 Horst Rabe, Der Rat der niederschwäbischen Reichsstädte, Köln, Graz 1966 = Forschungen zur deutschen Rechtsgeschichte Bd. 4. Jur. Diss. Tübingen 1963.

667 Elis. Raiser, Städtische Territorialpolitik im Mittelalter, Lübeck, Hamburg 1969.

668 Virginia Rau, Subsidios para o Estudo das Feirias medievas portuguesas, Lissabon 1943.

669 Recueil des actes de Philippe Auguste Roi de France, hrsg. von H. François Delaborde und Ch. Petit-Dutaillis, 2 Bde., Paris 1916, 1943.

670 Die Regesten der Erzbischöfe von Köln im Mittelalter. Bd. I: 313 – 1099, hrsg. von Friedrich Wilhelm Oediger, Bonn 1954–1961. Bde. II (1100–1205), III, 1 (1205–1261), III, 2 (1261–1304) hrsg. von Richard

Knipping, Bonn 1901–1913. Bd. IV (1304–1332), hrsg. v. W. Kisky, Bonn 1915 = Publikationen d. Ges. f. Rhein. Geschichtskunde 21.

671 Siegfried Reicke, Das deutsche Spital und sein Recht, Stuttgart 1932.

672 Heinrich Reincke, Bevölkerungsprobleme der Hansestädte, in: Hans. Geschbll. 70, 1951.

673 Heinrich Reincke, Forschungen und Skizzen zur Geschichte Hamburgs, Hamburg 1951.

674 Heinrich Reincke, Kölner, Soester, Lübecker und Hamburger Recht in ihren gegenseitigen Beziehungen, in: Hans. Geschbll. 69, 1950.

675 Heinrich Reincke, Über Städtegründung. Betrachtungen und Phantasien, in: Hans. Geschbll. 75, 1957.

676 Wilhelm Reinecke, Geschichte der Stadt Cambrai bis zur Erteilung der Lex Godefridi (1227), Marburg 1896.

677 Wilhelm Reinecke, Lüneburg als Hansestadt, Lüneburg [2]1940.

678 Yves Renouard, Bordeaux sous les rois d'Angleterre, Bordeaux 1965 = Histoire de Bordeaux 3.

679 Yves Renouard, Histoire de Florence, Paris [2]1967.

680 Yves Renouard, Les hommes d'affaires italiens au moyen-âge, Paris 1949.

681 Yves Renouard, Les villes d'Italie de la fin du Xe siècle au début du XIVe siècle, nouv. ed. par. Rh. Braunstein, Bd. 1, Paris 1969.

682 Hans Jürgen Rieckenberg, Arnold Walpot, der Initiator des Rheinischen Bundes von 1254, in: Deutsches Archiv 16, 1960.

683 Siegfried Rietschel, Das Burggrafenamt und die hohe Gerichtsbarkeit in den deutschen Bischofsstädten während des frühen Mittelalters, Leipzig 1905.

684 Siegfried Rietschel, Die civitas auf deutschem Boden bis zum Ausgang der Karolingerzeit, Leipzig 1894.

685 Siegfried Rietschel, Markt und Stadt in ihrem rechtlichen Verhältnis, Leipzig 1897.

686 Rimberti vita Anskarii, hrsg. von Georg Waitz, Hannover 1884 = MGH SS rer. Germ. in usum scholarum . . . 55.

687 Michel Roblin, Cités ou citadelles? Les enceintes romaines du Bas-Empire d'après l'exemple de Paris, in: Revue des Etudes anciennes 53, 1951.

688 Michel Roblin, Le terroir de Paris aux époques gallo-romaine et franque, Paris 1951.

689 Fritz Rörig, Hansische Beiträge zur deutschen Wirtschaftsgeschichte, Breslau 1928 = Schriften der Baltischen Kommission zu Kiel Bd. 9 = Veröffentlichungen d. Schleswig-Holsteinischen Universitätsgesellschaft Nr. 12.

690 Fritz Rörig, Heinrich der Löwe und die Gründung Lübecks. Grundsätzliche Erörterung zur städtischen Ostseesiedlung, in: Deutsches Archiv 1, 1937.

691 Fritz Rörig, Magdeburgs Entstehung und die ältere Handelsgeschichte, in: Miscellanea Academica Berolinensia. Gesammelte Abhandlungen zur Feier des 250jährigen Bestehens der Deutschen Akad. d. Wiss. zu Berlin, Bd. II, 1, Berlin 1950.

692 Fritz Rörig, Das Meer und das europäische Mittelalter, in: Zschr. d. Vereins f. Hamburgische Geschichte 41, 1951.

693 Fritz Rörig, Mittelalter und Schriftlichkeit, in: Die Welt als Geschichte 13, 1953.

694 Fritz Rörig, Wirtschaftskräfte im Mittelalter. Abhandlungen zur Stadt- und Hansegeschichte, hrsg. von Paul Kaegbein, Weimar 1959. 2. Aufl. Wien, Köln, Graz 1971.

695 Barbara Rohwer, Der friesische Handel im frühen Mittelalter, Kiel 1937. Phil. Diss. Kiel 1935.

696 Raymond de Roover, Banking and Credit in Medieval Bruges, Cambridge (Mass.) 1948.

697 Raymond de Roover, L'évolution de la lettre de change, Paris 1953 = EPHE VIe sec. Sér. Affaires et gens d'affaires 4.

698 Raymond de Roover, The Rise and Decline of the Medici Bank (1397–1494), Cambridge (Mass.) 1963.

699 Tadeusz Rosłanowski, Recherches sur la vie urbaine et en particulier sur le patriciat dans les villes de la moyenne Rhénanie septentrionale, Warschau 1964.

700 Félix Rousseau, La Meuse et le pays Mosan en Belgique, Namur 1930.

(809) Nicolai Rubinstein, Hrsg., siehe unter Florentine Studies ... (Nr. 809).

701 Giuseppe Russo, Napoli come città, Neapel 1966.

702 Et. Sabbe, Quelques types des marchands des IXe et Xe siècles, in: Revue belge de phil. et d'hist. 13, 1934.

703 Henryk Samsonowicz, Untersuchungen über das Danziger Bürgerkapital in der zweiten Hälfte des 15. Jahrhunderts, Weimar 1969 = Abhandlungen zur Handels- und Sozialgeschichte 8.

704 Claudio Sanchez-Albornoz, Una ciudad de la España cristiana hace mil anos. Estampas de la vida en León. Prólogo sobre el habla de la época por Ramón Menéndez Pidal, Madrid 1966 (Neudruck des zuerst 1926 erschienenen Werkes.)

705 Claudio Sanchez-Albornoz, España. Un enigma historico, 2 Bde., Buenos Aires o. J.

706 Claudio Sanchez-Albornoz, Ruina y extincion del municipio romano en España et instituciones que le reemplazan, Buenos Aires 1943.

707 Paul Sander, Geschichte des deutschen Städtewesens, Bonn, Leipzig 1922.

708 Armando Sapori, Le marchand italien au moyen-âge, Paris 1952 = EPHE VIe sec. Sér. Affaires et gens d'affaires 1.

709 A. E. Sayous, Les opérations des banquiers italiens en Italie et aux foires de la Champagne pendant le XIIIe siècle, in: Revue hist. 170, 1932.

710 Marianne Schalles-Fischer, Pfalz und Fiskus Frankfurt, Göttingen 1969 = Veröffentlichungen des Max-Planck-Instituts für Geschichte 20.

711 Adolf Schaube, Handelsgeschichte der romanischen Völker des Mittelmeergebietes bis zum Ende der Kreuzzüge, München, Berlin 1906.

712 Emil Schaus, Stadtrechtsorte und Flecken im Regierungsbezirk Koblenz, in: Rhein. Heimatpflege 7, 1935; 8, 1936; 9, 1937.

713 Emil Schaus, Stadtrechtsorte und Flecken im Regierungsbezirk Trier und im Landkreis Birkenfeld, Trier 1958.

714 Jos. Schepers, Mittelmeerländische Einflüsse in der Bau- und Wohnkultur des westlichen Mitteleuropas, in: Europäische Kulturverflech-

tungen im Bereich der volkstümlichen Überlieferung. Festschrift zum 65. Geburtstag Bruno Schiers, hrsg. von Gerhard Heilfurth und Hinrich Siuts, Göttingen 1967 = Veröffentlichungen des Instituts für mitteleuropäische Volksforschung an der Philipps-Universität Marburg/L. Bd. 5.

715 Luigi Schiaparelli, I Diplomi di Ugo e di Lotario, di Berengario e di Adalberto, Rom 1924.

716 Karl Schib, Der Schaffhauser Adel im Mittelalter, in: Zschr. f. Schweizerische Gesch. 18, 1938.

717 Karl Schib, Geschichte der Stadt Schaffhausen, Thayngen-Schaffhausen 1945.

718 Reinhard Schindler, Ausgrabungen in Alt-Hamburg. Neue Ergebnisse zur Frühgeschichte der Hansestadt, Hamburg 1957.

719 Reinhard Schindler, Hamburgs Frühzeit im Lichte der Ausgrabungen, in: Zschr. d. Vereins f. Hamburgische Geschichte 43, 1956.

720 Wilhelm Schleiermacher, Die spätesten Spuren der antiken Besiedlung im Raum von Speyer, Worms, Mainz, Frankfurt und Ladenburg, in: Bonner Jahrbücher 162, 1962.

721 Walter Schlesinger, Die Anfänge der Stadt Chemnitz, Weimar 1952.

722 Walter Schlesinger, Beiträge zur deutschen Verfassungsgeschichte des Mittelalters, 2 Bde., Göttingen 1963.

723 Walter Schlesinger, Beobachtungen zur Geschichte und Gestalt der Aachener Pfalz in der Zeit Karls des Großen, in: Studien zur europäischen Vor- und Frühgeschichte, hrsg. von Martin Claus, Werner Haarnagel, Klaus Raddatz, Neumünster 1968.

724 Walter Schlesinger, Burg und Stadt, in: Aus Verfassungs- und Landesgeschichte. Festschrift für Theodor Mayer, Bd. 1, Lindau, Konstanz 1954. Auch in: ders., Beiträge zur deutschen Verfassungsgeschichte . . ., Bd. 2.

725 Walter Schlesinger, Forum, Villa fori, Jus fori. Einige Bemerkungen zu den Marktgründungsurkunden des 12. Jhds. aus Mitteldeutschland, in: Aus Geschichte und Landeskunde. Forschungen und Darstellungen Franz Steinbach zum 65. Geburtstag gewidmet, Bonn 1960. Auch in: ders., Mitteldeutsche Beiträge zur deutschen Verfassungsgeschichte des Mittelalters, Göttingen 1961.

726 Walter Schlesinger, Städtische Frühformen zwischen Rhein und Elbe, in: Studien zu den Anfängen des europäischen Städtewesens, Lindau, Konstanz 1958 = Vorträge und Forschungen Bd. 4. Auch in: ders., Beiträge zur deutschen Verfassungsgeschichte . . ., Bd. 2.

727 Walter Schlesinger, Zur Frühgeschichte des norddeutschen Städtewesens, in: Lüneburger Blätter 17, 1966.

728 Walter Schlesinger, Zur Geschichte der Magdeburger Königspfalz, in: Bll. f. dt. Landesgesch. 104, 1968.

729 Walter Schlesinger, Herrschaft und Gefolgschaft in der germanisch-deutschen Verfassungsgeschichte, in: Hz 176, 1953. Auch in: ders., Beiträge zur deutschen Verfassungsgeschichte . . ., Bd. 1.

730 Walter Schlesinger, Pfalz und Stadt Ulm bis zur Stauferzeit, in: Ulm und Oberschwaben, Zschr. f. Gesch. u. Kunst 38, 1967.

731 Walter Schlesinger, Pfalzen und Königshöfe in Württembergisch

Franken und angrenzenden Gebieten, in: Jahrb. d. Hist. Ver. f. Württ. Franken 53, 1969.

732 Walter Schlesinger, Stadt und Burg im Lichte der Wortgeschichte, in: Studium Generale 16, 1963.

733 Walter Schlesinger, Das älteste Freiburger Stadtrecht, in: ZRG Germ. Abt. 83, 1966.

734 Walter Schlesinger, Über mitteleuropäische Städtelandschaften der Frühzeit, in: Bll. f. dt. Landesgesch. 93, 1957. Auch in: ders., Beiträge zur deutschen Verfassungsgeschichte . . ., Bd. 2.

735 Heinrich Felix Schmid, Dalmatinische Stadtbücher, in: Kosow Zbornik —Mélanges Kos, Laibach 1953 = Zgodovinski Časopis — Historical Review — 6/7, 1952/53.

736 Heinrich Felix Schmid, Das Weiterleben und die Wiederbelebung antiker Institutionen im mittelalterlichen Städtewesen, in: Annali di storia del diritto 1, 1957.

737 Heinrich Schmidt, Die deutschen Städtechroniken als Spiegel des bürgerlichen Selbstverständnisses im Spätmittelalter, Göttingen 1958.

738 Hartmut Schmökel, Die Ausgrabungen in Vorderasien seit 1945, in: Die Welt als Geschichte 21, 1961; 22, 1962.

739 Gustav Schmoller, Deutsches Städtewesen in älterer Zeit, Bonn, Leipzig 1922.

740 Georg Schneider, Die finanziellen Beziehungen der florentinischen Bankiers zur Kirche von 1285–1304, Leipzig 1899 = Staats- und Sozialwissenschaftliche Forschungen, hrsg. von Gustav Schmoller, Bd. 17 H. 1.

741 Jean Schneider, Les marchands siennois et la Lorraine au XIIIe siècle, in: Studi in onore di Armando Sapori, 2 Bde., Mailand 1957.

742 Jean Schneider, La ville de Metz au XIIIe et XIVe siècles, Nancy 1950.

743 Peter Schöller, Aufgaben und Probleme der Stadtgeographie, in: Erdkunde 7, 1953.

(179) Peter Schöller, Bearb., siehe unter Diskussion um die frühen Gründungsstädte . . . (Nr. 179).

(559) Peter Schöller, Bearb., siehe unter Das Marktproblem im Mittelalter . . . (Nr. 559).

744 Peter Schöller, Die deutschen Städte, Wiesbaden 1967 = Erdkundliches Wissen 17.

(204) August Schoop, Bearb., siehe unter Düren . . . (Nr. 204).

745 Gertrud Schubart-Fikentscher, Die Verbreitung der deutschen Stadtrechte in Osteuropa, Weimar 1942 = Forschungen zum Deutschen Recht IV, 3.

746 Adolf Schück, Die deutsche Einwanderung in das mittelalterliche Schweden und ihre kommerziellen und sozialen Folgen, in: Hans. Geschbll. 55, 1930.

747 Konrad Schünemann, Die Entstehung des Städtewesens in Südosteuropa, Breslau o. J. (1929) = Südosteuropäische Bibliothek 1 = Veröffentlichungen der Arbeitsgemeinschaft für Südosteuropaforschung an der Universität Berlin 1.

748 Aloys Schulte, Geschichte des mittelalterlichen Handels und Verkehrs zwischen Westdeutschland und Italien mit Ausschluß Venedigs, 2 Bde., Leipzig 1900.

749 Aloys Schulte, Geschichte der Großen Ravensburger Handelsgesellschaft 1380–1530, 3 Bde., Stuttgart 1923, Nachdruck Wiesbaden 1964 = Deutsche Handelsakten des Mittelalters und der Neuzeit Bd. 1–3.

750 Aloys Schulte, Pavia und Regensburg, in: Hist. Jahrb. d. Görresgesellsch. 52, 1932.

751 Aloys Schulte, Regensburg und seine Eigenart in der deutschen Geschichte, in: Volkstum und Kulturpolitik. Eine Sammlung von Aufsätzen gewidmet Georg Schreiber zum 50. Geburtstag, hrsg. von H. Konen u. J. P. Steffens, Köln 1932.

752 Werner Schultheiss, Geschichte des Nürnberger Ortsrechtes. Historische Einleitung zur Ausgabe 1956 des „Nürnberger Ortsrechtes", Nürnberg 1957.

753 Joh. Schultze, Die Stadtviertel. Ein städtegeschichtliches Problem, in: Bll. f. dt. Landesgesch. 92, 1956.

754 Knut Schulz, Ministerialität und Bürgertum in Trier, Bonn 1968 = Rheinisches Archiv 66.

755 Knut Schulz, Die Ministerialität als Problem der Stadtgeschichte, in: RhVjbll. 32, 1968.

756 Herbert Schwarzwälder, Bremen im Mittelalter. Gestaltwandel einer „gewachsenen" Stadt in ganzheitlicher Sicht, in: Studium Generale 16, 1963.

757 Herbert Schwarzwälder, Entstehung und Anfänge der Stadt Bremen, Bremen 1955 = Veröffentlichungen aus dem Staatsarchiv der Freien Hansestadt Bremen Heft 24.

758 Wilhelm Schwer, Stand und Ständeordnung im Weltbild des Mittelalters. Die geistes- und gesellschaftsgeschichtlichen Grundlagen der berufsständischen Idee, Paderborn 1934 = Veröffentlichungen d. Sekt. f. Sozial- und Wirtschaftswiss. Görresges. z. Pflege d. Wiss. i. kath. Deutschland 7.

759 Ernst Frh. v. Schwind, Alfons Dopsch, Ausgewählte Urkunden zur Verfassungsgeschichte der deutsch-österreichischen Erblande im Mittelalter, Innsbruck 1895. Neudruck Aalen 1968.

760 Giandomenico Serra, Contributo alla storia dei derivati di „Burgus" Borgale Borgaria Borgoro, in: Filologia Romanza 5, 1958.

761 J. Serra Vilaró, Historia de Cardona, Tarragona 1966.

762 Ernesto Sestan, La città comunale italiana dei secoli XI–XIII nelle sue note caratteristiche rispetto al movimento comunale europeo, in: Miscellanea historiae ecclesiasticae. XIe congrès international des sciences historiques Stockholm 1960, Löwen 1961 = Bibliothèque de la Revue d'Hist. Ecclésiastique Fasc. 38.

763 Wilhelm Silberschmidt, Die Bedeutung der Gilde, insbesondere der Handelsgilde für die Entstehung der italienischen Städtefreiheit, in: ZRG Germ. Abt. 51, 1931.

764 Luigi Simeoni, La liberazione dei servi a Bologna nel 1256–1257, in: Archivio storico italiano 109, 1952.

765 Lucien Sittler, La decapole alsacienne des origines à la fin du moyenâge, Straßburg, Paris 1955.

766 Z. W. Sneller, Deventer, die Stadt der Jahrmärkte, Lübeck 1936 = Pfingstbll. d. Hans. Geschver. 25.

767 Jacob Sommer, Westfälisches Gildewesen mit Ausschluß der geistlichen Bruderschaften und Gewerbegilden, in: Archiv f. Kulturgeschichte 7, 1909.

768 T. de Souza Soares, Apontamentos para o estudo da origem das instituiceos municipais portuguesas, Lissabon 1936.

769 Spital und Stadt. Protokoll der zweiten Arbeitstagung des Arbeitskreises für südwestdeutsche Stadtgeschichtsforschung, hrsg. von Erich Maschke und Jürgen Sydow, Tübingen 1963.

770 Rolf Sprandel, Das Eisengewerbe im Mittelalter, Stuttgart 1968.

771 Rolf Sprandel, Die Handwerker in den nordwestdeutschen Städten des Spätmittelalters, in: Hans. Geschbll. 86, 1968.

772 Heinrich Sproemberg, Die Hanse in europäischer Sicht, in: Annales de la Société Royale d'Archéol. de Bruxelles 50, 1961.

773 Heinrich Sproemberg, Residenz und Territorium im niederländischen Raum, in: ders., Beiträge zur belgisch-niederländischen Geschichte, Berlin 1959 = Forschungen zur mittelalterlichen Geschichte Bd. 3.

773a Heinrich Sproemberg, Mittelalter und demokratische Geschichtsschreibung. Ausgewählte Abhandlungen, hrsg. von Manfred Unger. Berlin 1971 = Forschungen zur mittelalterlichen Geschichte 18.

774 R. Stadelmann, Persönlichkeit und Staat in der Renaissance, in: Die Welt als Geschichte 5, 1939.

775 Die Stadt als Lebensform, u. Mitarb. v. René König u. a., Berlin 1970 = Forschung und Information 6.

775a Die Stadt des Mittelalters I, Begriff, Entstehung und Ausbreitung, hrsg. von Carl Haase, Darmstadt 1969 = Wege der Forschung 243.

776 Stadterweiterung und Vorstadt, hrsg. von Erich Maschke und Jürgen Sydow, Stuttgart 1969 = Veröffentlichungen d. Komm. f. gesch. Landeskunde in Baden-Württemberg Reihe B Forschungen Bd. 51.

777 Die Städte Mitteleuropas im 12. und 13. Jahrhundert, hrsg. von Fernand Vercauteren, Richard Laufner, Wilhelm Rausch, Linz 1963 = Beiträge zur Geschichte der Städte Mitteleuropas 1.

778 Die Städte Oberösterreichs, hrsg. von Herbert Knittler, Wien 1968; Die Städte des Burgenlandes, hrsg. v. H. Knittler, Wien 1970 = Österreichisches Städtebuch, hrsg. von Alfred Hoffmann, Bd. 1, 2.

779 Deutsches Städtebuch. Handbuch städtischer Geschichte, hrsg. von Erich Keyser, 10 Bde., Stuttgart 1939 ff.
Bd. I Nordostdeutschland, Stuttgart 1939
Bd. II Mitteldeutschland, Stuttgart 1941
Bd. III, 1 Niedersachsen u. Bremen, Stuttgart 1952
Bd. III, 2 Westfalen, Stuttgart 1954
Bd. III, 3 Landschaftsverband Rheinland, Stuttgart 1956
Bd. IV, 1 Land Hessen, Stuttgart 1957
Bd. IV, 2 Land Baden-Württemberg, Teilband Baden, Stuttgart 1959, Teilband Württemberg, Stuttgart 1962
Bd. IV, 3 Land Rheinland-Pfalz und Saarland, Stuttgart 1964
Bd. V, 1 Bayerisches Städtebuch, hrsg. von Erich Keyser und Heinz Stoob, Stuttgart 1971 (1. Teil).

780 Städtewesen und Bürgertum als geschichtliche Kräfte. Gedächtnisschrift Fritz Rörig, hrsg. von Ahasver v. Brandt und W. Koppe, Lübeck 1953.

781 Walter Stein, Handels- und Verkehrsgeschichte der deutschen Kaiserzeit, Berlin 1922. Nachdruck Darmstadt 1967.

782 Franz Steinbach, Rheinische Anfänge des deutschen Städtewesens, in: Jb. d. Köln. Geschichtsvereins 25, 1950; auch in: ders., Collectanea ...

(150) Franz Steinbach, siehe unter Collectanea ... (Nr. 150).

784 Franz Steinbach, Geburtsstand, Berufsstand und Leistungsgemeinschaft, in: RhVjbll. 14, 1949; auch in: ders., Collectanea ...

785 Franz Steinbach, Zur ältesten Geschichte von Bonn, in: Rhein. Heimatbll. 2, 1925; auch in: ders., Collectanea ...

786 Franz Steinbach und Erich Becker, Geschichtliche Grundlagen der kommunalen Selbstverwaltung in Deutschland, Bonn 1932 = Rheinisches Archiv Bd. 20.

787 Franz Steinbach, Zur Sozialgeschichte der Stadt Köln im Mittelalter, in: Spiegel der Geschichte, Festgabe für Max Braubach, Münster 1964; auch in: ders., Collectanea ...

788 Franz Steinbach, Stadtgemeinde und Landgemeinde. Studien zur Geschichte des Bürgertums I, in: RhVjbll. 13, 1948; auch in: ders., Collectanea ...

789 Franz Steinbach, Ursprungsbedingungen der Stadt Euskirchen, in: 650 Jahre Stadt Euskirchen. 1302–1952. Festschrift zum Stadtjubiläum, Euskirchen 1952; auch in: ders., Collectanea ...

790 Josef Steinhausen, Die Hochschulen im römischen Trier, in: Rheinischer Verein f. Denkmalpflege und Heimatschutz Jg. 1952.

791 Josef Steinhausen, Archäologische Siedlungskunde des Trierer Landes, Trier 1936.

792 Edmund E. Stengel, Die fränkische Wurzel der mittelalterlichen Stadt in hessischer Sicht, in: Städtewesen und Bürgertum als geschichtliche Kräfte. Gedächtnisschrift Fritz Rörig, hrsg. von Ahasver v. Brandt und W. Koppe, Lübeck 1953.

793 Frank Merry Stenton, Anglo-Saxon England, Oxford [2]1947.

794 Carl Stephenson, Borough and Town. A Study of Urban Origins in England, Cambridge/Mass. 1933.

795 Heinz Stoob, Die Ausbreitung der abendländischen Stadt im östlichen Mitteleuropa, in: Zschr. f. Ostforschung 10, 1961.

796 Heinz Stoob, Westfälische Beiträge zum Verhältnis von Landesherrschaft und Städtewesen, in: Westfälische Forschungen 21, 1968.

797 Heinz Stoob, Formen und Wandel staufischen Verhaltens zum Städtewesen, in: ders., Forschungen zum Städtewesen in Europa, Bd. 1, Köln, Wien 1970.

798 Heinz Stoob, Forschungen zum Städtewesen in Europa. Bd. 1: Räume, Formen und Schichten der mitteleuropäischen Städte. Eine Aufsatzfolge, Köln, Wien 1970.

799 Heinz Stoob, Über Zeitstufen der Marktsiedlung im 10. und 11. Jhd. auf sächsischem Boden, in: ders., Forschungen zum Städtewesen ..., Bd. 1.

800 Hans Strahm, Der zähringische Gründungsplan der Stadt Bern, in: Festgabe Richard Feller zum 70. Geburtstag, Bern 1948 = Archiv des hist. Ver. d. Kantons Bern Bd. 39 H. 2.

801 Hans Strahm, Die Berner Handfeste, Bern 1953.

802 Hans Strahm, Mittelalterliche Stadtfreiheit, in: Schweizer Beiträge zur allgem. Gesch. 5, 1947.

803 Raphael Straus, Die Judengemeinde Regensburg im ausgehenden Mittelalter, Heidelberg 1932 = Heidelberger Abhandlungen zur mittleren und neueren Geschichte 61.

804 Karl Friedrich Stroheker, Der senatorische Adel im spätantiken Gallien, Tübingen 1948.

805 Karl Friedrich Stroheker, Germanentum und Spätantike, Zürich, Stuttgart 1965.

806 Wolfgang v. Stromer, Oberdeutsche Hochfinanz 1350–1450, Wiesbaden 1970 = VSWG Beih. 55–57.

807 William Stubbs, Select Charters . . . of English Constitutional History, Oxford [8]1905.

808 Studien zu den Anfängen des europäischen Städtewesens. Reichenau-Vorträge 1955–1956, Lindau, Konstanz 1958 = Vorträge und Forschungen Bd. 4.

809 Florentine Studies: Politics and Society in Renaissance Florence, hrsg. von Nicolai Rubinstein, London [2]1968.

810 Bernhard E. J. Stüdell, Minoritenniederlassungen und mittelalterliche Stadt, Werl 1969 = Franziskanische Forschungen 21.

811 J. de Sturler, Les relations politiques et les échanges commerciaux entre le duché de Brabant et l'Angleterre au moyen-âge, Paris 1936.

812 Henry Sweet, King Alfred's Orosius, London 1883.

813 Erich Swoboda, Carnuntum. Seine Geschichte und seine Denkmäler, Graz, Köln [4]1964.

814 Jürgen Sydow, Der Regensburger Markt im Früh- und Hochmittelalter, in: Histor. Jb. 80, 1961.

815 Jürgen Sydow, Zur verfassungsgeschichtlichen Stellung von Reichsstadt, freier Stadt und Territorialstadt im 13. und 14. Jhd., in: Les libertés urbaines et rurales du XIe au XIVe siècle. Colloque international Spa 1966, Brüssel 1968 = Pro Civitate. Collection Histoire in-8[0], Nr. 19.

816 György Székely, Le développement des bourgs hongrois à l'époque du féodalisme florissant et tardif, in: Annales Universitatis Scientiarum Budapestiensis, Sectio Hist. t. 5, Budapest 1963.

817 György Székely, Le développement de la magistrature de la ville de Buda au XIVe siècle, in: Folia diplomatica 1, Brünn 1971.

818 György Székely, A pannóniai települések kontinuitásának kérdéx és a hazai városfejlödés kezdetei. Zusammenfassung: ders., Die Frage der Kontinuität der Siedlungen in Pannonien und die Anfänge der Städteentwicklung in Ungarn, in: Tanulmányok Budapest Múltjából, Budapest 1957.

819 György Székely, Le sort des agglomérations pannoniennes au debut du moyen-âge et les origines de l'urbanisme en Hongrie, in: Annales Universitatis Scientiarum Budapestiensis, Sectio Hist. t. 3, Budapest 1961.

820 György Székely, Wallons et italiens en Europe centrale aux XIe – XVIe scs., in: Annales Universitatis Scientiarum Budapestiensis, Sectio Hist. t. 6, Budapest 1964.

821 Giov. Tabacco, I liberi del re nell'Italia carolingia e postcarolingia, Spoleto 1966 = Bibl. degli Studi medioevali 2.

822 G. L. Fr. Tafel, G. M. Thomas, Urkunden zur älteren Handels- und Staatsgeschichte der Republik Venedig mit bes. Beziehung auf Byzanz und die Levante. Vom 9. bis zum Ausgang des 15. Jhds., 3 Bde., Wien 1856–57, Reprint Amsterdam 1964 = Fontes rerum Austriacarum. Österreichische Geschichtsquellen. 2. Abt. Diplomataria et Acta Bd. 12–14.

823 James Tait, The Medieval English Borough. Studies on its Origins and Constitutional History, Manchester 1936.

824 Coenrad Liebrecht Temminck-Groll, Middeleeuwse stenen huizen te Utrecht en hun relatie met die van andere Noordwesteuropese steden, 'sGravenhage 1963.

825 Territorien und Städtewesen. Referate und Aussprachen auf der sechsten Tagung des Arbeitskreises für landschaftliche deutsche Städteforschung 1965 in Münster/W., hrsg. von Karl-Heinz Kirchhoff, in: Westfälische Forschungen 19, 1966.

826 Hans Thieme, Die Funktion der Regalien im Mittelalter, in: ZRG Germ. Abt. 62, 1942.

827 Sylvia Lettice Thrupp, The Merchant Class of Medieval London 1300–1500, Chikago 1948.

(571) M. N. Tichomirow, siehe unter Mélanges M. N. Tichomirow (Nr. 571).

828 Fritz Timme, Die wirtschaftlichen und verfassungsgeschichtlichen Anfänge der Stadt Braunschweig, Leipzig 1931.

829 Fritz Timme, Ursprung und Aufstieg der Städte Niedersachsens, Hannover: Landeszentrale für Heimatdienst in Niedersachsen 1956 = Schriftenreihe der Landeszentrale für Heimatdienst in Niedersachsen Reihe B H. 2.

830 Fritz Timme, Ostsachsens früher Verkehr und die Entstehung alter Handelsplätze, in: Braunschweig. Heimat 36, 1950.

(866) Nikolaj Todorov, Hrsg., siehe unter La ville balkanique ... (Nr. 866).

831 Amelio Togliaferri, L'economia veronese secondo gli estimi dal 1409 bis 1635, Mailand 1966 = Bibl. d. rer. Econ. e Storia 17.

832 Pietro Torelli, Un comune cittadino in territorio ad economia agricola, 2 Bde., Mantua 1930 u. 1952.

833 Historic Towns. Maps and Plans of Towns and Cities in the British Isles, with Historical Commentaries from Earliest Times to circa 1800, hrsg. von M. D. Lobel und W. H. Johns, Oxford, London 1969.

834 J. P. Trabut-Cuissac, Bastides ou Forteresses? Les bastides de l'Aquitaine anglaise et les intentions de leurs fondateurs, in: Le Moyen Age 60, 1954.

835 Ferdinand Tremel, Das Handelsbuch des Judenburger Kaufmanns Clemens Körbler 1526–1548, Graz 1960 = Beiträge zur Forschung steirischer Geschichtsquellen H. 47 (N. F. H. 15).

836 Trier. Ein Zentrum abendländischer Kultur, Neuß 1952 = Rheinischer Verein f. Denkmalpflege und Heimatschutz Jg. 1952.

837 Kas. Tymieniecki, Organisation des frühmittelalterlichen Handwerks und die Genesis der polnischen Städte, in: Studia Wczesnośred 3, 1955.

838 Friedrich Uhlhorn, Beobachtungen über die Ausdehnung des sogenannten Frankfurter Stadtrechtskreises, in: Hess. Jb. f. Landesgesch. 5, 1955.

839 Manfred Unger, Stadtgemeinde und Bergwesen Freibergs im Mittelalter, Weimar 1963 = Abhandlungen zur Handels- und Sozialgeschichte Bd. 5.

840 Gesellschaftliche Unterschichten in den südwestdeutschen Städten, hrsg. von Erich Maschke und Jürgen Sydow, Stuttgart 1967 = Veröffentlichungen d. Komm. f. gesch. Landeskunde in Baden-Württemberg Reihe B Forschungen Bd. 41.

841 Untersuchungen zur gesellschaftlichen Struktur der mittelalterlichen Städte in Europa. Reichenau-Vorträge 1963–1964, Konstanz, Stuttgart 1966 = Vorträge und Forschungen Bd. 11.

842 Rafael v. Uslar, Studien zu frühgeschichtlichen Befestigungen zwischen Nordsee und Alpen, Köln, Graz 1964.

843 Rafael v. Uslar, Turris, Curtis und Arx im Mainz des frühen Mittelalters, in: Kölner Jahrbuch f. Vor- und Frühgesch. 9, 1967/68.

844 R. van Uytven, Die Bedeutung des Kölner Weinmarktes im 15. Jhd., in: RhVjbll. 30, 1965.

845 Pietro Vaccari, Pavia nell'alto medioevo e nell'età comunale, Pavia 1956.

846 Luis Garcia de Valdevellano y Arcimis, Sobre los burgos y los burgueses de la España Medieval, Madrid 1960.

847 Jules Vannérus, Trois villes d'origine romaine dans l'ancien Pays de Luxembourg-Chiny: Arlon, Bitbourg et Yvois, in: Bulletin. (Académie Royale de Belgique) Classe des lettres et des sciences morales et politiques 5. Sér. 21, 1935.

848 Helmut Veithshans, Die Judensiedlungen der schwäbischen Reichsstädte und der württembergischen Landstädte im Mittelalter, Stuttgart 1970.

849 Fernand Vercauteren, Die spätantike Civitas im frühen Mittelalter, in: Bll. f. dt. Landesgesch. 98, 1962.

850 Fernand Vercauteren, Conceptions et méthodes de l'histoire urbaine médiévale, in: Cahiers bruxellois 12, 1967.

851 Fernand Vercauteren, Etude sur les civitates de la Belgique seconde, Brüssel 1934 = Académie Royale de Belgique. Classe des lettres et des sciences morales et politiques. Mémoires. Sér. 2e. T. 33.

852 Fernand Vercauteren, Luttes sociales à Liège, Brüssel ²1946.

853 Fernand Vercauteren, Note critique sur un diplôme du roi de France Charles le Simple du 20 décembre 911, in: Miscellanea medievalia in memoriam Jan Frederik Niermeyer, Groningen 1967.

(777) Fernand Vercauteren, Richard Laufner, Wilhelm Rausch, Hrsg., siehe unter Die Städte Mitteleuropas . . . (Nr. 777).

854 Giovanni de Vergottini, Origini e sviluppo storico della comitatinanza I, Siena 1929.

855 Adriaan Verhulst, Bronnen en problemen betr. de Vlaamse Landbouw in de late middeleeuwen, Gent 1964 = Studia Hist. Gandensia 17.

856 Adriaan Verhulst, Der Handel im Merowingerreich. Gesamtdarstellung nach schriftlichen Quellen, Gent 1970 = Studia Hist. Gandensia 125.

857 Adriaan Verhulst, Les origines et l'histoire ancienne de la ville de Bruges (IXe-XIIe ciècle), in: Le Moyen Age 66, 1960.

858 Charles Verlinden, L'esclavage dans l'Europe méditerranéenne, Brügge 1955.

859 Charles Verlinden, Problèmes d'histoire économique franque. I. Le Franc Samo, in: Revue belge de phil. et d'hist. 12,3–4, 1933.

860 Charles Verlinden, Traite et esclavage dans la vallée de la Meuse, in: Mélanges Félix Rousseau. Etudes sur l'histoire du Pays Mosan au Moyen Age, Brüssel 1958.

861 Albert Vermeesch, Essai sur les origines et la signification de la Commune dans le nord de la France (XIe et XIIe siècles), Heule 1966.

862 Sergij Vilfan, Rechtsgeschichte der Slowenen bis zum Jahre 1941, Graz 1968.

863 La ville. Bd. I: Institutions administratives et judiciaires, Brüssel 1954 = Recueils de la Société Jean Bodin Bd. VI.

864 La ville. Bd. II: Institutions économiques et sociales, Brüssel 1955 = Recueils de la Société Jean Bodin Bd. VII.

865 La ville. Bd. III: Le droit privée, Brüssel 1957 = Recueils de la Société Jean Bodin Bd. VIII.

866 La ville balkanique XVe–XIXe siècles, hrsg. von Nikolaj Todorov, Sofia 1970.

867 Cincio Violante, La Pataria milanese e la riforma ecclesiastica I. Le premesse (1045–1057), Rom 1955.

868 Cincio Violante, Les prêts sur gage foncier dans la vie économique et sociale de Milan au XIe sc., in: Cahiers de civil. méd. 5, 1962.

869 Cincio Violante, La società Milanese nell'età precomunale, Bari 1953.

870 Vita Meinwerci episcopi Patherbrunnensis, hrsg. von Franz Tenckhoff, Hannover 1921 = MGH SS rer. Germ. in usum scholarum ... 59.

871 Vito Vitale, Breviario della storia di Genova, 2 Bde., Genua 1955.

872 Friedrich Vittinghoff, Römische Stadtrechtsformen der Kaiserzeit, in: ZRG Germ. Abt. 68, 1951.

873 Friedrich Vittinghoff, Zur Verfassung der spätantiken Stadt, in: Studien zu den Anfängen des europäischen Städtewesens. Reichenau-Vorträge 1955–1956, Lindau, Konstanz 1958 = Vorträge und Forschungen Bd. 4.

874 Hans-Jochen Vogel, Städte im Wandel, Stuttgart, Berlin, Köln, Mainz 1971.

875 Walter Vogel, Handelsverkehr, Städtewesen und Staatenbildung in Nordeuropa im frühen Mittelalter, in: Zschr. d. Gesellschaft f. Erdkunde Jg. 1931.

876 Walter Vogel, Ein seefahrender Kaufmann um 1100, in: Hans. Geschbll. 18, 1912.

877 Walter Vogel, Wik-Orte und Wikinger. Eine Studie zu den Anfängen des germanischen Städtewesens, in: Hans. Geschbll. 60, 1935.

878 Gisela Vollmer, Die Stadtentstehung am unteren Niederrhein. Eine Untersuchung zum Privileg der Reeser Kaufleute von 1142, Bonn 1952 = Rheinisches Archiv 41.

879 Gioacchino Volpe, Questioni fondamentali sull'origine dei comuni italiani, in: Medioevo italiano, Florenz ²1961.

880 A. van de Vyver, Charles Verlinden, L'auteur et la portée du „conflictus ovi et lini", in: Revue belge de phil. et d'hist. 12,1–2, 1933.

881 Friedrich Ludwig Wagner, Stadt Bacharach und Samtgemeinde der Viertäler, in: Jahrbuch f. Gesch. u. Kunst d. Mittelrheins u. seiner Nachbargebiete 6/7, 1954/55.

882 Georg Waitz, Deutsche Verfassungsgeschichte, 8 Bde., Kiel 1860–78.

883 Gerold Walser, Thomas Pekary, Die Krise des Römischen Reiches, Berlin 1962.

884 N. Wand, Die Ausgrabungen auf dem Büraberg bei Fritzlar. Vorbericht, in: Fundberichte aus Hessen 9/10, 1969/70.

885 Joh. Warncke, Mittelalterliche Schulgeräte im Museum zu Lübeck, in: Zschr. f. Gesch. d. Erziehung und d. Unterrichts 2, 1912.

886 Charl. Warnke, Die Anfänge des Fernhandels in Polen, Würzburg 1964 = Marburger Ostforschungen 22.

887 Max Weber, Die Stadt, in: Archiv f. Sozialwissenschaft und Sozialpolitik 47, 1921. Auch in: ders., Wirtschaft und Gesellschaft, Bd. 2, Tübingen 1947 = Grundriß der Sozialökonomik 3.

888 Hugo Weczerka, Bevölkerungszahlen der Hansestädte (insbesondere Danzigs), nach H. Samsonowicz, in: Hans. Geschbll. 82, 1964.

889 Herman van der Wee, The Growth of the Antwerp Market and the European Economy (14th–16th centuries), 3 Bde., Den Haag 1963.

890 H. van de Weerd, L'origine de la ville de Tongres, in: Musée belge Bd. 33, 1929.

891 H. van de Weerd, Tongeren van de vierde tot de twaalfde eeuw: geschiedkundig onderzoek, in: Limburg 29, 1950; 30, 1951.

892 Carl Wehmer, Mainzer Probedrucke in der Type des sog. Astronomischen Kalenders für 1448. Ein Beitrag zur Gutenbergforschung, München 1948.

893 Leo Weisgerber, Die Namen der Ubier, Köln, Opladen 1968.

894 Leo Weisgerber, Rhenania Germano-Celtica. Gesammelte Abhandlungen, hrsg. von Joh. Knobloch und Rud. Schützeichel, Bonn 1969.

895 Leo Weisgerber, Die Sprache der Festlandkelten, in: Berichte der Römisch-Germanischen Kommission 20, 1931. Jetzt auch in: ders., Rhenania Germano-Celtica . . .

896 Julius Weizsäcker, Der rheinische Bund von 1254, Tübingen 1879.

897 Wilhelm Weizsäcker, Wien und Brünn in der Stadtrechtsgeschichte, in: ZRG Germ. Abt. 70, 1953.

898 Karl Weller, Die staufischen Städtegründungen in Schwaben, in: Württ. Vierteljahrshefte N. F. 36, 1930.

899 Reinhard Wenskus, Probleme einer kartographischen Darstellung der Ausbreitung deutscher Stadtrechte in den Städten des Ostens, in: Bll. f. dt. Landesgesch. 91, 1954.

900 Ernst Werner, Der Florentiner Frühkapitalismus in marxistischer Sicht, in: Studi medievali 3. Ser. 1, 1960.

901 Joachim Werner, Zur Ausfuhr koptischen Bronzegeschirrs, in: VSWG 43, 1956.

902 Joachim Werner, Die Bedeutung des Städtewesens für die Kulturentwicklung des frühen Keltentums, in: Die Welt als Geschichte 5, 1939.

903 Joachim Werner, Zu den alemannischen Burgen des 4. und 5. Jhds., in: Speculum Historiae. Geschichte im Spiegel von Geschichtsschrei-

bung und Geschichtsdeutung, hrsg. von Clemens Bauer, Laetitia Boehm, Max Müller (Joh. Spörl aus Anlaß seines 60. Geburtstages), Freiburg, München 1965.

904 Joachim Werner, Fernhandel und Naturalwirtschaft, in: Moneta e scambi nell'alto medioevo, Spoleto 1961 = Settimane di studio del centro ital. di studi sull'alto medioevo 8.

905 Joachim Werner, Waage und Geld in der Merowingerzeit, München 1954 = Sbb. d. Bayerischen Akad. d. Wiss., Phil.-hist. Kl. Jg. 54, H. 1.

906 Hans van Werveke, La banlieue primitive des villes flamandes, in: Etudes d'histoire dédiées à la mémoire de Henri Pirenne, Brüssel 1937.

907 Hans van Werveke, „Burgus", versterking of nederzetting?, Brüssel 1965 = Verhandelingen v. d. Koninkl. Vlaamse Acad. v. Wetensch. Letteren en Schone Kunsten v. Belgie. Kl. d. Letteren Jg. 27, No. 59.

908 Hans van Werveke, A. E. Verhulst, Castrum en Oudburg te Gent. Bijdragen tot de oudste Geschiedenis van de Vlaamse Steden, in: Handelingen d. Maatschappij v. Geschiedenis en Oudheidkunde te Gent N. R. 14, 1960.

909 Hans van Werveke, Gand. Esquisse d'histoire sociale, Brüssel 1946.

910 Hans van Werveke, De middeleeuwse hongersnood, Brüssel 1967 = Mededelingen v. d. Koninkl. Vlaamse Acad. v. Wetensch., Letteren en Schone Kunsten v. Belgie. Kl. d. Letteren Jg. 29, No. 3.

911 Hans van Werveke, Jacques van Artevelde, Brüssel 1948 = Notre Passé Sér. I, 2.

912 Hans van Werveke, Miscellanea medievalia. Gent 1968.

913 Hans van Werveke, De economische politiek van Filips van de Elzas (1157–68 tot 1191), Brüssel 1952 = Mededelingen v. d. Koninkl. Vlaamse Acad. v. Wetensch., Letteren en Schone Kunsten v. Belgie. Kl. d. Letteren Jg. 14.

914 Hans van Werveke, Das Wesen der flandrischen Hansen, in: Hans. Geschbll. 76, 1958; auch in: ders., Miscellanea medievalia.

915 Westfalen, Hanse, Ostseeraum, Münster 1955 = Veröffentlichungen d. Provinzialinstituts f. westfälische Landes- und Volkskunde 7.

916 Willi Weyres, Die Domgrabung XVI. Die frühchristlichen Bischofskirchen und Baptisterien, in: Kölner Domblatt 30, 1969.

917 Willi Weyres, Die Domgrabung XVII. Die Baptisterien östlich des Domchores, in: Kölner Domblatt 31/32, 1970.

918 Sir Mortimer Wheeler, Der Fernhandel des römischen Reiches in Europa, Afrika und Asien, München, Wien 1965.

919 Sir Mortimer Wheeler, Rome beyond the Imperial Frontiers, London 1955.

920 Lynn White jr., Medieval Technology and Social Change, Oxford 1962. Deutsch: Die mittelalterliche Technik und der Wandel der Gesellschaft, München 1968.

921 B. Widera, Die Frühgeschichte Nowgorods im Lichte der neuesten sowjetischen Archäologie, in: Ethnographisch-archäologische Zschr. 1, 1960.

922 Fr. Wieacker, Recht und Gesellschaft in der Spätantike, Stuttgart 1964.

923 Fritz Wiegand, Über hansische Beziehungen Erfurts, in: Hansische Studien, Heinrich Sproemberg zum 70. Geburtstag, hrsg. von Ger-

hard Heitz und Manfred Unger, Berlin 1961 = Forschungen zur mittelalterlichen Geschichte Bd. 8.

924 Fritz Wiegand, Erfurt. Eine Monographie, Rudolstadt 1964.

925 Helene Wieruszowski, Die Zusammensetzung des gallischen und fränkischen Episkopats bis zum Vertrag von Verdun (843) mit besonderer Berücksichtigung der Nationalität und des Standes, in: Bonner Jahrbücher 127, 1922.

926 Hans Wilkens, Zur Geschichte des niederländischen Handels im Mittelalter, in: Hans. Geschbll. 14, 1908.

927 Gwynn Alfred Williams, Medieval London: from Commune to Capital, London 1963 = University of London Historical Studies 11.

928 E. M. Carus Wilson, The Overseas Trade of Bristol, London 1954.

929 Luise v. Winterfeld, Geschichte der freien Reichs- und Hansestadt Dortmund, Dortmund 41963.

930 Luise v. Winterfeld, Gottesfrieden und deutsche Stadtverfassung, in: Hans. Geschbll. 52, 1927.

931 Luise v. Winterfeld, Handel, Kapital und Patriziat in Köln bis 1400, Lübeck 1925 = Pfingstbll. d. Hans. Geschver. 16.

932 Luise v. Winterfeld, Nochmals Gottesfrieden und deutsche Stadtverfassung, in: ZRG Germ. Abt. 54, 1934.

933 Luise v. Winterfeld, Das Dortmunder Patriziat bis 1400, in: Mitteilungen d. westdt. Ges. f. Familienkunde 4, 1925.

934 Luise v. Winterfeld, Neue Untersuchungen über die Anfänge des Gemeinwesens der Stadt Köln, in: VSWG 18, 1925.

935 Luise v. Winterfeld, Versuch über die Entstehung des Marktes und den Ursprung der Ratsverfassung in Lübeck, in: Zschr. d. Ver. f. Lübeck. Gesch. u. Altertumskunde 25, 1929.

936 Phil. Wolff, Commerces et marchands de Toulouse (vers 1350 – vers 1450) Paris 1954.

937 Phil. Wolff, L'épisode de Berenguer. Oller à Barcelone en 1285. Essai d'interprétation sociale, in: Anuario de estudios medievales 1968.

938 Phil. Wolff, Les „Estimes" Toulousaines des XIVe et XVe siècles, Toulouse 1956.

939 Phil. Wolff, Histoire de Toulouse, Toulouse 1958.

940 Phil. Wolff, Quidam homo nomine Roberto negociatore, in: Le Moyen Age 69, 1963.

941 Phil. Wolff, Les luttes sociales dans les villes du Midi français XIIIe –XVe siècles, in: Annales. Economies, sociétés, civilisations 2, 1947.

942 Phil. Wolff, Réflexions sur l'histoire médiévale de Montauban, in: Actes du Congrès d. Soc. Savantes Montauban 1954, Montauban 1956.

943 Phil. Wolff, De Rome à Toulouse: aux origines de la Banque Toulousaine, in: Studi in onore di Amintore Fanfani, Bd. 3, Mailand 1962.

944 Gerhard Wunder, Georg Lenckner, Die Bürgerschaft der Reichsstadt Hall von 1395–1600, Stuttgart, Köln, 1956 = Württembergische Geschichtsquellen Bd. 25.

945 Carlos Wyffels, Hanse, grands marchands et patriciens de St. Omer, St. Omer 1962 = Mém. de la Soc. acad. des antiquaires de la Morinie Bd. 38.

946 Carlos Wyffels, De oorsprong der ambachten in Vlaanderen en Brabant, Brüssel 1951 = Verhandelingen v. d. Koninkl. Vlaamse Acad. v. Wetensch., Letteren en Schone Kunsten v. Belgie. Kl. d. Letteren Jg. 13, No. 13.

947 Charles Robert Young, The English Borough and Royal Administration 1130–1307, Durham, London 1961.

948 Mireille Zarb, Histoire d'une autonomie communale. Les privilèges de la ville de Marseille au Xe siècle à la Revolution, Paris 1961.

949 Wolfgang Zorn, Augsburg. Geschichte einer deutschen Stadt, Augsburg o. J. (1955).

950 Wolfgang Zorn, Die politische und soziale Bedeutung des Reichsstadtbürgertums im Spätmittelalter, in: Zschr. f. bayer. Landesgesch. 24, 1961.

951 Wolfgang Zorn, Zünfte, in: HDSW 12, 1965.

952 Adolf Zycha, Über den Ursprung der Städte in Böhmen und die Städtepolitik der Přemysliden, in: Mitteilungen d. Ver. f. Gesch. d. Deutschen in Böhmen 52, 1914; 53, 1915.

ABBILDUNGSNACHWEIS

HILDEGARD THIERFELDER (Hrsg.)
Das älteste Rostocker Stadtbuch (um 1254—1273)

Mit Beiträgen zur Geschichte Rostocks im 13. Jahrhundert, 1967. 351 Seiten, brosch. (ISBN 3-525-36 137-8)

WILHELM EBEL (Hrsg.)
Das Stadtrecht von Goslar

1968. 307 Seiten und 2 farbige Tafeln, Ln. (ISBN 3-525-18 203-1)

HERBERT GRUNDMANN
Geschichtsschreibung im Mittelalter

Gattungen — Epochen — Eigenart. Kleine Vandenhoeck-Reihe 209/210. 1965. 91 Seiten, engl. brosch. (ISBN 3-525-33 224-6)

KARL BOSL
Die Gesellschaft in der Geschichte des Mittelalters

Kleine Vandenhoeck-Reihe 231. 1966. 67 Seiten, engl. brosch.
(ISBN 3-525-33 237-8)

MICHAEL SEIDLMAYER
Das Mittelalter

Umrisse und Ergebnisse des Zeitalters. Unser Erbe. Neu herausgegeben von Herbert Grundmann. Kleine Vandenhoeck-Reihe 247/248. 1967. 70 Seiten, engl. brosch. (ISBN 3-525-33 245-9)

OTTO BRUNNER
Neue Wege der Verfassungs- und Sozialgeschichte

2., vermehrte Auflage 1968. 345 Seiten, Ln. (ISBN 3-525-36 104-1)

WALTER SCHLESINGER
**Mitteldeutsche Beiträge
zur deutschen Verfassungsgeschichte des Mittelalters**

1961. 490 Seiten und 2 Kunstdrucktafeln, Ln. (ISBN 3-525-36 134-3)

Inhalt: Die Verfassung der Sorben / Zur Gerichtsverfassung des Markengebietes östlich der Saale im Zeitalter der deutschen Ostsiedlung / Die deutsche Kirche im Sorbenland / Burgen und Burgbezirke / Egerland, Vogtland, Pleißenland / Bäuerliche Gemeindebildungen in den mittelelbischen Landen im Zeitalter der mittelalterlichen deutschen Ostbewegung / Forum, villa fori, ius fori / Urkundenstudien zur deutschen Ostpolitik unter Otto III. / Bemerkungen zur sogenannten Stiftungsurkunde des Bistums Havelberg / Die geschichtliche Stellung der mittelalterlichen deutschen Ostbewegung.

Die Chroniken der deutschen Städte vom 14. bis ins 16. Jahrhundert. Neudruck von 37 Bänden. Herausgegeben durch die Historische Kommission bei der Bayerischen Akademie der Wissenschaften.

Bitte fordern Sie unser Gesamtverzeichnis GESCHICHTE an!

VANDENHOECK & RUPRECHT IN GÖTTINGEN UND ZÜRICH